최상위의 절대 기준

절대등급

절 대 등 급

이 책을 집필하신 선생님들께 감사드립니다.

김규완 | 대구 황금중학교
김진영 | 대구 고산중학교
서지영 | 신천중학교
신은지 | 원촌중학교
신혜진 | 서문여자중학교
우희정 | 숭문중학교
유승연 | 신도림중학교
윤남희 | 중동중학교
이규현 | 원촌중학교
이문영 | 대전 삼천중학교
이삭 | 배명중학교
전대식 | 장원중학교
전지영 | 대전 대덕중학교
전한우 | 서문여자중학교
정다희 | 서일중학교
최진이 | 광주 풍암중학교

이 책을 검토하신 선생님들께 감사드립니다.

강유미 | 경기 광주
김국희 | 청주
김민지 | 대구
김선아 | 부산
김주영 | 서울 용산
김훈회 | 청주
노형석 | 광주
신범수 | 대전
신지예 | 대전
안성주 | 영암
양영인 | 성남
양현호 | 순천
원민희 | 대구
윤영숙 | 서울 서초
이미란 | 광양
이상일 | 서울 강서
이승열 | 광주
이승희 | 대구
이영동 | 성남
이진희 | 청주
임안철 | 안양
장영빈 | 천안
장전원 | 대전
전승환 | 안양
전지영 | 안양
정상훈 | 서울 서초
정재봉 | 광주
지승룡 | 광주
채수현 | 광주
최주현 | 부산
허문석 | 천안
홍인숙 | 안양

최상위의 절대 기준

절대등급

중학 수학 3-1

구성과 특징

이렇게 만들었습니다.

현직 우수 학군 중학교 선생님들이 만든 문제

실제 학교 시험 문항을 출제하는 현직 선생님들이 내신 대비에 최적화된 상위권 문제만을 엄선하였습니다.

최고 실력을 완성할 수 있는 문제로 구성

유형만 반복하는 문제 풀이는 이제 그만! 문제 해결력을 키워주는 필수 문제부터 변별력을 결정하는 최고난도 문제까지 내신 만점을 위한 집중 학습이 가능하도록 구성하였습니다.

전국 우수 학군 기출 문제와 교과서를 철저히 분석

강남, 목동 등의 전국 우수 학군 지역 중학교의 신경향 기출 문제와 모든 교과서의 사고력 문항을 분석하여 수준 높은 문항을 수록하였습니다.

03 다항식의 곱셈과 곱셈 공식 II. 다항식의 곱셈과 인수분해

① 다항식의 곱셈과 곱셈 공식

(1) 다항식과 다항식의 곱셈

분배법칙을 이용하여 전개한 후, 동류항끼리 모아서 간단히 한다.

예 $(2x+y)(3x-y)=6x^2-2xy+3xy-y^2=6x^2+xy-y^2$

$(a+b)(c+d)=ac+ad+bc+bd$ (①, ②, ③, ④)

(2) 곱셈 공식

① 합의 제곱 : $(a+b)^2=a^2+2ab+b^2$

② 차의 제곱 : $(a-b)^2=a^2-2ab+b^2$

③ 합과 차의 곱 : $(a+b)(a-b)=a^2-b^2$

④ 일차항의 계수가 1인 두 일차식의 곱 : $(x+a)(x+b)=x^2+(a+b)x+ab$

⑤ 일차항의 계수가 1이 아닌 두 일차식의 곱 : $(ax+b)(cx+d)=acx^2+(ad+bc)x+bd$

② 치환을 이용한 복잡한 식의 전개 심화 개념

공통 부분을 한 문자로 치환한 후, 곱셈 공식을 이용하여 전개한다.

예 $(x+y+z)(x+y-z)$ ($x+y=A$로 치환)

$=(A+z)(A-z)$ (곱셈 공식을 이용하여 전개하기)

$=A^2-z^2$ (A에 $x+y$를 대입하기)

$=(x+y)^2-z^2$

$=x^2+2xy+y^2-z^2$

참고 ( )( )( )( )의 꼴의 전개 : 일차식의 상수항의 합이 같아지도록 두 개씩 짝 지어 전개한 후, 공통 부분을 치환하여 전개한다.

쌤의 활용 꿀팁: 공통 부분을 한 문자로 치환하여 곱셈 공식을 이용할 수 있는 꼴로 만들어 보세요. 식을 적절히 변형해야 공통 부분이 생기는 경우도 있음에 주의하세요.

개념

- 중단원별로 꼭 알아야 하는 핵심 개념과 원리를 참고, 주의, 예와 함께 수록하였습니다.

  심화 개념 핵심 개념과 연계되는 심화 개념 또는 상위 개념을 체계적으로 정리하였습니다.

  쌤의 활용 꿀팁 심화 개념에서 꼭 알아두어야 할 문제 해결 포인트를 선생님이 직접 제시하였습니다.

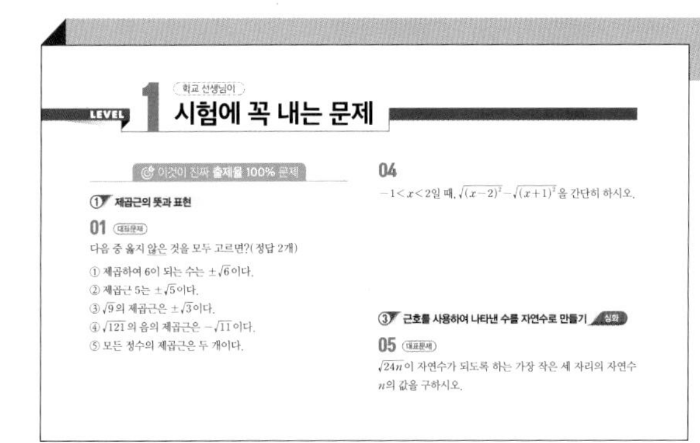

LEVEL 1 학교 선생님이 시험에 꼭 내는 문제

- 이것이 진짜 출제율 100% 문제 전국 모든 중학교 시험에 출제된 문제 중에서 개념별로 대표 문제들을 엄선하여 상위 20%의 실력을 다질 수 있게 하였습니다.
- 이것이 진짜 교과서에서 뽑아온 문제 전국 중학교에서 사용하는 다양한 교과서 문항 중 시험에 나올 수 있는 사고력 문제를 선별하였습니다.
  실수多 학교 시험에서 학생들이 실수하기 쉬운 문제들을 쌤의 오답 코칭과 함께 수록하여 실수를 줄일 수 있게 하였습니다.

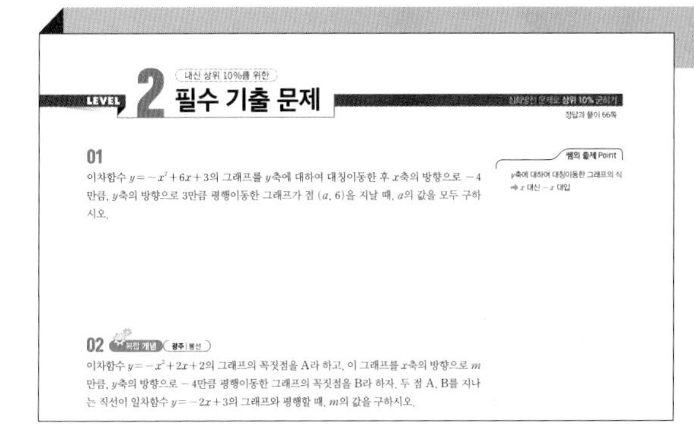

LEVEL 2 내신 상위 10%를 위한 필수 기출 문제

- 전국 우수 학군 중학교의 최근 기출 문제를 철저히 분석하여 실제 시험에 출제될 가능성이 높은 문제들로 구성하여 상위 10%의 실력을 굳힐 수 있게 하였습니다.
  복합 개념 두 가지 이상의 개념을 적용해야 해결할 수 있는 문제입니다.
  신유형 새롭게 떠오르는 변별력 있는 문제입니다.
  만점 KILL 학교 시험에서 만점 방지를 위해 나올 수 있는 고난이도 문제입니다.
  교과서 추론, 교과서 창의사고력 교과서 문항을 분석하여 실제 학교 시험 고난도 문항으로 출제 가능한 형태로 제시하였습니다.
- 문항의 출제 지역(서울 강남, 서울 목동, 서울 서초, 서울 송파, 분당 서현, 안양 평촌, 대전 둔산, 광주 봉선, 대구 수성, 부산 해운대)을 표시하였습니다.

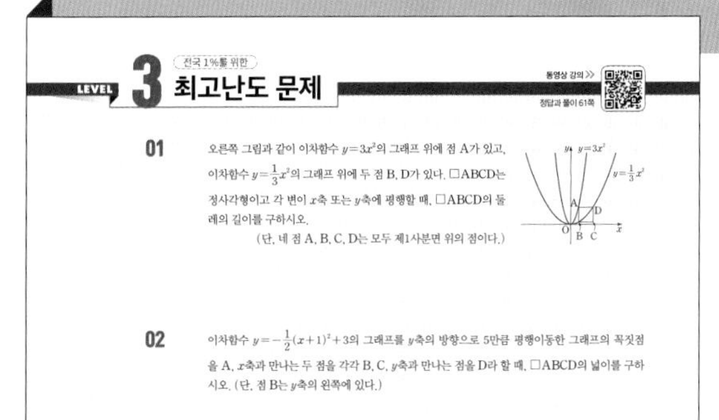

LEVEL 3 전국 1%를 위한 최고난도 문제

- 종합 사고력 및 가장 높은 수준의 문제 해결력을 요구하는 전국 1% 실력을 완성할 수 있는 문제로 구성하였습니다.
  Challenge 경시 및 특목고 대비까지 가능하도록 최고 수준 문제를 한 문항 엄선하였습니다.

동영상 강의 >> LEVEL 3의 모든 문제에 대한 풀이 동영상을 제공합니다. QR 코드를 인식하면 동영상을 볼 수 있습니다.

선배들의 같은 문제 다른 풀이

- 앞에서 풀었던 문제 중 상위 개념을 이용하여 풀 수 있는 문제를 선별하여 다른 풀이를 제시하였고, 상위 개념을 미리 익힐 수 있게 하였습니다.

정답과 풀이

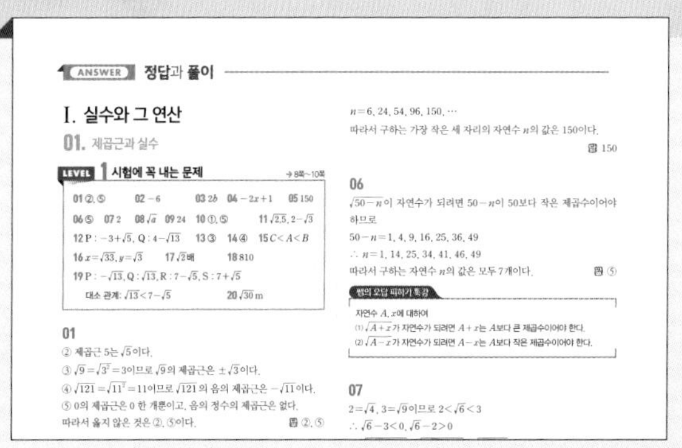

- 이해하기 쉬운 깔끔한 풀이와 한 문제에 대한 여러 가지 해결 방법을 제시하였습니다.
- 쌤의 오답 피하기 특강, 쌤의 만점 특강, 쌤의 복합 개념 특강, 쌤의 특강을 제시하여 문제마다 충분한 이해가 가능하게 하였고, LEVEL 3의 문제는 solution 미리 보기를 제시하였습니다.

차례

Contents

I

실수와 그 연산

현직 교사의 학교 시험 고난도 킬러 강의

이 단원에서는 제곱근, 무리수, 실수 등 여러 개념이 새롭게 등장하는데, 이전에 배운 개념과 연계하여 개념을 정확히 이해하고, 활용하여 다양한 문제를 해결하는 것이 중요해요. 제곱근의 성질을 이용하여 식을 간단히 정리하는 문제, 무리수와 실수의 성질을 정확히 알고 있어야 해결할 수 있는 문제는 시험에 꼭 출제돼요. 특히, 근호를 사용하여 나타낸 수가 자연수가 되는 조건을 구하는 문제와 피타고라스 정리를 활용한 도형 문제는 이 단원에서의 kill 문제죠.

01 제곱근과 실수

① 제곱근의 뜻과 표현

(1) **a의 제곱근** : 어떤 수 x를 제곱하여 a가 될 때, 즉 $x^2=a(a\geq 0)$일 때 x를 a의 제곱근이라 한다.

① 양수의 제곱근은 양수와 음수의 2개이고, 그 절댓값은 서로 같다.

② 0의 제곱근은 0 한 개뿐이다.

③ 제곱해서 음수가 되는 수는 없으므로 음수의 제곱근은 없다.

예 $3^2=9$, $(-3)^2=9$ ➡ 9의 제곱근은 3, -3

(2) **제곱근의 표현**

① 제곱근은 기호 $\sqrt{\ }$ (근호)를 사용하여 나타내고, $\sqrt{a}$를 '제곱근 a' 또는 '루트 a'로 읽는다.

② 양수 a의 제곱근 중 양의 제곱근을 $\sqrt{a}$로 나타내고, 음의 제곱근을 $-\sqrt{a}$로 나타낸다.

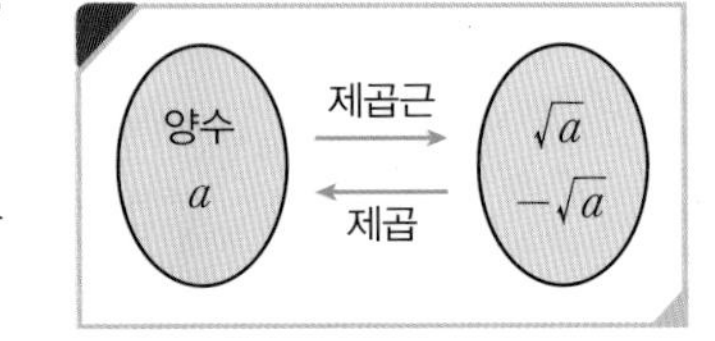

참고 $\sqrt{a}$와 $-\sqrt{a}$를 한꺼번에 $\pm\sqrt{a}$로 나타낸다.

주의 • a의 제곱근 ➡ 제곱하여 a가 되는 수 ➡ $\pm\sqrt{a}$
• 제곱근 a ➡ a의 양의 제곱근 ➡ $\sqrt{a}$

② 제곱근의 성질

(1) **제곱근의 성질** : $a>0$일 때

① $(\sqrt{a})^2=a$, $(-\sqrt{a})^2=a$

② $\sqrt{a^2}=a$, $\sqrt{(-a)^2}=a$

참고 $a<0$일 때, $\sqrt{a^2}=-a$, $\sqrt{(-a)^2}=-a$

(2) $\sqrt{A^2}=|A|=\begin{cases} A\ (A\geq 0) \\ -A\ (A<0) \end{cases}$

③ 근호를 사용하여 나타낸 수를 자연수로 만들기 심화 개념

근호를 사용하여 나타낸 수가 자연수가 되려면 근호 안이 제곱수, 즉 소인수분해하였을 때 소인수의 지수가 모두 짝수이어야 한다.

예 $\sqrt{12n}$이 자연수가 되도록 하는 가장 작은 자연수 n의 값 구하기
➡ $\sqrt{12n}=\sqrt{2^2\times 3\times n}$이므로 $\sqrt{12n}$이 자연수가 되려면 $n=3\times k^2$(k는 자연수)의 꼴이어야 한다. 따라서 가장 작은 자연수 n의 값은 3이다.

참고 제곱수 : $1=1^2$, $4=2^2$, $9=3^2$, $16=4^2$, $25=5^2$, $36=6^2$, …과 같이 자연수의 제곱인 수

쌤의 활용 꿀팁
$\sqrt{(\text{제곱수})}$는 근호를 사용하지 않고 나타낼 수 있으므로 근호 안을 제곱수로 만들면 자연수가 된다는 사실을 이용하여 여러 가지 문제를 해결할 수 있어요.

④ 제곱근의 대소 관계

$a>0$, $b>0$일 때

(1) $a<b$이면 $\sqrt{a}<\sqrt{b}$

(2) $\sqrt{a}<\sqrt{b}$이면 $a<b$

참고 $a>0$, $b>0$일 때, a와 $\sqrt{b}$의 대소 관계
➡ $\sqrt{a^2}$과 $\sqrt{b}$를 비교하거나 a^2과 $(\sqrt{b})^2$을 비교한다.

⑤ 무리수와 실수

(1) **무리수** : 유리수가 아닌 수, 즉 순환소수가 아닌 무한소수

예 $\sqrt{2}$, $\sqrt{5}$, π, 0.1010010001⋯

(2) **실수** : 유리수와 무리수를 통틀어 실수라 한다.

참고 특별한 말이 없을 때에는 수라 하면 실수를 생각하기로 한다.

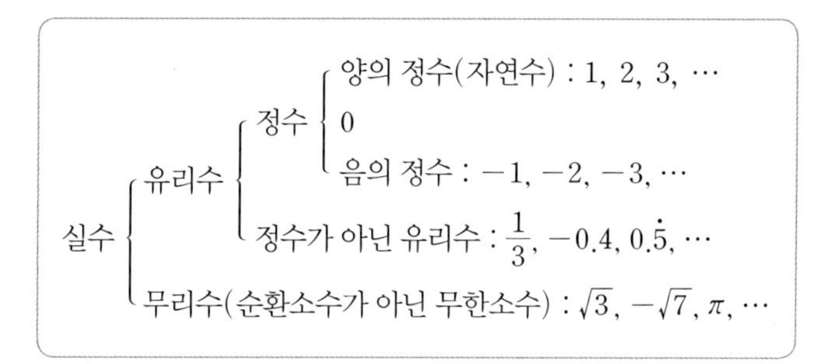

⑥ 실수와 수직선

(1) **실수와 수직선**

① 서로 다른 두 실수 사이에는 무수히 많은 실수가 있다.

② 모든 실수는 각각 수직선 위의 한 점에 대응한다.

③ 수직선은 유리수와 무리수, 즉 실수에 대응하는 점들로 완전히 메워져 있다.

(2) **무리수를 수직선 위에 나타내기**

피타고라스 정리를 이용하여 무리수를 수직선 위에 나타낼 수 있다.

① $\sqrt{2}$를 수직선 위에 나타내기

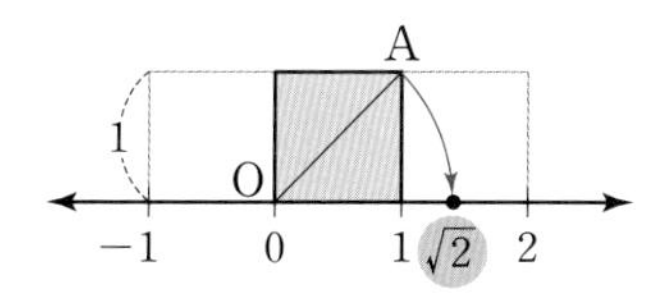

➡ $\overline{OA}=\sqrt{1^2+1^2}=\sqrt{2}$임을 이용한다.

② $\sqrt{5}$를 수직선 위에 나타내기

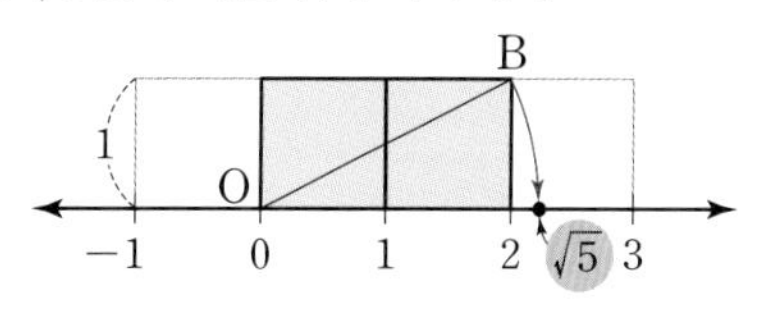

➡ $\overline{OB}=\sqrt{1^2+2^2}=\sqrt{5}$임을 이용한다.

⑦ 실수의 대소 관계

두 실수 a, b에 대하여

(1) $a-b>0$이면 $a>b$　　(2) $a-b=0$이면 $a=b$　　(3) $a-b<0$이면 $a<b$

⑧ 제곱근의 도형에의 활용 심화 개념

(1) **피타고라스 정리의 활용**

직각삼각형에서 직각을 낀 두 변의 길이를 각각 a, b라 하고, 빗변의 길이를 c라 하면 $a^2+b^2=c^2$이다.

이때 $c>0$이므로 $c=\sqrt{a^2+b^2}$이고,

$a>0$, $b>0$이므로 $a=\sqrt{c^2-b^2}$, $b=\sqrt{c^2-a^2}$이다.

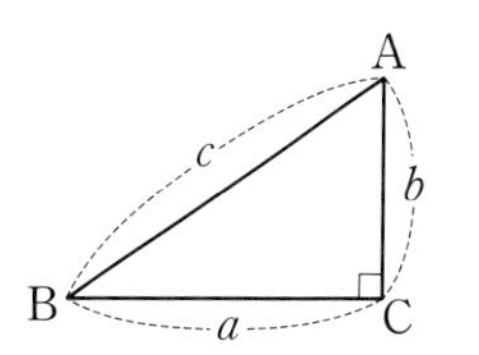

예 오른쪽 그림에서

$\overline{AC}^2+5^2=6^2$, $\overline{AC}^2=36-25=11$

이때 $\overline{AC}>0$이므로 $\overline{AC}=\sqrt{11}$

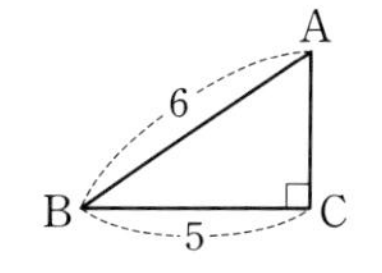

쌤의 활용 꿀팁

2학년 때 배운 피타고라스 정리를 이용하여 변의 길이가 무리수인 직각삼각형 문제를 해결할 수 있어요. 직각삼각형이 있으면 피타고라스 정리를 이용할 수 있는지 확인해 보세요.

(2) **도형의 닮음의 활용** : 닮은 두 평면도형의 닮음비가 $m:n$일 때, 그 넓이의 비는 $m^2:n^2$이다.

따라서 닮은 두 평면도형의 넓이의 비가 $m:n$일 때, 그 닮음비는 $\sqrt{m}:\sqrt{n}$이다.

LEVEL 1 학교 선생님이

시험에 꼭 내는 문제

이것이 진짜 출제율 100% 문제

① 제곱근의 뜻과 표현

01 대표문제

다음 중 옳지 않은 것을 모두 고르면?(정답 2개)

① 제곱하여 6이 되는 수는 $\pm\sqrt{6}$이다.

② 제곱근 5는 $\pm\sqrt{5}$이다.

③ $\sqrt{9}$의 제곱근은 $\pm\sqrt{3}$이다.

④ $\sqrt{121}$의 음의 제곱근은 $-\sqrt{11}$이다.

⑤ 모든 정수의 제곱근은 두 개이다.

02

$\sqrt{256}$의 양의 제곱근을 a, 제곱근 $\frac{4}{25}$를 b라 할 때, $a-25b$의 값을 구하시오.

② 제곱근의 성질

03 대표문제

$a-b<0$, $ab<0$일 때, $\sqrt{(a-b)^2}-\sqrt{a^2}+\sqrt{b^2}$을 간단히 하시오.

04

$-1<x<2$일 때, $\sqrt{(x-2)^2}-\sqrt{(x+1)^2}$을 간단히 하시오.

③ 근호를 사용하여 나타낸 수를 자연수로 만들기 심화

05 대표문제

$\sqrt{24n}$이 자연수가 되도록 하는 가장 작은 세 자리의 자연수 n의 값을 구하시오.

06 실수多

$\sqrt{50-n}$이 자연수가 되도록 하는 자연수 n의 값은 모두 몇 개인가?

① 3개 ② 4개 ③ 5개

④ 6개 ⑤ 7개

쌤의 오답 코칭 | 근호 안이 50보다 작은 제곱수임에 주의한다.

④ 제곱근의 대소 관계

07 대표문제

다음 식을 간단히 하시오.

$$\sqrt{(\sqrt{6}-3)^2}+\sqrt{(\sqrt{6}-2)^2}-\sqrt{(-2)^2}+(-\sqrt{3})^2$$

08

$0<a<1$일 때, 다음 중 그 값이 세 번째로 작은 것을 구하시오.

$$a,\quad a^2,\quad \frac{1}{a},\quad \sqrt{a},\quad \sqrt{\frac{1}{a}}$$

09

부등식 $5<\sqrt{3x+1}<7$을 만족시키는 자연수 x의 값 중 가장 큰 수를 M, 가장 작은 수를 m이라 할 때, $M+m$의 값을 구하시오.

⑤ 무리수와 실수

10 (대표문제)

다음 중 옳은 것을 모두 고르면? (정답 2개)

① 모든 유한소수는 유리수이다.
② 모든 무한소수는 무리수이다.
③ $a>0$일 때, $\sqrt{a}$는 항상 무리수이다.
④ 두 무리수의 합은 항상 무리수이다.
⑤ 유리수이면서 동시에 무리수인 수는 없다.

11 (실수多)

다음 수 중 무리수인 것을 모두 고르시오.

$$\sqrt{\frac{16}{49}},\quad \sqrt{2.5},\quad 3.14,\quad 2-\sqrt{3},\quad \sqrt{0.\dot{4}}$$

쌤의 오답 코칭 | 근호가 있다고 하여 모두 무리수인 것은 아님에 주의한다.

⑥ 실수와 수직선

12 (대표문제)

다음 그림에서 모눈 한 칸은 한 변의 길이가 1인 정사각형이다. △ABC, △DEF는 모두 직각삼각형이고, $\overline{BA}=\overline{BP}$, $\overline{ED}=\overline{EQ}$일 때, 두 점 P, Q에 대응하는 수를 각각 구하시오.

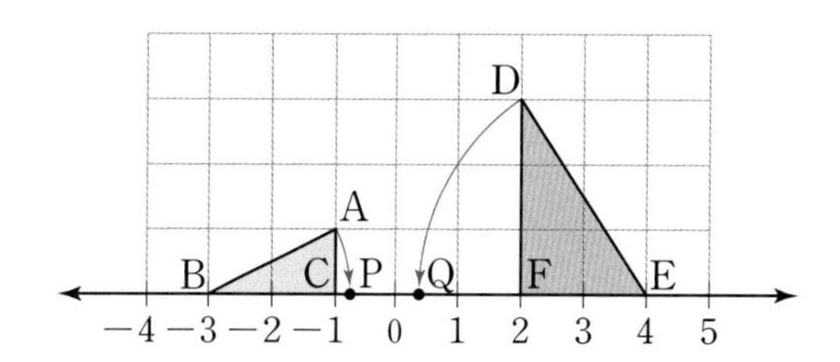

13

다음 중 옳지 않은 것은?

① 서로 다른 두 실수 사이에는 무수히 많은 실수가 있다.
② 서로 다른 두 무리수 사이에는 무수히 많은 무리수가 있다.
③ 서로 다른 두 유리수 사이에는 무수히 많은 정수가 있다.
④ 수직선 위의 모든 점에는 실수가 하나씩 대응한다.
⑤ 유리수와 무리수는 모두 수직선 위의 점에 대응시킬 수 있다.

⑦ 실수의 대소 관계

14 (대표문제)

다음 중 두 실수의 대소 관계가 옳지 않은 것은?

① $\sqrt{10}-2>1$
② $\sqrt{40}-3<4$
③ $\sqrt{12}+1<\sqrt{(-5)^2}$
④ $\sqrt{5}-(-\sqrt{2})^2>\sqrt{5}-\sqrt{3}$
⑤ $3\sqrt{2}+\sqrt{15}>\sqrt{15}+4$

15

다음 세 수 A, B, C의 대소 관계를 부등호를 사용하여 나타내시오.

$$A=3,\quad B=\sqrt{17}-1,\quad C=\sqrt{3}+1$$

⑧ 제곱근의 도형에의 활용 심화

16 대표문제

오른쪽 그림과 같은 △ABC에서 $\overline{AD}\perp\overline{BC}$일 때, x, y의 값을 각각 구하시오.

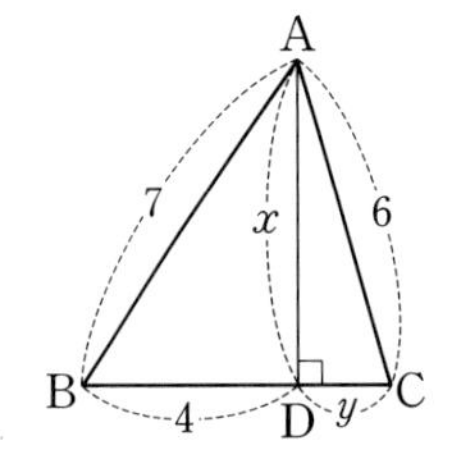

17

고대 그리스, 에게 해의 어느 섬에서 원인을 알 수 없는 전염병이 발생하였다. 사람들이 제사장에게 찾아갔더니 제사장은 "신전에 있는 윗면이 정육각형 모양인 기둥 모양 재단을 윗면의 모양은 그대로 유지하면서 넓이가 2배가 되는 새로운 재단으로 교체하면 전염병이 사라진다."고 하였다. 전염병이 사라지게 하려면 재단의 윗면의 한 변의 길이를 몇 배로 늘여야 하는지 구하시오.

이것이 진짜 교과서에서 뽑아온 문제

18

| 천재 유사 |

갈릴레이가 발견한 법칙은 다음과 같다.

> 진공 상태에서 물체를 가만히 놓아 낙하시킬 때, 물체의 처음 높이를 h m라 하고 지면에 떨어지기 직전의 속력을 초속 v m라 하면 $v=\sqrt{2\times9.8\times h}$이다.

v가 자연수가 되도록 하는 h의 값 중 가장 큰 세 자리의 자연수를 구하시오.

19

| 천재 유사 |

다음 그림에서 모눈 한 칸은 한 변의 길이가 1인 정사각형이다. $\overline{BA}=\overline{BP}$, $\overline{BC}=\overline{BQ}$, $\overline{FE}=\overline{FR}$, $\overline{FG}=\overline{FS}$일 때, 네 점 P, Q, R, S에 대응하는 수를 각각 구하고, 이를 이용하여 $\sqrt{13}$과 $7-\sqrt{5}$의 대소 관계를 부등호를 사용하여 나타내시오.

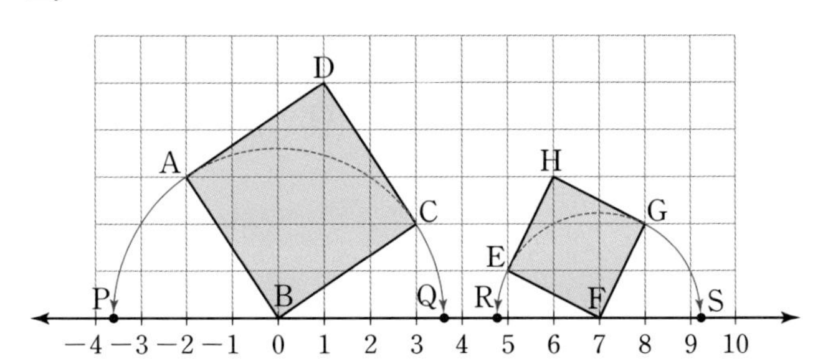

20

| 미래엔 유사 |

오른쪽 그림과 같이 직사각형 ABCD와 △DCE를 나란히 붙여 놓은 모양의 가축 우리가 있다. 이 우리와 넓이가 같은 정사각형 모양의 새로운 우리를 만들었다. 새로 만든 우리의 한 변의 길이를 구하시오.

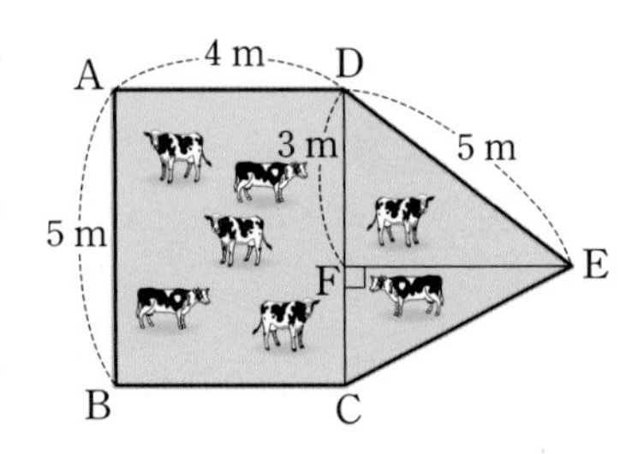

쌤의 출제 Point

01

121의 양의 제곱근을 a, 제곱근 $(-5)^2$을 b라 할 때, $\sqrt{3a+b-2}$의 음의 제곱근을 구하시오.

02

교과서 **창의사고력** | 금성 유사 |

오른쪽 그림과 같이 넓이가 64인 정사각형 ABCD의 각 변의 중점을 연결하여 정사각형 R_1을 만들었다. 같은 방법을 반복하였을 때, 다섯 번째에 만들어지는 정사각형 R_5의 둘레의 길이를 구하시오.

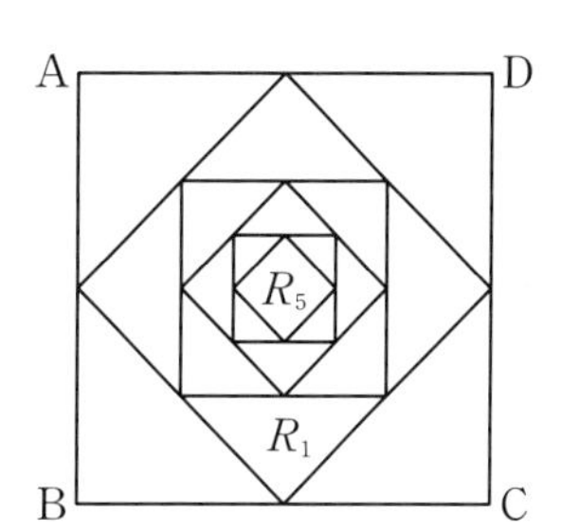

03

$ac<0$, $bc<0$, $a-c>0$일 때, 다음 식을 간단히 하시오.

$$\sqrt{(abc)^2}+\sqrt{(ab-bc)^2}+\sqrt{(ac-ab)^2}-\sqrt{(ac+bc-1)^2}$$

04

$\sqrt{(x+3)^2}+\sqrt{(x-3)^2}=6$을 만족시키는 정수 x의 값의 개수를 구하시오.

x의 값의 범위에 따라 제곱근의 값이 달라지므로 x의 값의 범위를 나누어 풀어야 한다.

05 신유형 서울 | 강남

서로 다른 세 수 a, b, c에 대하여 $\sqrt{(a-b)^2}+\sqrt{(b-c)^2}+\sqrt{(c-a)^2}=2b-2c$일 때, a, b, c의 대소 관계를 바르게 나타낸 것은?

① $c<b<a$　② $b<c<a$　③ $c<a<b$
④ $a<c<b$　⑤ $b<a<c$

쌤의 출제 Point

제곱근의 성질을 이용하여 식을 간단히 할 때, 우변과 같은 식이 나오기 위한 조건을 찾는다.

06 복합 개념 대구 | 수성

서로소인 두 자연수 a, b에 대하여 $\sqrt{1.2\dot{3}\times\frac{a}{b}}=1.\dot{1}\dot{2}$일 때, $a-b$의 값을 구하시오.

07 교과서 창의사고력 | 천재 유사 |

오른쪽 그림과 같이 직사각형 모양의 밭을 두 정사각형 모양의 밭 A, B와 직사각형 모양의 밭 C로 나누어 서로 다른 종류의 채소를 심으려고 한다. A, B의 넓이는 각각 $28n\ \mathrm{m}^2$, $(112-n)\ \mathrm{m}^2$일 때, A, B, C의 한 변의 길이가 모두 자연수가 되도록 하는 n의 값을 구하고, 그때의 밭 C의 넓이를 구하시오.
(단, n은 자연수)

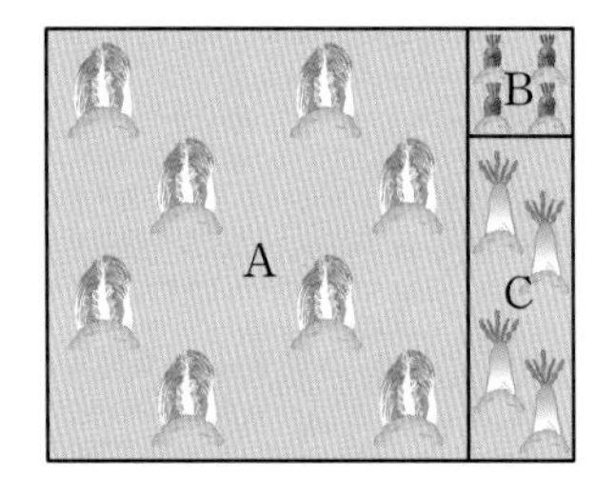

08

다음 조건을 모두 만족시키는 모든 자연수 b의 값의 합을 구하시오.

> (가) a는 500 이하의 자연수이다.
> (나) $b=\sqrt{\frac{40}{3}\times a}$

쌤의 출제 Point

09

$\sqrt{2n}$, $\sqrt{3n}$이 모두 무리수가 되도록 하는 500 이하의 자연수 n의 값의 개수는?

① 462 ② 468 ③ 473
④ 477 ⑤ 482

10

$0<n\leq 100$인 자연수 n에 대하여 $\sqrt{2pn}$이 자연수가 되도록 하는 n의 값이 4개일 때, 이를 만족시키는 소수 p의 값을 구하시오.

11

$a-b>0$, $ab<0$, $a<\sqrt{a}$일 때, 다음 중 그 값이 두 번째로 작은 것을 구하시오.

$$\sqrt{(a+1)^2},\quad -\sqrt{b^2},\quad \sqrt{(a-1)^2},\quad \sqrt{(b-1)^2},\quad \sqrt{\frac{1}{a}}$$

12

$2.8<\sqrt{x}<8$을 만족시키는 자연수 x의 값 중 가장 작은 수를 a, 가장 큰 수를 b라 하자.
$\sqrt{\dfrac{ab}{n}}$가 자연수가 되도록 하는 자연수 n의 값의 개수를 구하시오.

ab의 약수이면서 $\dfrac{ab}{n}$가 제곱수가 되도록 하는 n의 값을 구한다.

13 신유형 서울|목동

두 양수 n, x에 대하여 다음이 성립할 때, n의 값을 구하시오.

(가) $3 \le \sqrt{nx+1} < 4$
(나) nx는 자연수이다.
(다) (가), (나)를 만족시키는 모든 x의 값의 합은 11이다.

14 교과서 추론 | 교학사 유사 |

단면인 원 모양의 반지름의 길이가 각각 4, 5인 두 배수관이 있다. 단면인 원 모양의 넓이가 이 두 배수관의 단면의 넓이의 합과 같은 새로운 배수관을 제작하려고 한다. 새롭게 제작할 배수관의 단면인 원 모양의 반지름의 길이를 소수로 나타내었을 때, 소수점 아래 첫째 자리의 숫자를 구하시오. (단, $6.3^2=39.69$, $6.4^2=40.96$, $6.5^2=42.25$)

15 신유형

자연수 n에 대하여 $f(n)=(\sqrt{n}$을 소수점 아래 첫째 자리에서 반올림한 값)이라 하자. 예를 들어 $2<\sqrt{5}<2.5$이므로 $f(5)=2$이다. 이때 $f(10)+f(15)+f(20)+f(25)+f(30)$의 값을 구하시오.

16

다음 수 중 정수가 아닌 유리수의 개수를 a, 유리수가 아닌 수의 개수를 b라 할 때, ab의 값을 구하시오.

$\sqrt{2.\dot{7}}$, $2+\sqrt{6}$, $\sqrt{16.9}$, $-\sqrt{1.44}$, $7-\pi$, $\dfrac{\sqrt{256}}{\sqrt{64}}$

쌤의 출제 Point

$x>0$일 때, $x^2=a$이면 $x=\sqrt{a}$임을 이용한다.

17

다음 보기 중 항상 옳은 것은 몇 개인지 구하시오.

보기

ㄱ. 유리수의 제곱근은 양의 제곱근과 음의 제곱근의 2개이다.
ㄴ. 어떤 수의 제곱근이 2개이면 두 제곱근의 절댓값은 서로 같다.
ㄷ. 무리수 중에는 유한소수인 것도 있다.
ㄹ. 0.101001000100001⋯은 유리수이다.
ㅁ. 무리수의 제곱은 항상 유리수이다.
ㅂ. 유리수와 무리수의 합은 항상 무리수이다.
ㅅ. 유리수와 무리수의 곱은 항상 무리수이다.

18

오른쪽 그림에서 □ABCD와 □DCFE는 한 변의 길이가 1인 정사각형이고, $\overline{FA}=\overline{FP}$, $\overline{BE}=\overline{BQ}$이다. 점 Q에 대응하는 수가 $5+\sqrt{5}$일 때, 점 P에 대응하는 수를 구하시오.

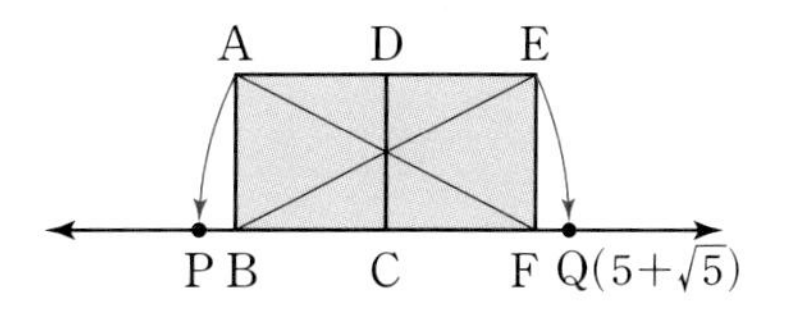

19

$a=\sqrt{15}-2$, $b=2$, $c=\sqrt{10}-1$일 때, $\sqrt{a^2}+\sqrt{(a-b)^2}+\sqrt{(c-b)^2}$의 값을 구하시오.

20

다음 수를 수직선 위에 나타낼 때, 왼쪽에서 네 번째에 위치하는 수를 구하시오.

$\sqrt{5}-3$, $1+\sqrt{3}$, $3-\sqrt{3}$, $\sqrt{5}-2$, $\sqrt{3}-2$

쌤의 출제 Point

$\sqrt{3}$, $\sqrt{5}$의 크기를 이용하여 대소를 비교한다.

쌤의 출제 Point

21

오른쪽 그림과 같이 $\overline{AC_1}$이 빗변이고 $\overline{AB}=\overline{BC_1}=1$인 직각이등변삼각형 ABC_1이 있다. $\overline{AC_1}\perp\overline{C_1C_2}$, $\overline{C_1C_2}=1$인 직각삼각형 AC_1C_2를 그리고, 이와 같은 방법을 반복하여 직각삼각형을 그렸을 때, $\overline{AC_{16}}$의 길이를 구하시오.

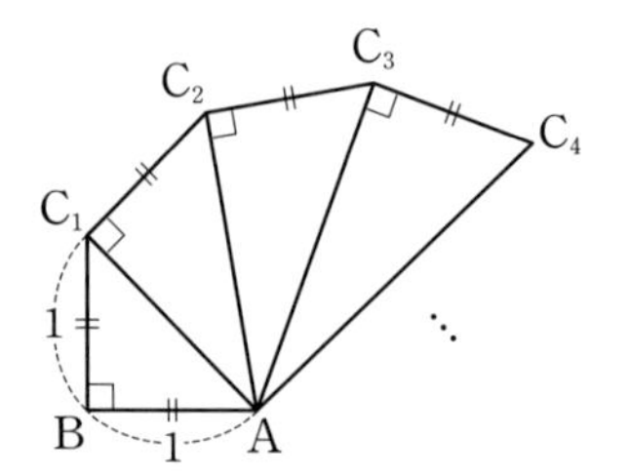

22

오른쪽 그림에서 □ABCD는 한 변의 길이가 1인 정사각형이고, $\overline{AC}=\overline{AE}$, $\overline{AF}=\overline{AG}$, $\overline{AH}=\overline{AI}$일 때, $\overline{AJ}$의 길이를 구하시오.

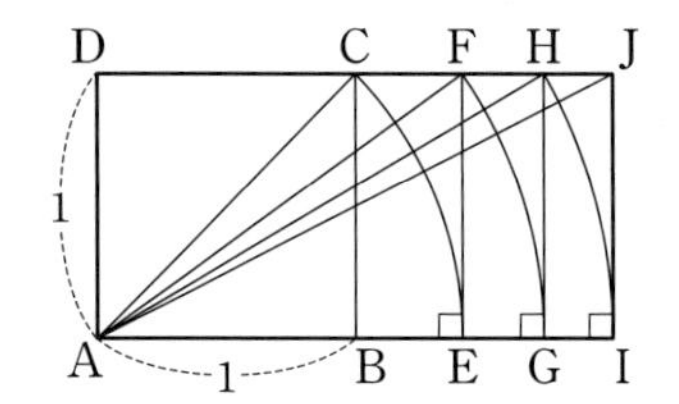

23 만점 KILL 서울 | 강남

오른쪽 그림과 같이 원점 O를 중심으로 하고, 점 A(3, 1)을 지나는 원이 x축의 양의 방향과 만나는 점을 B라 하자. 또, 점 A를 중심으로 하고, 원점 O를 지나는 원이 x축의 양의 방향과 만나는 점을 C라 할 때, $\overline{BC}$의 길이를 구하시오.

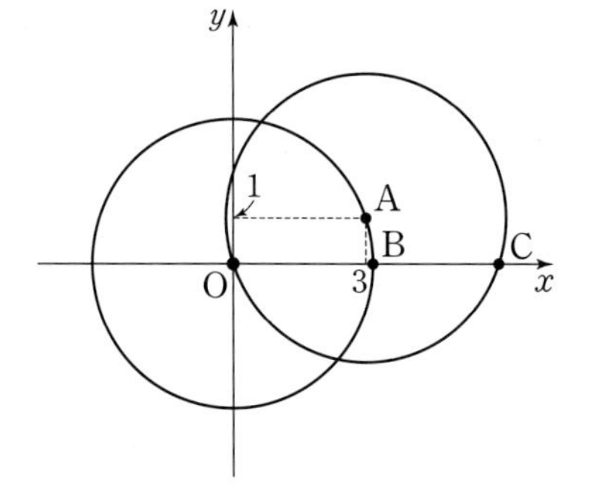

△AOC가 이등변삼각형임을 이용하여 $\overline{OC}$의 길이를 구한다.

24

오른쪽 그림 (가)와 같이 삼각기둥 모양의 그릇을 면 DEF가 바닥에 닿도록 놓고, 물을 전체의 $\frac{2}{3}$ 만큼 채웠다. 이 그릇을 그림 (나)와 같이 면 BCFE가 바닥에 닿도록 놓았을 때, $\overline{AB}$에서 물이 채워지지 않은 부분의 길이를 x라 하자. 이때 $\overline{AB}$의 길이를 x에 대한 식으로 나타내시오.

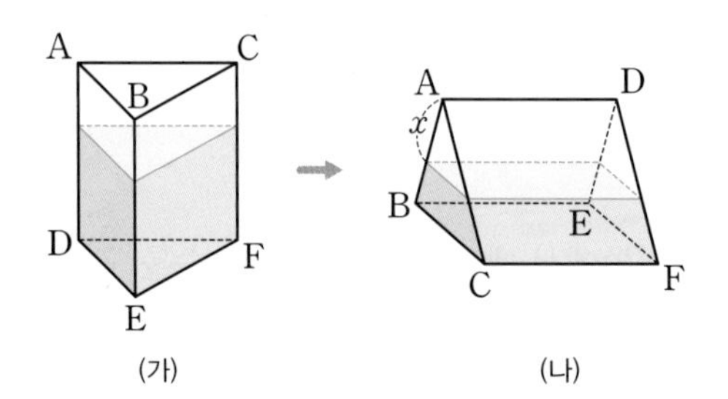

그림 (가), (나)의 물의 부피가 같음을 이용한다.

동영상 강의 >>

정답과 풀이 10쪽

01 자연수 x에 대하여 $N(x)$를 $\sqrt{x}$ 이하의 자연수의 개수라 할 때, 다음 부등식을 만족시키는 자연수 n의 값을 구하시오.

$$80 < N(1)+N(2)+N(3)+\cdots+N(n) < 90$$

02 연속하는 네 홀수 $w, x, y, z(0<w<x<y<z)$에 대하여 $\sqrt{w+x+y+z}$의 값을 소수점 아래 첫째 자리에서 반올림하면 13일 때, 가능한 순서쌍 (w, x, y, z)의 개수를 구하시오.

Challenge

03 양수 a_i(i는 자연수)에 대하여 $\sqrt{{a_1}^2}=\sqrt{1^3}$, $\sqrt{{a_2}^2}=\sqrt{1^3+2^3}$, $\sqrt{{a_3}^2}=\sqrt{1^3+2^3+3^3}$, $\sqrt{{a_4}^2}=\sqrt{1^3+2^3+3^3+4^3}$, $\cdots$일 때, a_{12}의 값을 구하시오.

04 오른쪽 그림과 같이 간격이 1로 일정한 25개의 점들이 있다. 주어진 점들을 선으로 연결하여 크기가 다른 정사각형을 그릴 때, 정사각형의 넓이가 될 수 있는 자연수를 모두 구하시오.

02 근호를 포함한 식의 계산

① 제곱근의 곱셈

$a>0$, $b>0$이고 m, n이 유리수일 때

(1) **제곱근의 곱셈**

① $\sqrt{a}\times\sqrt{b}=\sqrt{a}\sqrt{b}=\sqrt{ab}$　　② $m\sqrt{a}\times n\sqrt{b}=mn\sqrt{ab}$

참고 $a>0$, $b>0$, $c>0$일 때, $\sqrt{a}\times\sqrt{b}\times\sqrt{c}=\sqrt{abc}$

(2) **근호가 있는 식의 변형** : 근호 안에 제곱인 인수가 있으면 근호 밖으로 꺼낼 수 있다.

$\sqrt{a^2b}=a\sqrt{b}$　　예 $\sqrt{12}=\sqrt{2^2\times3}=2\sqrt{3}$

참고 근호 밖의 양수는 제곱하여 근호 안으로 넣을 수 있다.

$a>0$, $b>0$일 때, $a\sqrt{b}=\sqrt{a^2b}$　　예 $3\sqrt{2}=\sqrt{3^2\times2}=\sqrt{18}$

② 제곱근의 나눗셈

$a>0$, $b>0$이고 m, n이 유리수일 때

(1) **제곱근의 나눗셈**

① $\sqrt{a}\div\sqrt{b}=\dfrac{\sqrt{a}}{\sqrt{b}}=\sqrt{\dfrac{a}{b}}$　　② $m\sqrt{a}\div n\sqrt{b}=\dfrac{m}{n}\sqrt{\dfrac{a}{b}}$ (단, $n\neq0$)

참고 나눗셈은 역수의 곱셈으로 고쳐서 계산할 수 있다.　　예 $\dfrac{\sqrt{3}}{\sqrt{5}}\div\dfrac{\sqrt{3}}{\sqrt{15}}=\dfrac{\sqrt{3}}{\sqrt{5}}\times\dfrac{\sqrt{15}}{\sqrt{3}}=\sqrt{\dfrac{3}{5}\times\dfrac{15}{3}}=\sqrt{3}$

(2) **근호가 있는 식의 변형** : $\sqrt{\dfrac{a}{b^2}}=\dfrac{\sqrt{a}}{b}$　　예 $\sqrt{\dfrac{3}{4}}=\sqrt{\dfrac{3}{2^2}}=\dfrac{\sqrt{3}}{2}$

참고 $a>0$, $b>0$일 때, $\dfrac{\sqrt{a}}{b}=\sqrt{\dfrac{a}{b^2}}$　　예 $\dfrac{\sqrt{5}}{3}=\sqrt{\dfrac{5}{3^2}}=\sqrt{\dfrac{5}{9}}$

③ 분모의 유리화

(1) **분모의 유리화** : 분모가 근호가 있는 무리수일 때, 분모와 분자에 0이 아닌 같은 수를 곱하여 분모를 유리수로 고치는 것

(2) **분모를 유리화하는 방법**

$a>0$, $b>0$, $c>0$일 때

① $\dfrac{\sqrt{b}}{\sqrt{a}}=\dfrac{\sqrt{b}\times\sqrt{a}}{\sqrt{a}\times\sqrt{a}}=\dfrac{\sqrt{ab}}{a}$　　예 $\dfrac{\sqrt{3}}{\sqrt{5}}=\dfrac{\sqrt{3}\times\sqrt{5}}{\sqrt{5}\times\sqrt{5}}=\dfrac{\sqrt{15}}{5}$

② $\dfrac{\sqrt{b}+\sqrt{c}}{\sqrt{a}}=\dfrac{(\sqrt{b}+\sqrt{c})\times\sqrt{a}}{\sqrt{a}\times\sqrt{a}}=\dfrac{\sqrt{ab}+\sqrt{ac}}{a}$　　예 $\dfrac{\sqrt{2}+\sqrt{5}}{\sqrt{3}}=\dfrac{(\sqrt{2}+\sqrt{5})\times\sqrt{3}}{\sqrt{3}\times\sqrt{3}}=\dfrac{\sqrt{6}+\sqrt{15}}{3}$

④ 제곱근의 덧셈과 뺄셈

$a>0$이고 l, m, n이 유리수일 때

(1) **제곱근의 덧셈** : $m\sqrt{a}+n\sqrt{a}=(m+n)\sqrt{a}$

(2) **제곱근의 뺄셈** : $m\sqrt{a}-n\sqrt{a}=(m-n)\sqrt{a}$

(3) $m\sqrt{a}+n\sqrt{a}-l\sqrt{a}=(m+n-l)\sqrt{a}$

참고 ① 근호 안의 수가 $\sqrt{a^2b}$의 꼴이면 $a\sqrt{b}$의 꼴로 고친 후 계산한다.

② $\sqrt{3}+\sqrt{7}$과 같이 근호 안의 수가 다르면 더 이상 간단히 할 수 없다.

⑤ 근호를 포함한 복잡한 식의 계산

(1) **근호를 포함한 식의 분배법칙**

$a>0,\ b>0,\ c>0$일 때

① $\sqrt{a}(\sqrt{b}+\sqrt{c})=\sqrt{a}\sqrt{b}+\sqrt{a}\sqrt{c}=\sqrt{ab}+\sqrt{ac}$ 　 예 $\sqrt{2}(\sqrt{3}+\sqrt{5})=\sqrt{6}+\sqrt{10}$

② $(\sqrt{a}+\sqrt{b})\sqrt{c}=\sqrt{a}\sqrt{c}+\sqrt{b}\sqrt{c}=\sqrt{ac}+\sqrt{bc}$ 　 예 $(\sqrt{5}-2\sqrt{3})\sqrt{3}=\sqrt{15}-2(\sqrt{3})^2=\sqrt{15}-6$

(2) **근호를 포함한 복잡한 식의 계산**

❶ 괄호가 있으면 분배법칙을 이용하여 괄호를 푼다.

❷ 근호 안에 제곱인 인수가 있으면 근호 밖으로 꺼낸다.

❸ 분모에 근호가 있는 무리수가 있으면 분모를 유리화한다.

❹ 곱셈, 나눗셈을 먼저 한 후 덧셈, 뺄셈을 한다.

⑥ 유리수가 되는 조건 심화 개념

(1) a, b가 유리수이고 $\sqrt{m}$이 무리수일 때

① $a+b\sqrt{m}$이 유리수 ➡ $b=0$

② $a+b\sqrt{m}=0$ ➡ $a=0,\ b=0$

(2) a, b, c, d가 유리수이고 $\sqrt{m}$이 무리수일 때

$a+b\sqrt{m}=c+d\sqrt{m}$ ➡ $a=c,\ b=d$

$\sqrt{m}$이 무리수일 때, b가 무리수이면 $b\sqrt{m}$이 유리수가 될 수 있지만 b가 유리수이면 $b\sqrt{m}$이 유리수가 되는 경우는 $b=0$일 때 뿐이에요.

⑦ 제곱근의 값

(1) **제곱근표** : 1.00부터 99.9까지의 수에 대한 양의 제곱근의 값을 반올림하여 소수점 아래 셋째 자리까지 나타낸 표

(2) **제곱근표 읽는 방법** : 처음 두 자리 수의 가로줄과 끝자리 수의 세로줄이 만나는 곳에 있는 수를 읽는다.

예 제곱근표에서 $\sqrt{1.23}$의 값은 1.109이다.

수	0	1	2	3	⋯
⋮					
1.1	1.049	1.054	1.058	1.063	⋯
1.2	1.095	1.100	1.105	1.109	⋯
⋮					

(3) **제곱근표에 없는 수의 제곱근의 값**

$\sqrt{a^2b}=a\sqrt{b}$, $\sqrt{\dfrac{b}{a^2}}=\dfrac{\sqrt{b}}{a}$를 이용하여 근호 안의 수를 제곱근표에 있는 수로 바꾸어 구한다.

① 100 **이상의 수** : $\sqrt{100a}=10\sqrt{a}$, $\sqrt{10000a}=100\sqrt{a}$, ⋯임을 이용한다.

② 0**과** 1 **사이의 수** : $\sqrt{\dfrac{a}{100}}=\dfrac{\sqrt{a}}{10}$, $\sqrt{\dfrac{a}{10000}}=\dfrac{\sqrt{a}}{100}$, ⋯임을 이용한다.

⑧ 무리수의 정수 부분과 소수 부분 심화 개념

(1) 무리수는 순환소수가 아닌 무한소수이므로

(무리수)=(정수 부분)+(소수 부분)으로 나타낼 수 있다. (단, $0<$(소수 부분)<1)

(2) 무리수의 소수 부분은 무리수에서 정수 부분을 빼서 구한다.

➡ (소수 부분)=(무리수)−(정수 부분)

예 $1<\sqrt{2}<2$이므로 $\sqrt{2}$의 정수 부분은 1, $\sqrt{2}$의 소수 부분은 $\sqrt{2}-1$이다.

쌤의 활용 꿀팁

무리수 $\sqrt{a}$의 정수 부분과 소수 부분을 묻는 문제는 $n\le\sqrt{a}<n+1$을 만족시키는 정수 n의 값을 찾은 후 문제를 해결해 보세요.

학교 선생님이

LEVEL 1 시험에 꼭 내는 문제

이것이 진짜 **출제율 100%** 문제

① 제곱근의 곱셈

01 대표문제

$4\sqrt{3}=\sqrt{A}$, $\sqrt{275}=5\sqrt{B}$일 때, 두 유리수 A, B에 대하여 $A-B$의 값은?

① 34 ② 35 ③ 36
④ 37 ⑤ 38

02

$\sqrt{2}=a$, $\sqrt{3}=b$라 할 때, $\sqrt{216}$을 a, b를 사용하여 나타내면?

① $2ab$ ② $3ab$ ③ $6ab$
④ $2a^2b$ ⑤ $3ab^2$

② 제곱근의 나눗셈

03 대표문제

다음 중 옳지 않은 것은?

① $\sqrt{30}\sqrt{5}=5\sqrt{6}$
② $\sqrt{42}\div\sqrt{3}=\sqrt{14}$
③ $2\sqrt{5}\times3\sqrt{2}\times\sqrt{\frac{3}{5}}=6\sqrt{6}$
④ $\sqrt{60}\div2\sqrt{3}\times\sqrt{2}=\sqrt{10}$
⑤ $\frac{\sqrt{105}}{\sqrt{3}}\times\sqrt{2}\div\sqrt{5}=2\sqrt{7}$

04

넓이가 85 cm^2인 정사각형의 한 변의 길이는 넓이가 $20\pi\text{ cm}^2$인 원의 반지름의 길이의 몇 배인지 구하시오.

③ 분모의 유리화

05 대표문제

$\frac{\sqrt{175}}{\sqrt{12}}=a\sqrt{21}$, $\frac{\sqrt{3}+\sqrt{8}}{\sqrt{6}}=b\sqrt{2}+c\sqrt{3}$일 때, 세 유리수 a, b, c에 대하여 $a+b+c$의 값을 구하시오.

06

다음 그림은 크기가 같은 정사각형 3개를 이어 붙여 놓은 것이다. $\overline{\text{BD}}=5\sqrt{5}\text{ cm}$일 때, 정사각형의 한 변의 길이는?

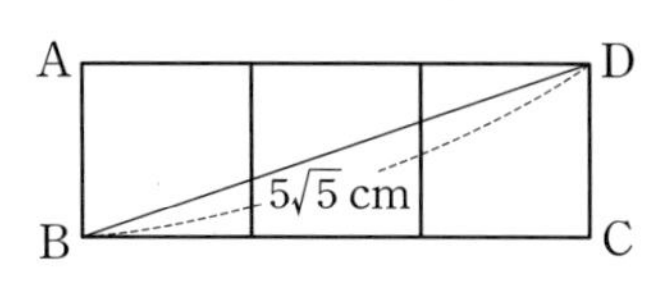

① $\frac{\sqrt{2}}{2}$ cm ② $\frac{3\sqrt{2}}{4}$ cm ③ $\frac{5\sqrt{2}}{4}$ cm
④ $\frac{3\sqrt{2}}{2}$ cm ⑤ $\frac{5\sqrt{2}}{2}$ cm

④ 제곱근의 덧셈과 뺄셈

07 (대표문제)

다음 중 옳은 것을 모두 고르면? (정답 2개)

① $2\sqrt{3}-\sqrt{27}+5\sqrt{3}=3\sqrt{3}$

② $\sqrt{72}+3\sqrt{5}-2\sqrt{2}+\sqrt{20}=4\sqrt{2}+5\sqrt{5}$

③ $\dfrac{4}{\sqrt{8}}+\sqrt{2}=3\sqrt{2}$

④ $\dfrac{4}{\sqrt{20}}-\dfrac{5}{\sqrt{80}}=\dfrac{\sqrt{5}}{5}$

⑤ $\dfrac{14}{\sqrt{7}}+\sqrt{48}-\sqrt{63}+4\sqrt{12}=12\sqrt{3}-\sqrt{7}$

08

$\sqrt{(\sqrt{18}-2\sqrt{3})^2}+\sqrt{(\sqrt{27}-4\sqrt{2})^2}$을 간단히 하시오.

⑤ 근호를 포함한 복잡한 식의 계산

09 (대표문제)

$A=3\sqrt{15}+2\sqrt{30}$, $B=3\sqrt{3}+2\sqrt{6}$일 때, $\sqrt{5}A-3\sqrt{2}B$의 값을 구하시오.

10

$\sqrt{3}\left(2\sqrt{2}-\dfrac{1}{\sqrt{6}}\right)+\dfrac{17-\sqrt{32}}{\sqrt{12}}=a\sqrt{2}+b\sqrt{3}+c\sqrt{6}$일 때, 세 유리수 a, b, c에 대하여 $a+b-c$의 값을 구하시오.

⑥ 유리수가 되는 조건 심화

11 (대표문제)

$\dfrac{a(\sqrt{3}+2)}{\sqrt{27}}+\dfrac{\sqrt{2}-\sqrt{18}}{\sqrt{6}}$이 유리수가 되도록 하는 유리수 a의 값을 구하시오.

12

$\dfrac{a\sqrt{2}-2}{\sqrt{3}}+b\sqrt{2}\left(\dfrac{\sqrt{6}}{3}+\sqrt{12}-\sqrt{8}\right)$이 유리수가 되도록 하는 두 유리수 a, b의 값을 각각 구하시오.

⑦ 제곱근의 값

13 (대표문제) 실수多

다음 중 아래 제곱근표를 이용하여 그 값을 구할 수 없는 것은?

수	0	1	2	3
1.0	1.000	1.005	1.010	1.015
1.1	1.049	1.054	1.058	1.063
1.2	1.095	1.100	1.105	1.109
1.3	1.140	1.145	1.149	1.153
1.4	1.183	1.187	1.192	1.196

① $\sqrt{0.0103}$ ② $\sqrt{143}$ ③ $\sqrt{488}$
④ $\sqrt{999}$ ⑤ $\sqrt{1310}$

쌤의 오답 코칭 | 근호 안의 수를 10의 거듭제곱 또는 제곱수를 이용하여 제곱근표에 있는 수가 나오도록 변형할 수 있는지 확인한다.

14

$\sqrt{3.7}=1.924$, $\sqrt{37}=6.083$일 때, $\sqrt{3330}$과 가장 가까운 정수를 구하시오.

⑧ 무리수의 정수 부분과 소수 부분 심화

15 대표문제

$\sqrt{17}$의 정수 부분을 a, 소수 부분을 b라 할 때, $\frac{2a}{b+4}$의 값을 구하시오.

16 실수多

$\sqrt{12}+1$의 소수 부분을 a, $\sqrt{27}-2$의 소수 부분을 b라 할 때, $a-b$의 값을 구하시오.

쌤의 오답 코칭 | $\sqrt{12}$, $\sqrt{27}$의 정수 부분을 먼저 구한다.

이것이 진짜 교과서에서 뽑아온 문제

17

| 동아 유사 |

$\sqrt{3}=1.732\cdots$일 때, $\frac{1}{\sqrt{3}}$의 값을 반올림하여 소수점 아래 둘째 자리까지 구하시오.

18

| 금성 유사 |

오른쪽 격자판에서 가로줄 또는 세로줄에 있는 세 수를 곱한 값이 모두 같을 때, ㈎~㈑에 들어갈 알맞은 수를 구하시오.

$2\sqrt{3}$	㈎	㈏
$\frac{\sqrt{2}}{5}$	㈐	$\sqrt{10}$
$5\sqrt{5}$	$\sqrt{6}$	㈑

19

| 비상 유사 |

다음 그림과 같이 직사각형 ABCD의 가로의 길이는 $\sqrt{125}$ cm, 세로의 길이는 $\sqrt{12}$ cm이다. 정사각형 EFID의 넓이가 5 cm^2일 때, 직사각형 HBGF의 넓이는 $(a+b\sqrt{15})$ cm^2이다. 두 유리수 a, b에 대하여 $b-a$의 값을 구하시오.

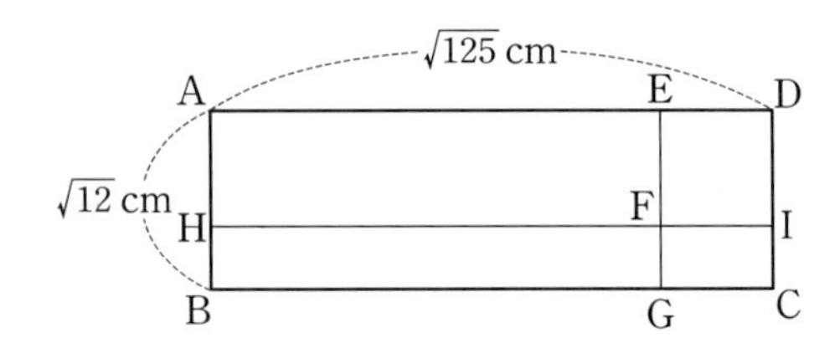

쌤의 출제 Point

01

$\sqrt{15}<x<\sqrt{85}$일 때, x^2과 $\sqrt{5}x$가 모두 자연수가 되도록 하는 모든 x의 값의 곱을 구하시오.

02 신유형

$25\sqrt{1\times2\times3\times\cdots\times10}$의 정수 부분은 몇 자리의 수인지 구하시오.

근호 안의 수를 소인수분해하여 간단히 정리한다.

03

오른쪽 그림과 같이 $\overline{AB}=4$, $\overline{BC}=8$, $\overline{AD}=2\sqrt{6}$이고 $\angle B=\angle D=90°$일 때, □ABCD의 넓이는?

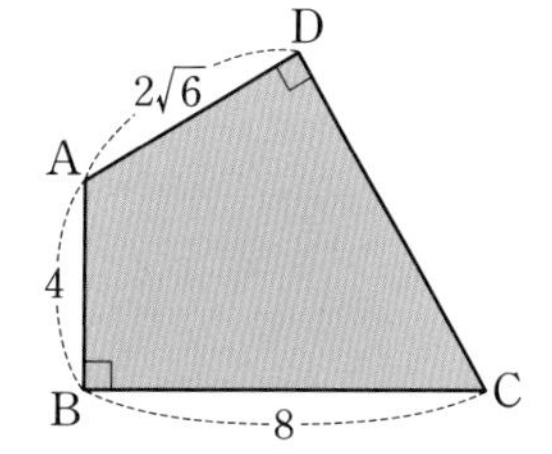

① $12+3\sqrt{15}$ ② $12+4\sqrt{26}$
③ $16+2\sqrt{21}$ ④ $16+4\sqrt{21}$
⑤ $20+3\sqrt{26}$

04 복합 개념 (서울 | 목동)

다음 그림은 가로의 길이가 $2\sqrt{10}$, 세로의 길이가 $3\sqrt{6}$인 직사각형을 밑면으로 하고, 높이가 $4\sqrt{5}$인 사각뿔이다. 이 사각뿔을 밑면에 평행한 단면으로 잘라 높이가 처음 사각뿔의 높이의 $\frac{1}{3}$인 사각뿔을 잘라 내었을 때, 남은 입체도형의 부피를 구하시오.

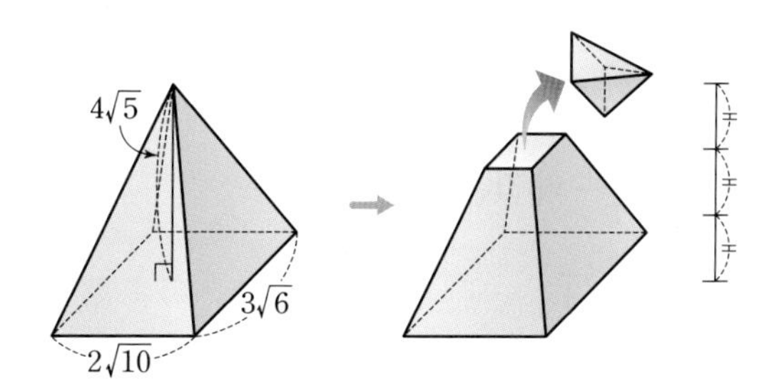

쌤의 출제 Point

05

자연수 a, b에 대하여 $0.6\sqrt{a}=2\sqrt{14b}$일 때, $\sqrt{\frac{b}{a}\times c}$가 자연수가 되도록 하는 가장 작은 자연수 c의 값을 구하시오.

06

교과서 **창의사고력** | 지학사 유사 |

다음을 읽고, A4 용지의 긴 변의 길이는 B6 용지의 긴 변의 길이의 몇 배인지 구하면?

A 시리즈 용지는 용지를 반으로 자를 때, 처음 것과 서로 닮은 도형이 되도록 만든 것이다. 가로의 길이가 841 mm, 세로의 길이가 1189 mm인 직사각형 모양의 종이인 A0 용지를 반으로 자르는 과정을 반복하여 A1, A2, A3, … 용지를 만들 수 있다.
또한, B0 용지는 A0 용지와 서로 닮은 도형이면서 넓이가 A0 용지의 1.5배인 직사각형 모양의 종이이고, A 시리즈 용지와 마찬가지 방식으로 B1, B2, B3, … 용지를 만든다고 한다.

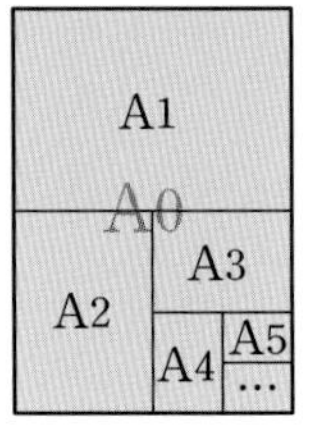

① $\frac{\sqrt{10}}{3}$배 ② $\frac{2\sqrt{3}}{3}$배 ③ $\frac{\sqrt{15}}{3}$배 ④ $\frac{2\sqrt{5}}{3}$배 ⑤ $\frac{2\sqrt{6}}{3}$배

07

오른쪽 그림과 같은 정팔각형의 넓이가 $24+24\sqrt{2}$일 때, 정팔각형의 한 변의 길이는?

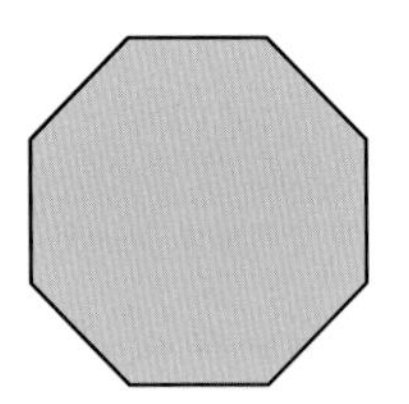

① $\sqrt{3}$ ② $2\sqrt{2}$ ③ $2\sqrt{3}$
④ 4 ⑤ $3\sqrt{2}$

정팔각형을 삼각형과 사각형 여러 개로 나누어 넓이를 구한다.

08

두 양수 a, b에 대하여 $ab=6$일 때, $a\sqrt{\frac{12b}{a}}-\frac{1}{b}\sqrt{\frac{27b}{a}}+\frac{1}{a}\sqrt{\frac{75a}{b}}$의 값은?

① 7 ② $7\sqrt{2}$ ③ $7\sqrt{3}$
④ $7\sqrt{6}$ ⑤ $5\sqrt{2}+2\sqrt{3}$

09

오른쪽 그림과 같이 세 정사각형 A, B, C를 겹치는 부분없이 이어 붙였다. C의 넓이는 B의 넓이의 3배, B의 넓이는 A의 넓이의 3배이고 C의 넓이가 27일 때, 이 도형의 둘레의 길이는?

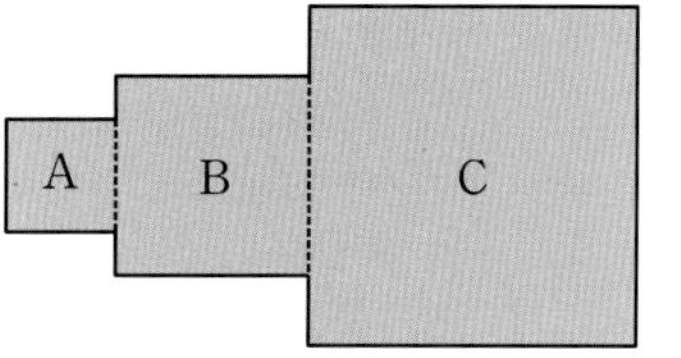

① $7+3\sqrt{3}$ ② $3+7\sqrt{3}$ ③ $14+6\sqrt{3}$
④ $6+14\sqrt{3}$ ⑤ $12+16\sqrt{3}$

10

넓이가 45인 정사각형 모양의 색종이 8장을 오른쪽 그림과 같이 겹치는 부분이 모두 넓이가 5인 정사각형이 되도록 이어 붙였다. 이 도형의 둘레의 길이를 구하시오.

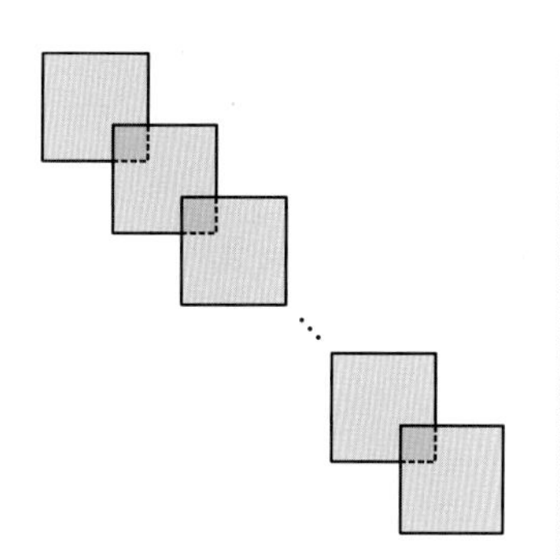

쌤의 출제 Point

주어진 도형과 둘레의 길이가 같은 하나의 큰 정사각형을 생각해 본다.

11

다음 그림과 같이 한 변의 길이가 4인 정사각형 모양의 판을 7개의 조각으로 나눈 칠교판을 이용하여 만든 도형의 둘레의 길이를 구하시오.

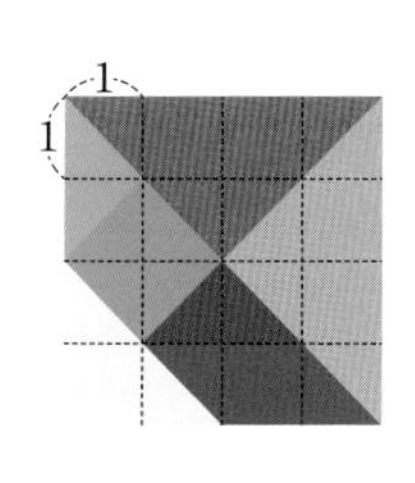

12

다음 그림과 같이 한 변의 길이가 2인 정사각형 ABCD를 수직선 위에서 오른쪽으로 회전시켰다. 회전을 시작한 후, 점 B가 처음으로 다시 수직선 위에 위치할 때까지 점 B가 움직인 거리를 구하시오.

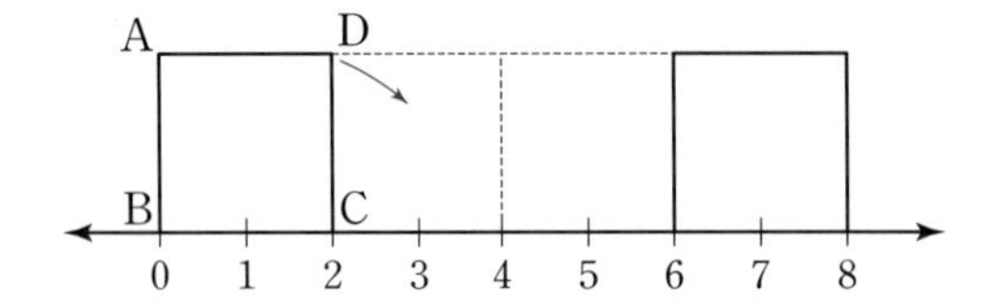

13

$x=\dfrac{\sqrt{2}+\sqrt{3}}{\sqrt{5}}$, $y=\dfrac{\sqrt{2}-\sqrt{3}}{\sqrt{5}}$일 때, $\dfrac{x+y}{x-y}$의 값을 구하시오.

14

연립방정식 $\begin{cases} (\sqrt{5}+\sqrt{2})x+(\sqrt{5}-\sqrt{2})y=\sqrt{5} \\ (\sqrt{5}-\sqrt{2})x+(\sqrt{5}+\sqrt{2})y=\sqrt{2} \end{cases}$를 만족시키는 x, y에 대하여

$\left(x+y-\dfrac{1}{2}\right)(x-y)$의 값을 구하시오.

15

$x=\sqrt{3}$일 때, $x+\dfrac{1}{x-\dfrac{1}{x-\dfrac{1}{x}}}$의 값을 구하시오.

쌤의 출제 Point

주어진 연립방정식을 이용하여 $x+y$, $x-y$의 값을 각각 구한다.

쌤의 출제 Point

16

$\frac{\sqrt{5}+\sqrt{7}}{\sqrt{12}}-\sqrt{45}\left(\sqrt{3}+\frac{5}{\sqrt{75}}\right)+\sqrt{189}=a\sqrt{15}+b\sqrt{c}$일 때, $a-b+c$의 값을 구하시오.

(단, a, b는 유리수이고, c는 가능한 한 가장 작은 자연수)

17

$\sqrt{80a}$가 자연수가 되도록 하는 가장 작은 자연수 a의 값과 $\sqrt{(\sqrt{a}-3)^2}-b\sqrt{a}$가 유리수가 되도록 하는 정수 b의 값에 대하여 ab의 값을 구하시오.

18 신유형 서울 | 목동

오른쪽 표는 주어진 자연수 x에 대하여 x^2의 값을 나타낸 것이다. 이 표를 이용하여 $\sqrt{1.4}$와 $\sqrt{14}$를 소수로 나타내었을 때, 소수점 아래 둘째 자리의 숫자를 각각 구하시오.

x	x^2	x	x^2
117	13689	373	139129
118	13924	374	139876
119	14161	375	140625
120	14400	376	141376

14000과 140000의 양의 제곱근의 범위를 생각한다.

19

다음 중 $\sqrt{1.25}=1.118$임을 이용하여 그 값을 구한 것으로 옳지 <u>않은</u> 것은?

① $\sqrt{12500}=111.8$ ② $\sqrt{20}=4.472$ ③ $\sqrt{500}=22.36$
④ $\sqrt{11.25}=3.354$ ⑤ $\sqrt{0.000125}=0.1118$

근호 안의 수를 1.25를 이용하여 나타낸다.

20

양수 a의 정수 부분을 $f(a)$, 소수 부분을 $g(a)$라 할 때, $\dfrac{4g(3\sqrt{2}+1)}{f(3\sqrt{2}+1)+g(4\sqrt{2}-3)}$의 값을 구하시오.

21

오른쪽 그림과 같이 수직선 위에 직각삼각형 ABC가 있다. $\overline{BC}=1$, $\overline{AB}=\overline{AP}$이고 점 P에 대응하는 수 a에 대하여 a의 정수 부분을 x, 소수 부분을 y라 할 때, $\dfrac{6x+y}{4-y}$의 값을 구하시오.

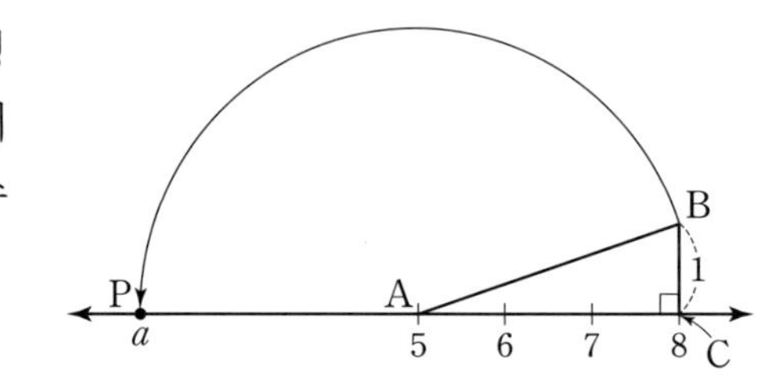

22

$x=2+\sqrt{3}$일 때, $\left[\dfrac{x+[x]+1}{x-2}+\dfrac{x-[x]+1}{[x]}\right]$의 값을 구하시오.

(단, $[x]$는 x보다 크지 않은 정수 중 가장 큰 수)

23 만점 KILL (서울|강남)

한 변의 길이가 a인 정삼각형의 넓이는 $\dfrac{\sqrt{3}}{4}a^2$이다. 다음 그림과 같이 3개의 정삼각형 ABC, DEF, GHI의 넓이를 각각 S_1, S_2, S_3이라 하면 $S_1=2\sqrt{3}$, $S_2=\dfrac{1}{2}S_1$, $S_3=\dfrac{1}{3}S_2$이다. 세 정삼각형 ABC, DEF, GHI의 둘레의 길이의 합을 구하시오.

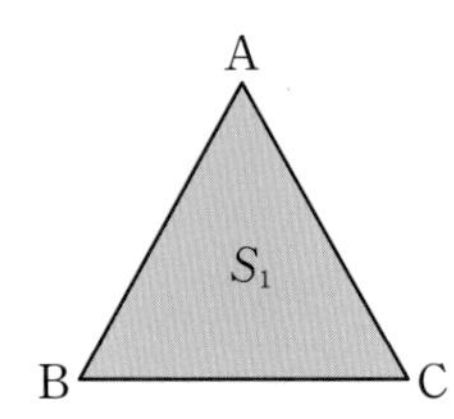

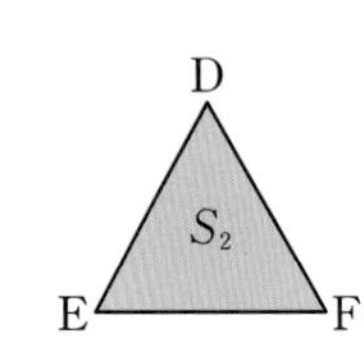

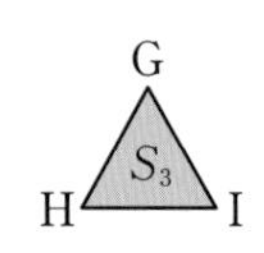

쌤의 출제 Point

정삼각형의 넓이를 이용하여 한 변의 길이를 찾는다.

최고난도 문제

동영상 강의 >>

정답과 풀이 19쪽

01 양수 a에 대하여 $f(a)=\sqrt{a}+\frac{1}{\sqrt{a}}$이라 할 때, $f(1)\times f(2)\times f(3)\times\cdots\times f(9)$의 값을 구하시오.

02 $\sqrt{2a}+\sqrt{3b}=7$을 만족시키는 자연수 a, b에 대하여 $\sqrt{a-b}$의 소수 부분을 x, $\sqrt{a+4b}$의 소수 부분을 y라 할 때, $\sqrt{(x-1)^2}-\sqrt{(1-y)^2}$의 값을 구하시오.

03 오른쪽 그림은 넓이가 각각 $\frac{\pi}{25}$, $\frac{\pi}{5}$, π, 5π인 사분원 네 개의 중심이 한 점에서 만나도록 겹치지 않게 이어 붙인 것이다. 이 도형의 둘레의 길이가 $\left(a+\frac{b\sqrt{5}}{5}\right)\pi+c\sqrt{5}+d$일 때, 유리수 a, b, c, d에 대하여 $a+b+c+d$의 값을 구하시오.

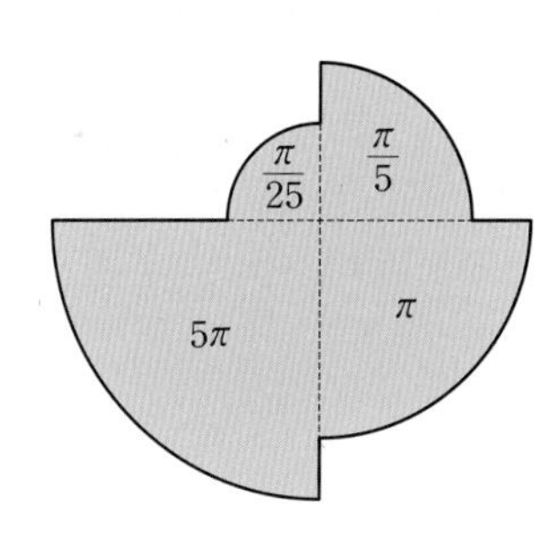

Challenge

04 1부터 20까지의 자연수가 각각 적힌 20장의 카드에서 두 장을 차례로 뽑아 첫 번째 나온 수를 x, 나중에 나온 수를 y라 하자. 어떤 자연수 k에 대하여 $\sqrt{x}+\sqrt{y}=\sqrt{k}$일 확률을 구하시오.

같은 문제 선배들의 다른 풀이

본책 24쪽 — 07 번 문제

오른쪽 그림과 같은 정팔각형의 넓이가 $24+24\sqrt{2}$일 때, 정팔각형의 한 변의 길이는?

① $\sqrt{3}$　　② $2\sqrt{2}$
③ $2\sqrt{3}$　　④ 4
⑤ $3\sqrt{2}$

이 문제는 '제곱근'을 이용하여 정팔각형의 넓이에 대한 식을 세운 후, 주어진 정팔각형의 넓이를 이용하여 정팔각형의 한 변의 길이를 구하는 문제야.
이 문제를 다음 단원인 03. 다항식의 곱셈과 곱셈 공식에서 배우는
'곱셈 공식 $(a+b)^2=a^2+2ab+b^2$'을 이용하면 더 간단하게 해결할 수 있어.

정팔각형의 한 변의 길이를 x라 하면
오른쪽 그림과 같이 정팔각형의 네 변의 길이를 연장하여 만든
정사각형의 한 변의 길이는 $x+2\times\frac{\sqrt{2}x}{2}=(1+\sqrt{2})x$야.
이때 정팔각형의 넓이는 이 정사각형의 넓이에서
네 개의 직각이등변삼각형의 넓이를 빼서 구할 수 있으므로

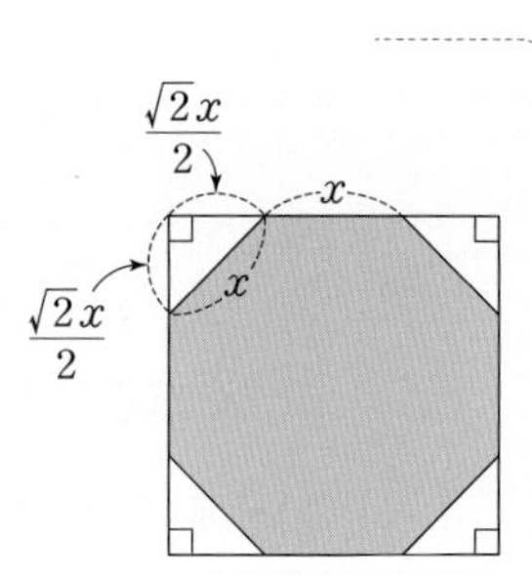

$$(\text{정팔각형의 넓이})=\{(1+\sqrt{2})x\}^2-4\times\left(\frac{1}{2}\times\frac{\sqrt{2}x}{2}\times\frac{\sqrt{2}x}{2}\right)$$
$$=\{(1+\sqrt{2})^2-1\}x^2 \quad \cdots\cdots ㉠$$
$$=(1+2\sqrt{2}+2-1)x^2=(2+2\sqrt{2})x^2$$

즉, $(2+2\sqrt{2})x^2=24+24\sqrt{2}$이므로 $x^2=\frac{24+24\sqrt{2}}{2+2\sqrt{2}}=\frac{12(2+2\sqrt{2})}{2+2\sqrt{2}}=12$이고
이때 $x>0$이므로 $x=\sqrt{12}=2\sqrt{3}$이야.

또한, 이 후의 단원인 04. 인수분해에서 배우는 '인수분해 공식 $a^2-b^2=(a+b)(a-b)$'를 이용하여 ㉠의 식을

$$\{(1+\sqrt{2})^2-1\}x^2=(1+\sqrt{2}+1)(1+\sqrt{2}-1)x^2$$
$$=\sqrt{2}(2+\sqrt{2})x^2=(2+2\sqrt{2})x^2$$

과 같이 계산할 수도 있어. 이렇게 앞으로 나오는 다음 단원에서도 제곱근을 포함한 계산 과정이 자주 문제에서 나오니 제곱근 단원을 완벽하게 익히고 연습하도록 해.

Ⅱ 다항식의 곱셈과 인수분해

현직 교사의 학교 시험 고난도 킬러 강의

이 단원에서는 두 다항식의 곱을 전개하여 하나의 다항식으로 나타내는 것(곱셈 공식)과 반대로 한 다항식을 두 개 이상의 다항식의 곱으로 나타내는 것(인수분해)을 연계하여 생각하는 것이 중요해요. 또, '02. 근호를 포함한 식의 계산'에서 배운 분모의 유리화 과정에 곱셈 공식을 이용하는 문제도 꼭 출제돼요. 특히, 다항식의 곱셈이나 인수분해의 결과를 주고, 여러 가지 조건을 만족시키는 미지수의 값을 구하는 문제와 곱셈 공식과 인수분해를 실생활에 활용하는 문제는 이 단원에서의 kill 문제죠.

03 다항식의 곱셈과 곱셈 공식

① 다항식의 곱셈과 곱셈 공식

(1) 다항식과 다항식의 곱셈

분배법칙을 이용하여 전개한 후, 동류항끼리 모아서 간단히 한다.

예 $(2x+y)(3x-y)=6x^2-2xy+3xy-y^2=6x^2+xy-y^2$

$(a+b)(c+d)=\underset{①}{ac}+\underset{②}{ad}+\underset{③}{bc}+\underset{④}{bd}$

(2) 곱셈 공식

① 합의 제곱 : $(a+b)^2=a^2+2ab+b^2$

② 차의 제곱 : $(a-b)^2=a^2-2ab+b^2$

③ 합과 차의 곱 : $(a+b)(a-b)=a^2-b^2$

④ 일차항의 계수가 1인 두 일차식의 곱 : $(x+a)(x+b)=x^2+(a+b)x+ab$

⑤ 일차항의 계수가 1이 아닌 두 일차식의 곱 : $(ax+b)(cx+d)=acx^2+(ad+bc)x+bd$

② 치환을 이용한 복잡한 식의 전개 심화 개념

공통 부분을 한 문자로 치환한 후, 곱셈 공식을 이용하여 전개한다.

예 $(x+y+z)(x+y-z)$

$=(A+z)(A-z)$ ← $x+y=A$로 치환

$=A^2-z^2$ ← 곱셈 공식을 이용하여 전개하기

$=(x+y)^2-z^2$ ← A에 $x+y$를 대입하기

$=x^2+2xy+y^2-z^2$

참고 ( )( )( )( )의 꼴의 전개 : 일차식의 상수항의 합이 같아지도록 두 개씩 짝 지어 전개한 후, 공통 부분을 치환하여 전개한다.

쌤의 활용 꿀팁

공통 부분을 한 문자로 치환하여 곱셈 공식을 이용할 수 있는 꼴로 만들어 보세요. 식을 적절히 변형해야 공통 부분이 생기는 경우도 있음에 주의하세요.

③ 곱셈 공식을 이용한 수의 계산

(1) 수의 제곱의 계산 : $(a+b)^2=a^2+2ab+b^2$ 또는 $(a-b)^2=a^2-2ab+b^2$을 이용한다.

예 $103^2=(100+3)^2=100^2+2\times100\times3+3^2=10609$

(2) 두 수의 곱의 계산 : $(a+b)(a-b)=a^2-b^2$을 이용한다. 예 $49\times51=(50-1)(50+1)=50^2-1^2=2499$

④ 곱셈 공식을 이용한 분모의 유리화

분모가 $\sqrt{a}+\sqrt{b}$ 또는 $\sqrt{a}-\sqrt{b}$의 꼴이면 $(a+b)(a-b)=a^2-b^2$을 이용하여 분모를 유리화한다.

➡ $\frac{c}{\sqrt{a}+\sqrt{b}}=\frac{c(\sqrt{a}-\sqrt{b})}{(\sqrt{a}+\sqrt{b})(\sqrt{a}-\sqrt{b})}=\frac{c(\sqrt{a}-\sqrt{b})}{a-b}$ (단, $a>0$, $b>0$, $a\neq b$)

예 $\frac{1}{3+\sqrt{3}}=\frac{3-\sqrt{3}}{(3+\sqrt{3})(3-\sqrt{3})}=\frac{3-\sqrt{3}}{9-3}=\frac{3-\sqrt{3}}{6}$

⑤ 곱셈 공식의 변형

(1) 곱셈 공식의 변형

① $a^2+b^2=(a+b)^2-2ab$, $a^2+b^2=(a-b)^2+2ab$

② $(a+b)^2=(a-b)^2+4ab$, $(a-b)^2=(a+b)^2-4ab$

(2) 두 수의 곱이 1인 식의 변형

① $a^2+\frac{1}{a^2}=\left(a+\frac{1}{a}\right)^2-2$, $a^2+\frac{1}{a^2}=\left(a-\frac{1}{a}\right)^2+2$

② $\left(a+\frac{1}{a}\right)^2=\left(a-\frac{1}{a}\right)^2+4$, $\left(a-\frac{1}{a}\right)^2=\left(a+\frac{1}{a}\right)^2-4$

이것이 진짜 출제율 100% 문제

① 다항식의 곱셈과 곱셈 공식

01 대표문제

$(2x+3y-1)^2$의 전개식에서 xy의 계수를 A, y의 계수를 B라 할 때, $A-4B$의 값을 구하시오.

02 실수多

$(x+a)(x+b)=x^2+Ax+24$일 때, 다음 중 상수 A의 값이 될 수 없는 것은? (단, a, b는 정수)

① -14　② -10　③ 11
④ 13　⑤ 14

쌤의 오답 코칭 | a, b는 정수이므로 음의 정수인 경우도 있음에 주의한다.

03

$(2x+5)(3x-2)+(x+1)(x-1)=ax^2+bx+c$일 때, 상수 a, b, c에 대하여 $2a-b+c$의 값은?

① -8　② -3　③ 3
④ 8　⑤ 13

04

한 변의 길이가 x인 정사각형에서 가로의 길이를 3만큼 늘이고 세로의 길이를 $5a$만큼 줄인 직사각형의 넓이가 $x^2+bx-15$일 때, $a-2b$의 값을 구하시오. (단, a, b는 상수)

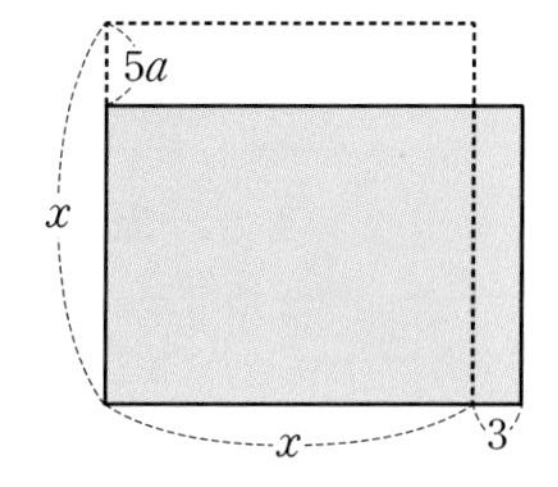

② 치환을 이용한 복잡한 식의 전개 심화

05 대표문제

$(x+y-2z)(x-y-2z)$를 전개하면?

① $x^2+3xy-z^2+2y^2$　② $x^2-3xy+2z^2-y^2$
③ $x^2+4xy-4z^2+y^2$　④ $x^2-4xz+4z^2-y^2$
⑤ $2x^2-3xz+3z^2-y^2$

06

$(x-1)(x-2)(x+4)(x+5)$의 전개식에서 x^3의 계수를 a, x^2의 계수를 b, x의 계수를 c라 할 때, $a+b-c$의 값을 구하시오.

③ 곱셈 공식을 이용한 수의 계산

07 (대표문제)

곱셈 공식을 이용하여 다음 식을 계산하시오.

$$365\times367-364\times366$$

08

곱셈 공식을 이용하여 다음 식을 계산하시오.

$$5.1^2+4.9^2-5^2$$

09

$\sqrt{6}$의 소수 부분을 a, $\sqrt{24}$의 소수 부분을 b라 할 때, $(2a+1)(b+3)$의 값을 구하시오.

④ 곱셈 공식을 이용한 분모의 유리화

10 (대표문제)

$\frac{2}{\sqrt{2}+1}+\frac{1}{2-\sqrt{3}}$을 간단히 하시오.

11 실수多

$\frac{1}{3+2\sqrt{2}}+\frac{2}{3-2\sqrt{2}}=a+b\sqrt{2}$일 때, 유리수 a, b에 대하여 $a-b$의 값을 구하시오.

쌤의 오답 코칭 | 분자, 분모에 같은 수를 곱하는 것에 주의한다.

12

$x=\frac{\sqrt{5}+2}{\sqrt{5}-2}$일 때, $x^2-18x+13$의 값은?

① 8 ② 9 ③ 10
④ 11 ⑤ 12

⑤ 곱셈 공식의 변형

13 (대표문제)

$ab=-6$, $(2+a)(2-b)=20$일 때, a^2+ab+b^2의 값은?

① 4 ② 5 ③ 6
④ 7 ⑤ 8

14

$x+y=4$, $x^2+y^2=12$일 때, $\dfrac{2y}{x}+\dfrac{2x}{y}$의 값을 구하시오.

15 실수多

$x+\dfrac{1}{x}=4$, $y-\dfrac{1}{y}=\dfrac{1}{2}$일 때, $\left(x-\dfrac{1}{x}\right)^2\left(y+\dfrac{1}{y}\right)^2$의 값을 구하시오.

쌤의 오답 코칭 | 두 수의 곱이 1인 식의 변형을 이용하여 $\left(x-\dfrac{1}{x}\right)^2$, $\left(y+\dfrac{1}{y}\right)^2$의 값을 각각 구한다.

이것이 진짜 교과서에서 뽑아온 문제

16 | 천재 유사 |

$(3x-2)(2x+5)$를 전개하는데 환승이는 5를 A로 잘못 보고 $6x^2+2x+B$로 전개하였고, 민혁이는 3을 A로 잘못 보고 $Cx^2+6x-10$으로 전개하였다. 이때 $2A+B-C$의 값을 구하시오. (단, B, C는 상수)

17 | 천재 유사 |

$(2+\sqrt{3})^2+(3-\sqrt{5})(3+\sqrt{5})$를 간단히 하면?

① $9-2\sqrt{3}$ ② $11-4\sqrt{3}$ ③ $11+4\sqrt{3}$
④ $13-2\sqrt{5}$ ⑤ $13+2\sqrt{5}$

18 | 신사고 유사 |

오른쪽 그림과 같이 가로의 길이가 a이고, 세로의 길이가 b인 직사각형 ABCD에서 세 사각형 ABFE, EFGH, HIJD가 정사각형일 때, 색칠한 사각형 IGCJ의 넓이를 구하시오.

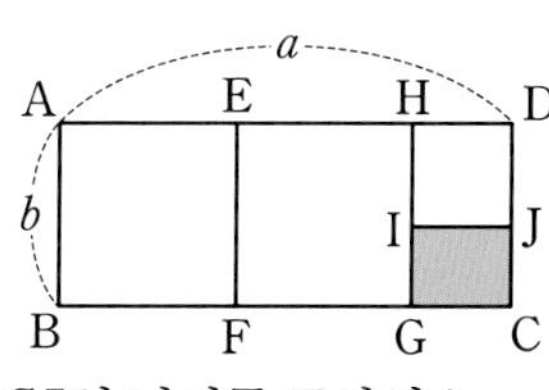

(단, $2b<a<3b$)

내신 상위 10%를 위한

LEVEL 2 필수 기출 문제

01

$(x-2)(2x^2+ax+a)-(x^2-1)(ax+2)$의 전개식에서 x^3의 계수가 3일 때, 상수항을 구하시오. (단, a는 상수)

쌤의 출제 Point

구하는 항이 나오는 부분만 전개한다.

02 신유형 서울|강남

자연수 n에 대하여 $f(n)=$(n^2을 4로 나누었을 때의 나머지)라 할 때,
$f(1)+f(2)+f(3)+\cdots+f(100)$의 값을 구하시오.

03

$y=-x+2$일 때, $(x-y)(x^2+y^2)(x^4+y^4)=ax^c-by^c$이다. 상수 a, b, c에 대하여 $4a+2b+c$의 값을 구하시오. (단, c는 자연수)

04 신유형

$(a+b+c)(a+b+d)=9$이고 $a+b=2$, $ac=bd=cd=1$일 때, $ad+bc$의 값은?

① 1 ② 2 ③ 3
④ 4 ⑤ 5

$(a+b+c)(a+b+d)=9$와 주어진 조건을 이용하여 구할 수 있는 식의 값을 생각해 본다.

쌤의 출제 Point

05 복합 개념 분당 | 서현

민수는 $(x-0.5)(x+a)$를 전개하는데 0.5를 $0.\dot{5}$로 잘못 보고 전개하였다. 잘못 보고 전개한 결과의 상수항이 바르게 보고 전개한 결과의 상수항보다 $\frac{1}{9}$만큼 작을 때, 상수 a의 값을 구하시오.

06 복합 개념 서울 | 목동

0이 아닌 유리수 a, b, c, d에 대하여 $a+b\sqrt{2}$와 $c+d\sqrt{2}$의 곱이 유리수일 때, 일차함수 $y=\frac{a}{b}x-\frac{c}{d}$의 그래프의 x절편을 구하시오.

07

전개도가 오른쪽 그림과 같은 정육면체에서 마주 보는 두 면에 적힌 두 일차식의 곱을 각각 A, B, C라 할 때, $A+B+C$를 간단히 하시오.

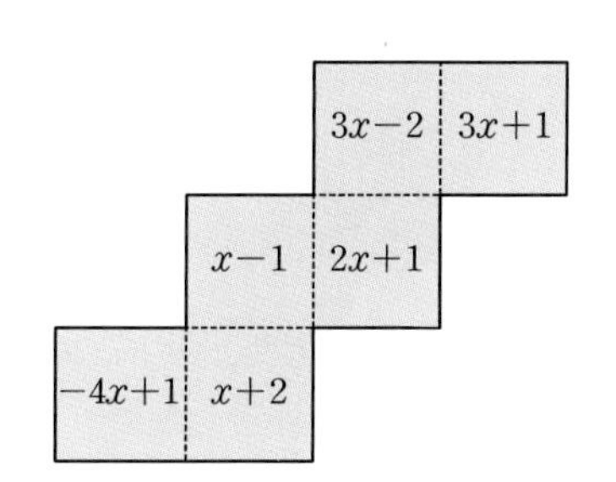

08 교과서 창의사고력 | 동아 유사 |

오른쪽 그림과 같이 가로의 길이가 a, 세로의 길이가 b인 직사각형 모양의 종이 ABCD를 접었다. 이때 사각형 HFIJ의 넓이를 구하시오. $\left(단,\ \frac{3b}{2}<a<2b\right)$

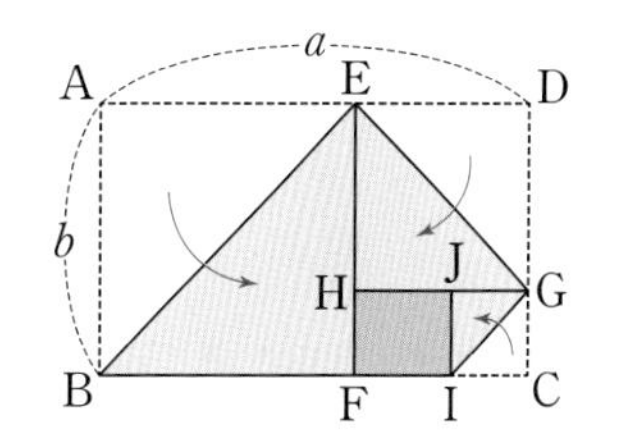

직사각형의 넓이를 구하는 식을 세운 후, 곱셈 공식을 이용하여 전개한다.

09 신유형

다음 식을 전개하시오.

$$(x^2-x-1)(x^2+x-1)(x^4+3x^2+1)$$

10

$x=2\sqrt{3}$, $y=3\sqrt{2}$일 때, $(x+y+3)(x-y+3)+(x+3)^2$의 값을 구하시오.

11

$(x+4+\sqrt{3})(x+a-\sqrt{3})+3=x^2+bx+16$일 때, 유리수 a, b의 값을 각각 구하시오.

12

$(7+1)(7^2+1)(7^4+1)(7^8+1)=\frac{1}{6}(7^n-1)$일 때, 자연수 n의 값을 구하시오.

쌤의 출제 Point

$4+\sqrt{3}$, $a-\sqrt{3}$을 각각 하나의 수로 생각하고, 곱셈 공식을 이용하여 전개한다.

13

$19\times 21\times 401\times 160001\times 25600000001=20^a-b$일 때, 자연수 a, b에 대하여 $a+b$의 값을 구하시오. (단, b는 한 자리의 자연수이다.)

14

$N(x)=\sqrt{x}+\sqrt{x-1}\ (x\geq 1)$일 때, $\frac{1}{N(1)}+\frac{1}{N(2)}+\frac{1}{N(3)}+\cdots+\frac{1}{N(50)}$의 값은?

① $\sqrt{5}$　② $3\sqrt{2}$　③ $2\sqrt{5}$
④ $5\sqrt{2}$　⑤ $3\sqrt{5}$

쌤의 출제 Point

$\frac{1}{N(x)}=\frac{1}{\sqrt{x}+\sqrt{x-1}}$의 분모를 유리화하여 간단히 나타낸다.

15 복합 개념 (분당 | 서현)

$\frac{a\sqrt{10}+b}{\sqrt{10}+1}$가 유리수가 되도록 하는 0이 아닌 두 유리수 a, b에 대하여 $\frac{2ab}{a^2+b^2}$의 값을 구하시오.

16 만점 KILL (서울 | 목동)

$x=\frac{\sqrt{6}+\sqrt{5}}{\sqrt{6}-\sqrt{5}}$일 때, $\frac{\sqrt{x+1}-\sqrt{x-1}}{\sqrt{x+1}+\sqrt{x-1}}+\frac{\sqrt{x+1}+\sqrt{x-1}}{\sqrt{x+1}-\sqrt{x-1}}$의 값을 구하시오.

17 신유형 서울|강남

$x^2-3x+2=0$, $y^2+4y-3=0$일 때, $\left(x-\dfrac{2}{x}\right)^2+\left(y+\dfrac{3}{y}\right)^2$의 값을 구하시오.

18

$x-xy+y=5$, $x+xy+y=3$일 때, $\dfrac{y+1}{x}+\dfrac{x+1}{y}$의 값을 구하시오.

19

$(x-y)^2-(x+y)^2=24$, $(3x+1)(3y+1)=7$일 때, $(x-y)^2$의 값을 구하시오.

20 교과서 추론 | 교학사 유사 |

둘레의 길이가 서로 같은 정사각형과 직사각형의 넓이의 차가 24일 때, 직사각형의 이웃하는 두 변의 길이의 차를 구하시오. (단, 정사각형의 넓이가 직사각형의 넓이보다 크다.)

쌤의 출제 Point

정사각형과 직사각형의 변의 길이를 각각 미지수로 놓고, 둘레의 길이와 넓이에 대한 식을 각각 세운다.

01 $x^2-y^2+1=0$일 때,
$\{(x+y)^n-(x-y)^n\}^2-\{(x+y)^n+(x-y)^n\}^2+3(x+y)^n(x-y)^n$의 값을 모두 구하시오.
(단, n은 자연수)

02 다음 그림과 같이 가로의 길이가 $3x+4$이고, 세로의 길이가 $x-2$인 두 직사각형 ABCD, EFGH를 $\overline{BF}=2x+3$이 되도록 겹쳐 놓았다. 이와 같은 방법으로 모두 합동인 15개의 직사각형을 겹치는 부분의 넓이가 같도록 일렬로 배열할 때, 15개의 직사각형을 겹쳐서 만든 전체 직사각형의 넓이를 구하시오. (단, $x>3$)

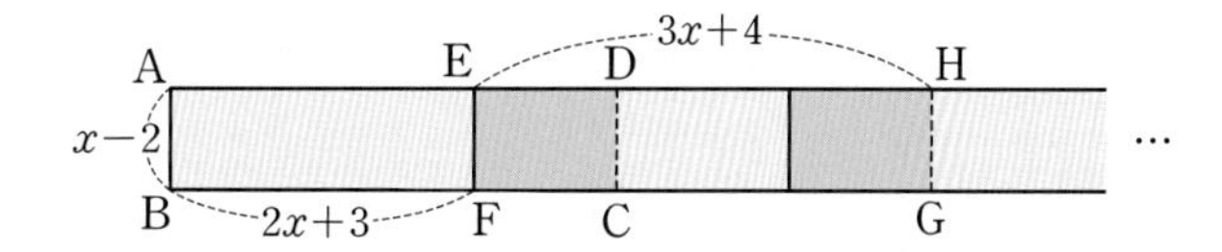

03 $\left(x-\dfrac{x+y+z}{4}\right)^2+\left(y-\dfrac{x+y+z}{4}\right)^2+\left(z-\dfrac{x+y+z}{4}\right)^2+\dfrac{5(x+y+z)^2}{16}$을 간단히 하시오.

Challenge

04 $\dfrac{1}{\sqrt{2}+\sqrt{5}+1}-\dfrac{1}{2}=1+\sqrt{a}-\dfrac{\sqrt{b}}{2}-\dfrac{\sqrt{ab}}{2}$일 때, 두 자연수 a, b에 대하여 $2a+b$의 값을 구하시오.

04 인수분해

① 인수분해

(1) **인수** : 하나의 다항식을 두 개 이상의 다항식의 곱으로 나타낼 때, 곱해진 각각의 다항식을 처음 다항식의 인수라 한다.

참고 $x(x+1)$의 인수는 1, x, $x+1$, $x(x+1)$이다. 즉, 모든 다항식에서 1과 자기 자신도 그 다항식의 인수이다.

(2) **인수분해** : 하나의 다항식을 두 개 이상의 인수의 곱으로 나타내는 것을 그 다항식을 인수분해한다고 한다.

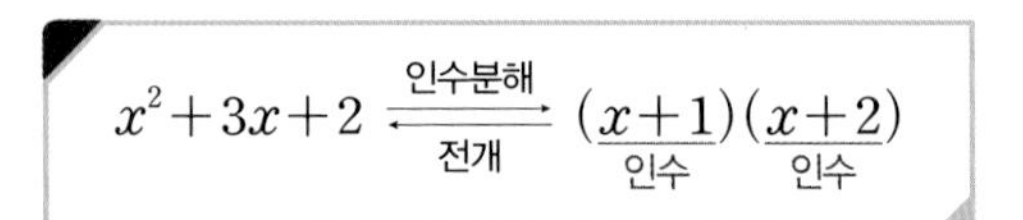

(3) **공통인 인수를 이용한 인수분해**

① 공통인 인수 : 다항식의 각 항에 공통으로 들어 있는 인수

② 공통인 인수를 이용한 인수분해 : 다항식의 각 항에 공통인 인수가 있을 때에는 분배법칙을 이용하여 공통인 인수를 묶어 내어 인수분해한다.

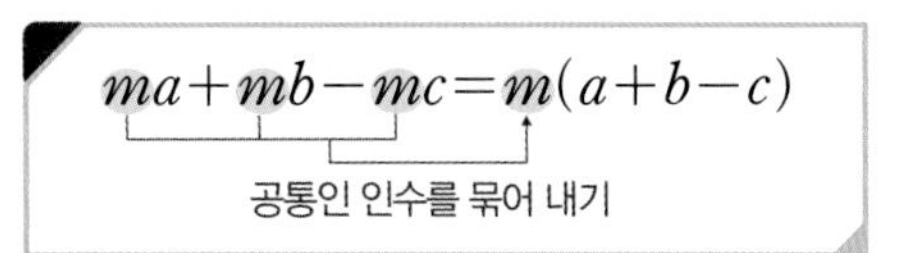

예 $2x^2+4x=2x\times x+2x\times 2=2x(x+2)$

주의 인수분해할 때는 공통인 인수가 남지 않도록 모두 묶어 낸다.

② 인수분해 공식 (1)

(1) **완전제곱식** : 다항식의 제곱으로 된 식 또는 이 식에 상수를 곱한 식　예 $(a+2)^2$, $(x-y)^2$, $-3(2x+1)^2$

(2) **완전제곱식을 이용한 인수분해**

$a^2+2ab+b^2=(a+b)^2$, $a^2-2ab+b^2=(a-b)^2$　예 $x^2+2x+1=(x+1)^2$, $x^2-6x+9=(x-3)^2$

참고 완전제곱식이 될 조건

(1) x^2+ax+b가 완전제곱식이 될 조건 ➡ $b=\left(\frac{a}{2}\right)^2$　예 x^2+8x+b가 완전제곱식 ➡ $b=\left(\frac{8}{2}\right)^2=16$

(2) x^2+ax+b^2이 완전제곱식이 될 조건 ➡ $a=\pm 2b$　예 $x^2+ax+25$가 완전제곱식 ➡ $a=\pm 2\sqrt{25}=\pm 10$

(3) **제곱의 차를 이용한 인수분해**

$a^2-b^2=(a+b)(a-b)$　예 $x^2-9=(x+3)(x-3)$

참고 특별한 조건이 없으면 인수분해는 유리수의 범위에서 더 이상 인수분해할 수 없을 때까지만 한다.

③ 인수분해 공식 (2)

(1) **x^2의 계수가 1인 이차식의 인수분해**

$x^2+(a+b)x+ab=(x+a)(x+b)$　예 $x^2-2x-8=(x-4)(x+2)$

참고 $x^2+(a+b)x+ab$를 인수분해하는 방법

❶ 곱했을 때 상수항이 되는 두 정수를 찾는다.

❷ ❶의 두 정수 중에서 두 수의 합이 x의 계수가 되는 두 정수 a, b를 찾는다.

❸ $(x+a)(x+b)$의 꼴로 나타낸다.

(2) **x^2의 계수가 1이 아닌 이차식의 인수분해**

$acx^2+(ad+bc)x+bd=(ax+b)(cx+d)$

예 $3x^2+x-2=(3x-2)(x+1)$

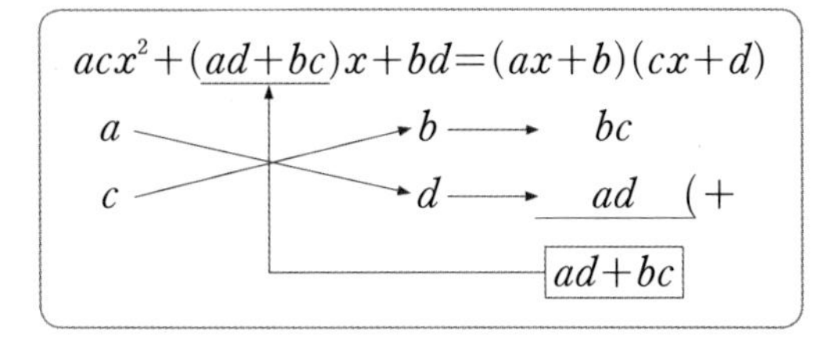

4 복잡한 식의 인수분해

(1) 치환을 이용한 인수분해

공통 부분을 한 문자로 치환한 후 인수분해한다.

예 $(x+y+1)(x+y+2)-6$
$=(A+1)(A+2)-6$ ← $x+y=A$로 치환
$=A^2+3A-4$ ← 전개하기
$=(A+4)(A-1)$ ← 인수분해하기
$=(x+y+4)(x+y-1)$ ← A 대신 $x+y$를 대입하기

주의 치환하여 인수분해한 후에는 원래의 식을 다시 대입하여 정리한다.

(2) 항이 4개인 식의 인수분해

① 공통인 인수가 나오도록 항을 2개씩 묶어 인수분해한다.

예 $xy+x-y-1$
$=x(y+1)-(y+1)$ ← 항을 2개씩 묶기
$=(x-1)(y+1)$ ← 공통인 인수를 묶어 내기

② 완전제곱식이 되는 3개의 항과 나머지 1개의 항으로 나누어 $(\quad)^2-(\quad)^2$의 꼴로 만든 후 인수분해한다.

예 $x^2+y^2+2xy-9$
$=(x^2+2xy+y^2)-9$ ← 3개의 항을 묶기
$=(x+y)^2-3^2$ ← 완전제곱식으로 변형하기
$=(x+y+3)(x+y-3)$ ← 인수분해하기

참고 $(\quad)(\quad)(\quad)(\quad)+k$의 꼴의 인수분해
❶ 공통 부분이 생기도록 $(\quad)(\quad)(\quad)(\quad)$를 2개씩 짝 지어 전개한다.
❷ 공통 부분을 한 문자로 치환한다.
❸ ❷의 식을 정리한 후 인수분해한다.
❹ 원래의 식을 대입하여 정리한다.

5 문자가 여러 개인 식의 인수분해 심화 개념

(1) 문자의 차수가 다른 경우 : 차수가 가장 낮은 문자에 대하여 내림차순으로 정리한 후 인수분해한다.

항이 5개 이상이면 한 문자에 대하여 내림차순으로 정리한 후 인수분해가 가능한 지 확인해 보세요.

예 $x^2+xy-5x-3y+6$
$=(x-3)y+(x^2-5x+6)$ ← y에 대하여 내림차순으로 정리하기
$=(x-3)y+(x-2)(x-3)$ ← 인수분해하기
$=(x-3)(x+y-2)$ ← 공통인 인수를 묶어 내기

참고 내림차순 : 한 문자에 대하여 차수가 높은 항부터 낮은 항의 순서로 나열하는 것

(2) 문자의 차수가 같은 경우 : 임의의 한 문자에 대하여 내림차순으로 정리한 후 인수분해한다.

6 인수분해 공식의 활용 심화 개념

(1) 수의 계산 : 인수분해 공식을 이용할 수 있도록 수의 모양을 변형하여 계산한다.

예 $53^2-47^2=(53+47)(53-47)=100\times6=600$

참고 수의 계산에 자주 이용되는 인수분해 공식
① $a^2+2ab+b^2=(a+b)^2$, $a^2-2ab+b^2=(a-b)^2$
② $a^2-b^2=(a+b)(a-b)$

(2) 식의 값 : 주어진 식을 인수분해한 후 문자의 값을 대입하여 계산한다.

예 $x=49$일 때, x^2+2x+1의 값은
$x^2+2x+1=(x+1)^2=(49+1)^2=50^2=2500$

쌤의 활용 꿀팁

수를 직접 계산하거나 주어진 식에 문자의 값을 직접 대입하여 구할 수 있지만 주어진 식이 인수분해되는 경우는 인수분해한 후 대입하여 계산하는 것이 더 편리해요.

LEVEL 1 학교 선생님이

시험에 꼭 내는 문제

이것이 진짜 **출제율 100%** 문제

① 인수분해

01 (대표문제)

다음 중 $3x^2y+12xy^2$에 대한 설명으로 옳지 않은 것은?

① $3xy$는 $3x^2y$, $12xy^2$의 공통인 인수이다.
② 인수분해하면 $3xy(x+4y)$이다.
③ 인수분해하는 과정에서 분배법칙이 이용된다.
④ $3x^2y+12xy^2$의 인수는 4개이다.
⑤ $3x$, y, $3(x+4y)$는 모두 $3x^2y+12xy^2$의 인수이다.

02

다음 중 $3ab(x-y)-3b(y-x)$의 인수가 아닌 것은?

① $3b$　② $a+1$　③ $a-1$
④ $b(x-y)$　⑤ $3ab+3b$

② 인수분해 공식 (1)

03 (대표문제)

$4x^2+(2k+1)x+9$가 완전제곱식이 되도록 하는 모든 상수 k의 값의 합을 구하시오.

04

a^4-b^4을 인수분해하시오.

③ 인수분해 공식 (2)

05 (대표문제)

$x^2-13x+22$가 x의 계수가 1인 두 일차식의 곱으로 인수분해될 때, 두 일차식의 합을 구하시오.

06 (실수多)

$ax^2-xy-12y^2$이 $4x+3y$를 인수로 가진다. 이때 상수 a의 값과 $ax^2-xy-12y^2$의 일차식인 다른 한 인수를 차례로 구하시오.

쌤의 오답 코칭 | 주어진 식이 $4x+3y$를 인수로 가지므로 $(4x+3y)($　　$)$의 꼴로 인수분해된다.

07

다음 두 다항식의 1이 아닌 공통인 인수를 구하시오.

$$10x^2+13x-3,\ 4x^2+8x+3$$

08

오른쪽 그림과 같이 높이가 $a-3$이고 아랫변의 길이가 윗변의 길이보다 4만큼 더 긴 사다리꼴의 넓이가 $3a^2-2a-21$일 때, 윗변의 길이를 구하시오.

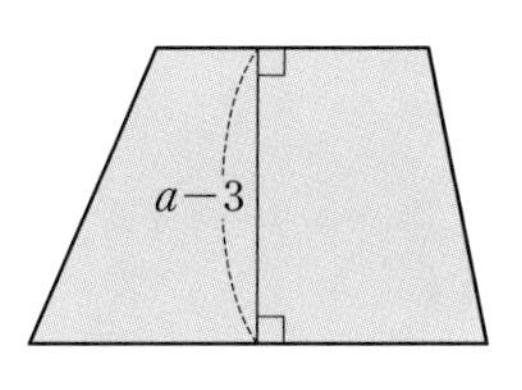

④ 복잡한 식의 인수분해

09 (대표문제)

$3(x-3)^2+5(x-3)(y+4)-12(y+4)^2$이 $(x+ay+b)(cx+dy-25)$로 인수분해될 때, $a+b+c+d$의 값을 구하시오. (단, a, b, c, d는 상수)

10 실수多

다음 중 $x^2y^2+x^2y+xy^2+xy$의 인수가 아닌 것은?

① xy ② $xy+y$ ③ $x(x+1)$
④ y^2+1 ⑤ $(x+1)(y+1)$

쌤의 오답 코칭 | 인수분해할 때는 먼저 공통인 인수를 모두 묶어 낸다.

11

$x^2-y^2+2xz+z^2$을 인수분해하면?

① $(x+y+z)(x-y-z)$ ② $(x+y+z)(x-y+z)$
③ $(x+y-z)(x+y+z)$ ④ $(x-y+z)(x-y-z)$
⑤ $(x+y-z)(x-y-z)$

⑤ 문자가 여러 개인 식의 인수분해 심화

12 (대표문제)

$xy+y^2+x-2y-3$을 인수분해하였더니 $(y+a)(bx+cy-3)$이 되었다. 이때 $2a+b-c$의 값을 구하시오. (단, a, b, c는 상수)

13
다음 식을 인수분해하시오.

$$x^2+2xy-3y^2+3x+y+2$$

⑥ 인수분해 공식의 활용 심화

14 대표문제
두 수 A, B가 다음과 같을 때, 인수분해 공식을 이용하여 $A+B$의 값을 구하시오.

$$A=53^2-106\times3+3^2$$
$$B=11^2-9^2+7^2-5^2+3^2-1^2$$

15
$a-2b=4$, $a+2b=2$일 때, $a^3+2a^2b-4ab^2-8b^3$의 값을 구하시오.

이것이 진짜 **교과서에서 뽑아온** 문제

16 | 미래엔 **유사** |
다음 그림과 같이 넓이가 x^2인 정사각형 1개, 넓이가 x인 직사각형 4개, 넓이가 1인 정사각형 3개를 겹치지 않게 모두 이어 붙여 하나의 큰 직사각형을 만들 때, 큰 직사각형의 둘레의 길이를 구하시오.

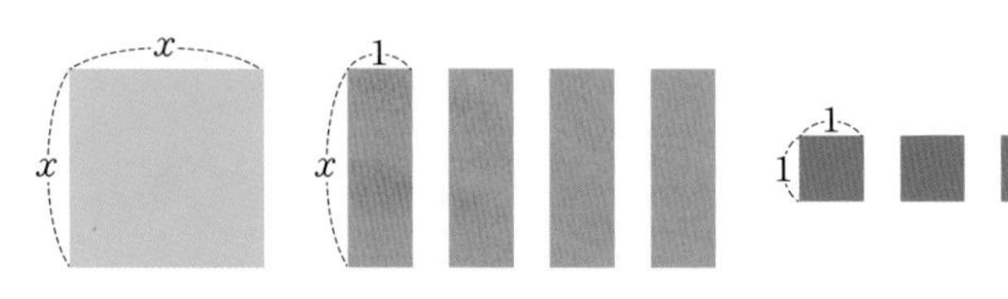

17 | 신사고 **유사** |
x^2의 계수가 2인 어떤 이차식을 인수분해하는데 수현이는 x의 계수를 잘못 보아 $(2x-1)(x+3)$으로 인수분해하였고, 지현이는 상수항을 잘못 보아 $(2x-1)(x-2)$로 인수분해하였다. 이때 처음 이차식을 바르게 인수분해하시오.

18 실수多 | 금성 **유사** |
$2<x<3$일 때,
$\sqrt{(x+1)^2-3(2x-1)}+\sqrt{(x-2)^2-2x+5}$를 간단히 하시오.

쌤의 오답 코칭 | 근호 안의 식을 전개한 후 인수분해하고, 부호에 주의하여 근호를 없앤다.

정답과 풀이 30쪽

01

$x=\dfrac{2}{\sqrt{5}+\sqrt{3}}$, $y=\dfrac{1}{\sqrt{5}-\sqrt{3}}$일 때, $x^2-4xy+4y^2-4x+8y+4$의 값은 $a+b\sqrt{3}$이다. 유리수 a, b에 대하여 $a-b$의 값을 구하시오.

02

$x^2-8ax+8b$에서 $4ax+2b$를 빼면 완전제곱식이 될 때, 150 이하의 두 자연수 a, b의 순서쌍 (a, b)의 개수를 구하시오.

03

$x+\dfrac{1}{x}=3$일 때, 인수분해 공식을 이용하여 $x^2-4x+\dfrac{4}{x}-\dfrac{1}{x^2}$의 값을 구하시오. (단, $x>1$)

04

오른쪽 그림에서 ㈎는 한 변의 길이가 $4x$인 정사각형의 네 귀퉁이에서 한 변의 길이가 1인 정사각형 4개를 잘라내고 남은 도형이고, ㈏는 세로의 길이가 $2x+1$인 직사각형이다. 두 도형 ㈎, ㈏의 넓이가 서로 같을 때, ㈏의 둘레의 길이를 구하시오.

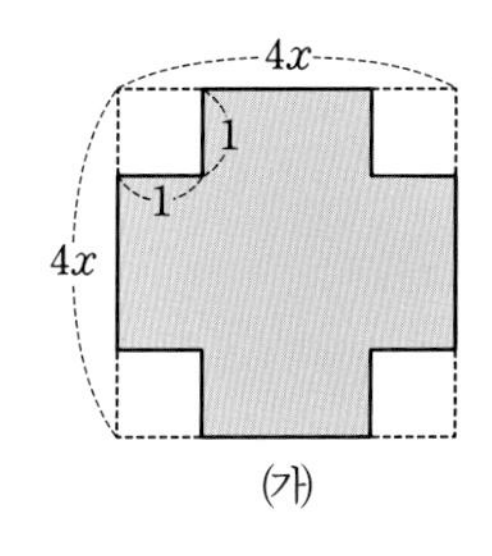

(가)

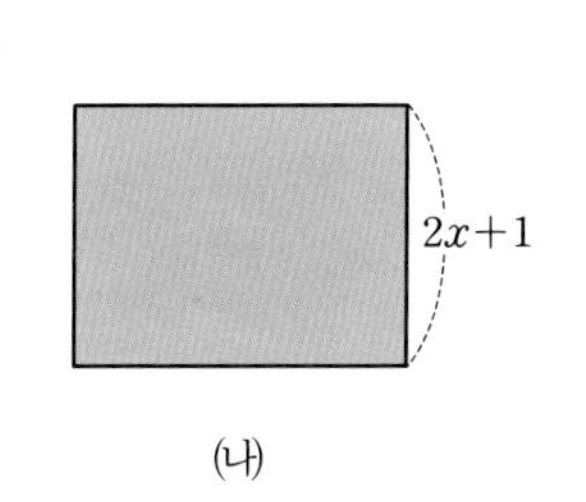

(나)

쌤의 출제 Point

$x^2-\dfrac{1}{x^2}=x^2-\left(\dfrac{1}{x}\right)^2$
$=\left(x+\dfrac{1}{x}\right)\left(x-\dfrac{1}{x}\right)$

05

다음 부호화 과정을 통해 만들어진 a, b의 순서쌍 (a, b)는 주어진 부호표에서 해당하는 칸에 있는 암호로 변환된다. $\langle -1, -2 \rangle$, $\langle 0, -9 \rangle$, $\langle -3, 2 \rangle$, $\langle 2, -3 \rangle$, $\langle 1, -2 \rangle$를 각각 부호화하고, 이 순서대로 암호로 변환하였을 때 만들어지는 단어를 구하시오.

(단, a, b는 정수이고, $a<b$)

부호화 과정

$\langle a+b, ab \rangle \xrightarrow{\text{이차식}} x^2+(a+b)x+ab$

$\xrightarrow{\text{인수분해}} (x+a)(x+b)$

$\xrightarrow{\text{부호화}} (a, b)$

a \ b	3	2	1	0	-1	-2	-3
3	ㅏ	ㅕ	ㅓ	ㅗ	ㅜ	ㅠ	ㅛ
2	ㅓ	ㅠ	ㅜ	ㅣ	ㄷ	ㄱ	ㅂ
1	ㅜ	ㅡ	ㄹ	ㅁ	ㅇ	ㅎ	ㅈ
0	ㅑ	ㅣ	ㅂ	ㅈ	ㅁ	ㄴ	ㅍ
-1	ㅏ	ㄱ	ㅁ	ㅋ	ㅍ	ㅊ	ㅏ
-2	ㅣ	ㅅ	ㅅ	ㅌ	ㅎ	ㅌ	ㄱ
-3	ㅜ	ㅇ	ㄹ	ㅅ	ㅓ	ㅂ	ㅎ

〈부호표〉

06

두 다항식 $3x^2-5x+a$, $5x^2+bx+6$의 공통인 인수가 $x-3$일 때, 상수 a, b에 대하여 $a-b$의 값을 구하시오.

07 교과서 추론 | 동아 유사 |

x^2+3x-p가 x의 계수가 1이고 상수항이 정수인 두 일차식의 곱으로 인수분해되고 $1<p<30$일 때, 자연수 p의 값 중 가장 큰 수를 M, 가장 작은 수를 m이라 하자. 이때 $M+m$의 값을 구하시오.

08

$\dfrac{3(2x+1)(3-2y)}{(2x+1)^2+(3-2y)^2}=\dfrac{3}{2}$일 때, $x+y$의 값을 구하시오.

쌤의 출제 Point

x의 계수가 1이고 상수항이 정수인 두 일차식의 곱은 $(x+a)(x+b)$와 같이 나타낼 수 있다.

09 교과서 추론 | 천재 유사 |

$\frac{2^2-1}{2^2}\times\frac{3^2-1}{3^2}\times\frac{4^2-1}{4^2}\times\cdots\times\frac{50^2-1}{50^2}$의 값을 구하시오.

10

$x=4\sqrt{2}$, $y=\sqrt{2}$일 때, $(x+y)^2-(x-1)^2-(y+1)^2$의 값은?

① $14+2\sqrt{2}$
② $14+4\sqrt{2}$
③ $14+6\sqrt{2}$
④ $18+\sqrt{2}$
⑤ $18+2\sqrt{2}$

11 복합 개념 (서울 | 서초)

인수분해를 이용하여 다음을 구하시오.

(1) 11^4-1의 약수의 개수

(2) 11^4-1의 가장 큰 소인수를 x라 할 때, $x^2-42x+441$의 값

12 교과서 창의사고력 | 신사고 유사 |

$x^2+2xy-4x+y^2-4y-32$의 값이 소수가 되도록 하는 자연수 x, y의 순서쌍 (x, y)의 개수를 구하시오.

쌤의 출제 Point

주어진 식을 인수분해하였을 때, 그 값이 소수가 되려면 한 인수는 1이 되어야 한다.

13

$10\times11\times12\times13-3=(N+2)(N-2)$를 만족시키는 자연수 N의 값을 구하시오.

14 만점 KILL (서울 | 강남)

$(x+1)(x+3)(x+5)(x+7)+kx^2+8kx+135$이 $(x+a)(x+b)(x+c)^2$으로 인수분해될 때, $\frac{3abc}{k}$의 값을 구하시오. (단, k는 한 자리의 자연수이고, a, b, c는 정수, $a<b$)

15

$xy-2x+2y-1=0$을 만족시키는 정수 x, y의 순서쌍 (x, y)의 개수를 구하시오.

16

$x^4-6x^2y^2+y^4$은 x^2의 계수가 1인 두 이차식의 곱으로 인수분해된다. 이 두 이차식의 합이 ax^2+by^2일 때, 상수 a, b에 대하여 $a-b$의 값을 구하시오.

쌤의 출제 Point

$(x+1)(x+3)(x+5)(x+7)$을 상수항의 합이 같아지도록 두 개씩 짝 지어 전개한 후, 공통 부분을 한 문자로 치환한다.

주어진 식에서 공통 부분을 치환한 후 변형하여 $(\quad)^2-(\quad)^2$의 꼴로 나타낸다.

17

다음 세 다항식 A, B, C의 1이 아닌 공통인 인수를 구하시오.

$$A=a^2b-b^3-a^2c+b^2c$$
$$B=a^2(a+b^2-c)-b^2(a^2+a-c)$$
$$C=a^2b+a^2c+2abc+b^2(a+c)+c^2(a+b)$$

쌤의 출제 Point

18

세 자연수 a, b, c에 대하여 $a(1+b)+b(1+c)+c(1+a)+1+abc=561$일 때, $a+b+c$의 값을 구하시오. (단, $a>b>c$)

주어진 식의 좌변을 전개하고 한 문자에 대하여 내림차순으로 정리한 후 인수분해한다.

19 신유형 서울 | 송파

$10x^2+6y^2-16xy-13x+7y-3=(ax+by+1)(cx+dy-3)$일 때, 상수 a, b, c, d에 대하여 $\dfrac{b+d}{\sqrt{a+c}}$의 값은?

① $5-\sqrt{5}$　② $5+\sqrt{5}$　③ $5+5\sqrt{5}$
④ $10-5\sqrt{5}$　⑤ $10+5\sqrt{5}$

20

$x^3+x^2y+xy+x^2z+x^2+xz+yz+xyz$는 x의 계수가 1인 세 일차식의 곱으로 인수분해될 때, 세 일차식의 합을 구하시오.

쌤의 출제 Point

차수가 낮은 문자에 대하여 내림차순으로 정리한 후 공통인 인수로 묶어 내어 인수분해한다.

21

$-2<a<4$이고 $\sqrt{x}=a+3$일 때, $2\sqrt{x-14a+7}+\sqrt{4x-8a-20}$을 간단히 하시오.

주어진 등식을 변형하여 근호 안의 식을 한 문자에 대한 식으로 정리한다.

22 만점 KILL (서울 | 목동)

다음 그림에서 원 O의 반지름인 $\overline{OA}$의 길이는 a이고, 원 O′의 반지름인 $\overline{O'A}$의 길이는 b이다. 또, 점 B는 $\overline{OO'}$의 중점이고, 점 C는 $\overline{O'B}$의 중점이다. 원 O의 넓이에서 $\overline{AB}$를 반지름으로 하는 원의 넓이를 뺀 넓이를 S_1, $\overline{AC}$를 반지름으로 하는 원의 넓이를 S_2라 한다.
$4S_1-16S_2$를 a, b에 대한 식으로 나타낼 때, 그 식을 인수분해하시오. (단, $0<b<a$)

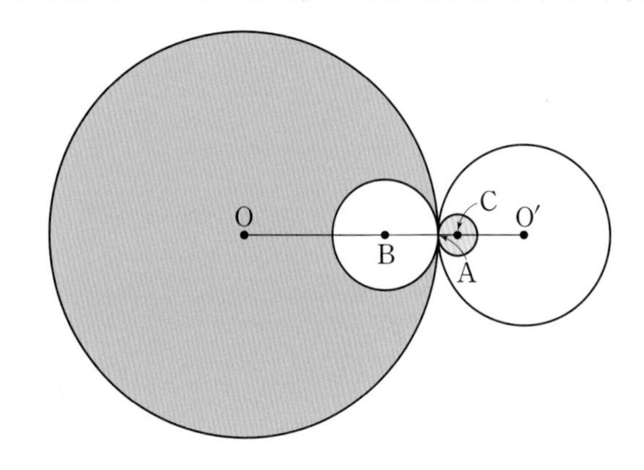

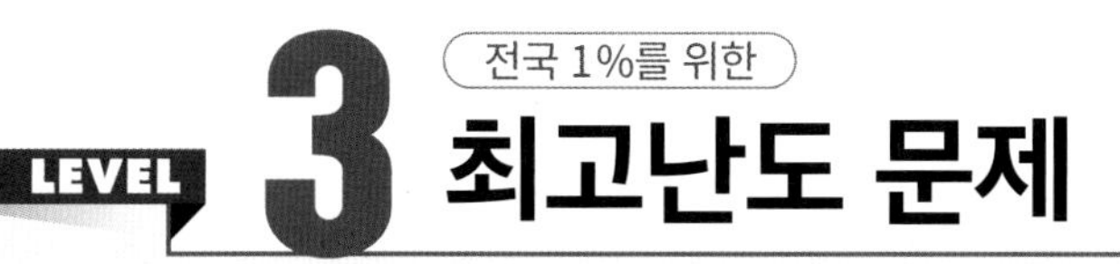

동영상 강의 ≫
정답과 풀이 35쪽

01 $n \geq 2$인 자연수 n에 대하여 $f(n)=\dfrac{2}{n^2-1}$일 때, 다음 등식이 성립함을 이용하여 $f(2)+f(3)+f(4)+\cdots+f(19)$의 값을 구하시오.

> 두 수 A, B에 대하여 $\dfrac{1}{AB}=\dfrac{1}{B-A}\left(\dfrac{1}{A}-\dfrac{1}{B}\right)$

02 두 다항식 $f(x)$, $g(x)$에 대하여 $f(x)=(x+2)(x+4)(x+6)(x+8)+a$, $g(x)=b^2x^2$일 때, $f(x)$는 어떤 이차식의 제곱으로 인수분해되고, $f(x)-g(x)$는 $(x+2)(x+10)(x^2+cx+d)$로 인수분해된다. 이때 $\dfrac{a+4b}{c}+d$의 값을 구하시오.

(단, a, b, c, d는 자연수)

03 둘레의 길이가 $14x-6$, 넓이가 $7x^2+18x+a$인 삼각형 ABC가 있다. 이 삼각형의 내접원의 반지름의 길이는 $x+k$이고, 내접원의 넓이를 S라 할 때, $x+k+\dfrac{S}{\pi}+a+7$을 x의 계수가 1인 두 일차식의 곱으로 나타내시오. (단, a, k는 상수)

Challenge

04 $2\sqrt{3}$의 정수 부분을 a, $\sqrt{7}$의 소수 부분을 b라 할 때, $\dfrac{a^4-a^3b-11a^2b^2+9ab^3+18b^4}{a^2-2ab-3b^2}$을 간단히 하시오.

같은 문제 선배들의 다른 풀이

본책 48쪽 06 번 문제

두 다항식 $3x^2-5x+a$, $5x^2+bx+6$의 공통인 인수가 $x-3$일 때, 상수 a, b에 대하여 $a-b$의 값을 구하시오.

이 문제는 '공통인 인수'를 이용하여 주어진 다항식을 각각 두 일차식의 곱으로 나타낸 후 양변의 계수를 비교하여 미지수의 값을 구하는 문제야. 즉, 다항식의 공통인 인수가 아닌 다른 한 일차식이 어떤 형태인지 알아내는 것이 핵심이지.

그런데 고등학교 1학년 때 배우는 '인수 정리'를 이용하면 좀 더 간단하게 미지수의 값을 구할 수 있어.

고등 수학 다항식 단원에서 다항식을 다항식으로 나누어 몫과 나머지를 구하는 것을 배우는데 정리하면 다음과 같아.

> 다항식 A를 $B(B\neq0)$로 나누었을 때의 몫을 Q, 나머지를 R라 하면
> $A=BQ+R$(단, (R의 차수)$<$(B의 차수))

이때 $R=0$, 즉 $A=BQ$이면 A는 B로 나누어떨어진다고 해.
즉, 다항식 $f(x)$가 $x-a$로 나누어떨어질 때의 몫을 $Q(x)$라 하면 $f(x)=(x-a)Q(x)$이고 이 등식에 $x=a$를 대입하면 $f(a)=0$이라는 식을 얻을 수 있어.
이것을 인수 정리라고 해.

그럼 이 문제를 인수 정리를 이용하여 풀어 볼까?

다항식 $f(x)=3x^2-5x+a$의 인수가 $x-3$이니까 $f(x)$는 $x-3$으로 나누어떨어지고, $f(3)=0$이야.

즉, $3\times3^2-5\times3+a=0$이고 $27-15+a=0$, $a=-12$이지.

다항식 $g(x)=5x^2+bx+6$의 인수가 $x-3$이니까 $g(x)$는 $x-3$으로 나누어떨어지고, $g(3)=0$이야.

즉, $5\times3^2+b\times3+6=0$이고 $45+3b+6=0$, $b=-17$이지.

이렇게 두 다항식에 $x=3$을 대입하여 a, b의 값을 바로 구하니 계산 과정이 조금 간단해졌지?

하지만 이 방법도 다항식의 인수에서 다항식의 나눗셈으로 개념을 확장한 것이니 이 단원에서는 인수분해를 정확하게 이해하도록 하자.

III

이차방정식

현직 교사의 학교 시험 고난도 킬러 강의

이 단원에서는 이차방정식을 풀기 위해 인수분해와 완전제곱식, 근의 공식 중 무엇을 이용해야 할지 신속하게 판단하는 것이 중요해요. 인수분해를 정확하게 하는 것이 기본이 되어야 하고, 완전제곱식의 꼴로 변형한 식에서 이차방정식의 해가 존재하기 위한 조건을 알고 있어야 해요. 두 근의 조건을 주고 이를 이용하여 이차방정식에 있는 미지수의 값을 구하는 문제, 주어진 이차방정식의 두 근을 구한 후 문제의 조건에 맞는 근을 선택하는 문제는 이 단원에서 꼭 출제돼요. 특히, 이차방정식에 절댓값이나 의미를 해석하는 연산 기호가 있는 문제와 이차방정식을 도형에 응용한 실생활 문제는 이 단원에서의 kill 문제죠.

05 이차방정식의 뜻과 풀이

① 이차방정식의 뜻과 해

(1) **x에 대한 이차방정식** : 등식의 모든 항을 좌변으로 이항하여 정리하였을 때, (x에 대한 이차식)$=0$의 꼴로 나타내어지는 방정식 ➡ $ax^2+bx+c=0$ (a, b, c는 상수, $a\neq0$)

예 $x^2-9=0$, $2x^2+x-3=0$ ➡ 이차방정식이다.
$x^2-2x+7=x^2+5$ ➡ 이차방정식이 아니다.

참고 a, b, c는 상수이고, $a\neq0$일 때
① $ax+b=0$ ➡ 일차방정식
② ax^2+bx+c ➡ 이차식
③ $ax^2+bx+c=0$ ➡ 이차방정식

(2) **이차방정식의 해(근)** : 이차방정식 $ax^2+bx+c=0$을 참이 되게 하는 x의 값

참고 ① x에 대한 이차방정식에서 미지수 x에 대한 특별한 조건이 없으면 x의 값의 범위는 실수 전체로 생각한다.
② $x=p$가 이차방정식 $ax^2+bx+c=0$의 해
➡ $x=p$를 $ax^2+bx+c=0$에 대입하면 등식이 성립한다. 즉, $ap^2+bp+c=0$

(3) **이차방정식을 푼다** : 이차방정식의 해를 모두 구하는 것

② 인수분해를 이용한 이차방정식의 풀이

(1) **$AB=0$의 성질** : 두 수 또는 두 식 A, B에 대하여 다음이 성립한다.

$AB=0$이면 $A=0$ 또는 $B=0$

참고 $AB=0$이면 다음 세 가지 중 하나가 성립한다.
① $A=0$이고 $B=0$ ② $A=0$이고 $B\neq0$ ③ $A\neq0$이고 $B=0$

(2) **인수분해를 이용한 이차방정식의 풀이**

① 주어진 이차방정식을 $ax^2+bx+c=0$의 꼴로 나타낸다.
② 좌변을 인수분해한다.
③ $AB=0$의 성질을 이용하여 해를 구한다.

예 이차방정식 $x^2+2x-8=0$의 좌변을 인수분해하면
$(x+4)(x-2)=0$이므로 해는 $x=-4$ 또는 $x=2$이다.

$a(x-\alpha)(x-\beta)=0$의 해
➡ $x=\alpha$ 또는 $x=\beta$
$(ax+b)(cx+d)=0$의 해
➡ $x=-\dfrac{b}{a}$ 또는 $x=-\dfrac{d}{c}$

③ 이차방정식의 중근

(1) **이차방정식의 중근** : 이차방정식의 두 근이 중복되어 서로 같을 때, 이 근을 주어진 이차방정식의 중근이라 한다.

$a(x-p)^2=0$의 해 ➡ $x=p$

(2) **이차방정식이 중근을 가질 조건**

① 이차방정식이 (완전제곱식)$=0$의 꼴로 인수분해되면 이 이차방정식은 중근을 갖는다.
② 이차방정식 $x^2+ax+b=0$이 중근을 가질 조건 ➡ $b=\left(\dfrac{a}{2}\right)^2$

참고 완전제곱식 : $(a+b)^2$, $2(x-1)^2$과 같이 다항식을 제곱한 식 또는 이 식에 상수를 곱한 식

④ 제곱근을 이용한 이차방정식의 풀이

(1) 이차방정식 $x^2=k\ (k\geq 0)$의 해 ➡ $x=\pm\sqrt{k}$

예 $3x^2-9=0$에서 $3x^2=9$, $x^2=3$ $\quad\therefore x=\pm\sqrt{3}$

(2) 이차방정식 $(x-p)^2=q\ (q\geq 0)$의 해 ➡ $x=p\pm\sqrt{q}$

예 $2(x-1)^2=10$에서 $(x-1)^2=5$, $x-1=\pm\sqrt{5}$ $\quad\therefore x=1\pm\sqrt{5}$

참고 이차방정식 $(x-p)^2=q$에서

① $q>0$이면 $x=p\pm\sqrt{q}$
② $q=0$이면 $x=p$
→ 해가 존재할 조건 ➡ $q\geq 0$

③ $q<0$이면 해는 없다.

⑤ 완전제곱식을 이용한 이차방정식의 풀이

이차방정식 $ax^2+bx+c=0$의 좌변을 인수분해할 수 없을 때에는 $(x-p)^2=q$의 꼴로 바꾸어 제곱근을 이용하여 푼다.

① x^2의 계수 a로 양변을 나누어 x^2의 계수를 1로 만든다.

② 상수항을 우변으로 이항한다.

③ 양변에 $\left\{\dfrac{(x\text{의 계수})}{2}\right\}^2$을 더한다.

④ 좌변을 완전제곱식으로 바꾼다.

⑤ 제곱근을 이용하여 해를 구한다.

예 $3x^2-12x-9=0$에서
$x^2-4x-3=0$ ← x^2의 계수로 양변을 나눈다.
$x^2-4x=3$ ← 상수항을 우변으로 이항한다.
$x^2-4x+4=3+4$ ← 양변에 $\left\{\dfrac{(x\text{의 계수})}{2}\right\}^2$을 더한다.
$(x-2)^2=7$ ← 좌변을 완전제곱식으로 바꾼다.
$\therefore x=2\pm\sqrt{7}$ ← 제곱근을 이용하여 해를 구한다.

⑥ 복잡한 이차방정식의 풀이

(1) **괄호가 있는 경우** : 분배법칙, 곱셈 공식 등을 이용하여 괄호를 풀어 $ax^2+bx+c=0$의 꼴로 정리한 후 푼다.

(2) **계수가 분수인 경우** : 양변에 분모의 최소공배수를 곱하여 분수를 정수로 고친 후 푼다.

(3) **계수가 소수인 경우** : 양변에 10의 거듭제곱을 적당히 곱하여 소수를 정수로 고친 후 푼다.

⑦ 공통 부분이 있는 이차방정식의 풀이 심화 개념

공통 부분을 한 문자로 치환한 후 푼다.

예 $(x+1)^2-5(x+1)+6=0$
$A^2-5A+6=0$ ← $x+1=A$로 치환한다.
$(A-2)(A-3)=0$ ← 인수분해한다.
$A=2$ 또는 $A=3$ ← A의 값을 구한다.
$x+1=2$ 또는 $x+1=3$ ← A에 $x+1$을 대입한다.
$\therefore x=1$ 또는 $x=2$ ← x의 값을 구한다.

쌤의 활용 꿀팁

공통 부분이 보이면 일단 치환하여 간단한 식으로 바꾼 후 푸세요. 이때 치환하여 구한 해 중 조건을 만족시키지 않은 것이 있는지 반드시 확인하세요.

LEVEL 1 학교 선생님이

시험에 꼭 내는 문제

이것이 진짜 **출제율 100%** 문제

① 이차방정식의 뜻과 해

01 대표문제

다음 보기에서 x에 대한 이차방정식을 모두 고른 것은?

보기

ㄱ. x^2+x+1

ㄴ. $x(x-3)=2$

ㄷ. $2x-1=x(x+1)-x^2$

ㄹ. $2x^3-x^2+3=x(2x^2+3)-x$

ㅁ. $x(x^2-x)-2x^2+4x=x^3-3x^2+5$

① ㄱ, ㄴ　② ㄱ, ㄷ　③ ㄴ, ㄹ
④ ㄷ, ㅁ　⑤ ㄹ, ㅁ

02

이차방정식 $4x^2-(2a+1)x-3a=0$의 한 근이 2일 때, 상수 a의 값을 구하시오.

03

$x=-1$이 이차방정식 $x^2+ax-4=0$의 해이고, 이차방정식 $3x^2-bx+2b=0$의 해일 때, 상수 a, b에 대하여 ab의 값을 구하시오.

04

이차방정식 $x^2-3x+1=0$의 한 근을 a, 이차방정식 $2x^2-5x-3=0$의 한 근을 b라 할 때, $2a^2-6a-2b^2+5b$의 값을 구하시오.

② 인수분해를 이용한 이차방정식의 풀이

05 대표문제

이차방정식 $x^2-7x+12=0$의 두 근 중 큰 근이 이차방정식 $x^2-2ax+3a-1=0$의 근일 때, 상수 a의 값을 구하시오.

06

이차방정식 $6x^2+kx+2=0$의 한 근이 $\frac{2}{3}$일 때, 다른 한 근은? (단, k는 상수)

① $x=-\frac{1}{2}$　② $x=-\frac{1}{3}$　③ $x=\frac{1}{3}$
④ $x=\frac{1}{2}$　⑤ $x=2$

07

이차방정식 $4x^2-4x-3=0$의 두 근을 α, β라 할 때, 이차방정식 $x^2+2\alpha x+2\beta-3=0$의 두 근의 차를 구하시오.
(단, $\alpha>\beta$)

③ 이차방정식의 중근

08 대표문제 실수多

이차방정식 $x^2-ax-a=0$이 0이 아닌 중근을 가질 때, 상수 a의 값은?

① -4 ② -2 ③ 0
④ 2 ⑤ 4

쌤의 오답 코칭 | a의 값을 구한 후 조건을 만족시키는지 확인한다.

09

이차방정식 $2x^2-6x+3k+1=0$이 중근 m을 가질 때, km의 값을 구하시오. (단, k는 상수)

④ 제곱근을 이용한 이차방정식의 풀이

10 대표문제

이차방정식 $9(x+a)^2=b$의 해가 $x=-4\pm\frac{2\sqrt{5}}{3}$일 때, 유리수 a, b에 대하여 $a+b$의 값을 구하시오.

⑤ 완전제곱식을 이용한 이차방정식의 풀이

11 대표문제

이차방정식 $2x^2-3x-1=0$을 완전제곱식을 이용하여 풀면 $x=\frac{3\pm\sqrt{a}}{b}$일 때, 두 유리수 a, b에 대하여 $a+b$의 값을 구하시오.

12

이차방정식 $x^2+5x+2k=0$의 해가 $x=\frac{-5\pm\sqrt{33}}{2}$일 때, 상수 k의 값을 구하시오.

⑥ 복잡한 이차방정식의 풀이

13 (대표문제)

이차방정식 $2x^2-1.1x+\frac{1}{5}=x(1-x)-\frac{1}{2}x$의 두 근을 α, β라 할 때, $3\alpha+5\beta$의 값을 구하시오. (단, $\alpha>\beta$)

14

이차방정식 $\frac{(3x+1)(x-3)}{2}+2x=\frac{x(x+3)}{3}$을 푸시오.

⑦ 공통 부분이 있는 이차방정식의 풀이 심화

15 (대표문제)

$(x-y)(x-y+4)=5$일 때, $x-y$의 값은? (단, $x>y$)

① 1 ② 2 ③ 3
④ 4 ⑤ 5

16

$18(3x-1)^2-3(3x-1)-1=0$의 두 근을 α, β라 할 때, $6|\alpha-\beta|$의 값을 구하시오.

이것이 진짜 교과서에서 뽑아온 문제

17 | 동아 유사 |

다음 그림과 같은 직사각형 모양의 천 조각을 겹치지 않게 이어 붙여 넓이가 117 cm^2인 직사각형 모양의 식탁보를 만들었다. x의 값을 구하시오.

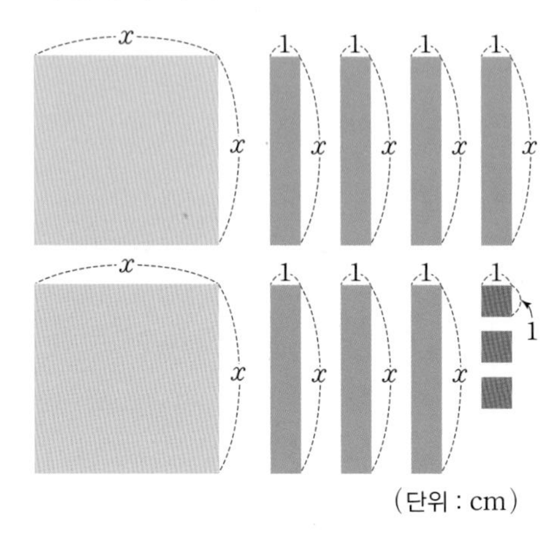

(단위 : cm)

18 | 동아 유사 |

이차방정식 $3x^2-5x-2=0$의 두 근 중 양수인 근이 이차방정식 $x^2+kx+k^2-7=0$의 근일 때, 상수 k의 값을 모두 구하시오.

19 | 지학사 유사 |

이차방정식 $4x^2-4x+5-k=0$에 대하여 다음 물음에 답하시오. (단, k는 유리수)

(1) 주어진 이차방정식을 $(x-p)^2=q$의 꼴로 나타내시오.

(2) 주어진 이차방정식이 해를 갖도록 하는 k의 값의 범위를 구하시오.

쌤의 출제 Point

01

방정식 $(m^2+4)x^2-2x=5m(x-2)^2$이 x에 대한 이차방정식이 되기 위한 상수 m의 조건을 구하시오.

02

이차방정식 $x^2-6x+2=0$의 한 근을 α라 할 때, $\alpha+\alpha^2+\frac{2}{\alpha}+\frac{4}{\alpha^2}$의 값을 구하시오.

$x^2+ax+b=0$의 한 근이 $x=p$
➡ $p^2+ap+b=0$
➡ $p+\frac{b}{p}=-a$

03

신유형 (부산 | 해운대)

이차방정식 $x^2+2x-4=0$의 두 근을 α, β라 하자. $f(n)=\alpha^n+\beta^n$일 때, $f(n+2)+2f(n+1)$을 $f(n)$에 대한 식으로 나타내면? (단, n은 자연수)

① $-4f(n)$　② $f(n)+4$　③ $2f(n)-1$
④ $4f(n)$　⑤ $4f(n)+1$

04

두 수 a, b에 대하여 $a\circ b=ab+a-b-1$이라 할 때, 방정식 $(2x+4)\circ(x-3)+3\circ x=2$를 푸시오.

05 교과서 창의사고력 | 천재 유사 |

오른쪽 그림과 같이 1부터 16까지의 수가 적힌 원판에 화살을 던져 맞힌 수를 다음 이차방정식의 □ 안에 써넣고 이차방정식을 풀었을 때, 정수인 두 해의 절댓값의 합을 점수로 받는 게임을 하려고 한다. 원판의 어떤 수를 맞혀야 가장 큰 점수를 받을 수 있는지 구하시오. (단, 이차방정식의 해가 정수가 아니면 점수를 받지 못하고, 화살이 경계선을 맞히는 경우는 없다.)

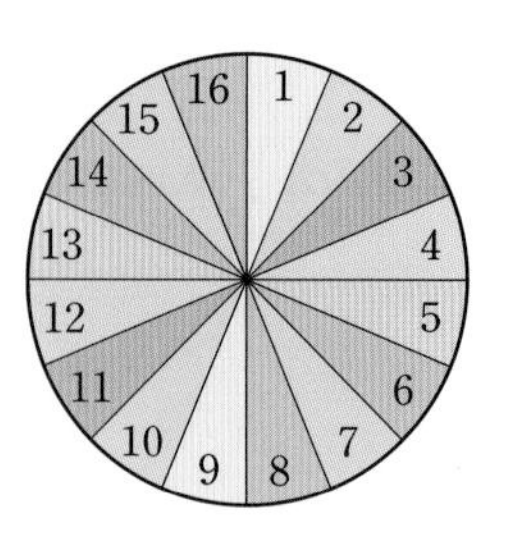

$$x^2-x-\square=0$$

06

두 수 x, y에 대하여 $x^2-3xy-4y^2=0$이고 $xy<0$일 때, $\dfrac{x^2+xy+y^2}{x^2-xy+y^2}$의 값은?

① $\dfrac{1}{6}$　② $\dfrac{1}{5}$　③ $\dfrac{1}{4}$

④ $\dfrac{1}{3}$　⑤ $\dfrac{1}{2}$

07

이차방정식 $2(k-1)x^2-(k+1)x+k^2+1=0$의 한 근이 1일 때, 다른 한 근을 구하시오.

(단, k는 상수)

08

$0<x<2$일 때, 방정식 $2x^2=x+[x]$를 만족시키는 x의 값을 모두 구하시오.

(단, $[x]$는 x보다 크지 않은 최대의 정수이다.)

쌤의 출제 Point

$0<x<1$이면 $[x]=0$
$1\le x<2$이면 $[x]=1$

09 복합 개념 서울 | 강남

일차함수 $y=kx+3k-6$의 그래프가 점 $(k+2,\ -2k+2)$를 지나고 제1사분면을 지나지 않을 때, 상수 k의 값을 구하시오.

쌤의 출제 Point
$x=k+2$, $y=-2k+2$를 주어진 함수의 식에 대입하여 k에 대한 이차방정식을 세운다.

10

두 이차방정식 $3x^2-x-10=0$, $x^2+3x+a=0$이 공통인 근을 가질 때, 양수 a의 값은?

① $\frac{16}{9}$ ② 2 ③ $\frac{20}{9}$
④ $\frac{22}{9}$ ⑤ $\frac{8}{3}$

11 복합 개념 대전 | 둔산

$-5<a<1$이고 $\sqrt{x}=1-a$일 때, $\sqrt{x-2a+3}-\sqrt{x+12a+24}=a^2-8a-10$을 만족시키는 a의 값을 구하시오.

12 교과서 추론 | 천재 유사 |

한 개의 주사위를 두 번 던져서 처음에 나온 눈의 수를 a, 두 번째 나온 눈의 수를 b라 하자. 이차방정식 $x^2+2ax+2b-a=0$이 중근을 가질 확률을 구하시오.

(사건 A가 일어날 확률)
$=\frac{(\text{사건 } A\text{가 일어나는 경우의 수})}{(\text{모든 경우의 수})}$

쌤의 출제 Point

13

x에 대한 이차방정식 $ax^2-16x+ab=0$이 중근을 갖도록 하는 정수 a, b의 순서쌍 (a, b)의 개수를 구하시오.

14

x에 대한 이차식 $f(x)$가 다음 조건을 항상 만족시킬 때, 방정식 $f(x)=0$의 해를 구하시오.

(가) $f(0)=2$
(나) $f(x+1)-f(x)=4x-2$

$f(x)=ax^2+bx+c$로 놓고 조건을 이용한다.

15

두 이차방정식 $x^2-kx+2=0$, $4x^2-kx-13=0$이 공통인 근을 가질 때, 상수 k의 값을 모두 구하시오

16 복합 개념 신유형 대구|수성

이차방정식 $x^2-2x-11=0$을 완전제곱식을 이용하여 풀었을 때, 두 근 중 큰 근을 α라 하자. α의 소수 부분을 k라 할 때, $\frac{3}{k}$의 값은?

① $\sqrt{3}-2$ ② $\sqrt{3}+3$ ③ $2\sqrt{3}-3$
④ $2\sqrt{3}+3$ ⑤ $3\sqrt{2}+2$

(소수 부분)=(무리수)−(정수 부분)

17 만점 KILL 서울|강남

일차부등식 $3(x-1)>x+k$와 이차방정식 $2(x-1)(x+5)=x(x+11)$을 동시에 만족시키는 x의 값이 $x=5$뿐일 때, 상수 k의 값의 범위를 구하시오.

쌤의 출제 Point

이차방정식의 해 중 하나는 부등식을 만족시키지 않는다.

18

이차방정식 $x^2-3x+a-3=0$의 해가 모두 유리수가 되도록 하는 모든 자연수 a의 값의 합은?

① 4 ② 5 ③ 6
④ 7 ⑤ 8

$a+\sqrt{b}$가 유리수
➡ b는 0 또는 제곱수

19

이차방정식 $2x^2-4ax+a^2=b^2-3b$를 완전제곱식을 이용하여 나타내면 $(x-2b)^2=b+5$이다. 이때 양수 a, b에 대하여 $a+b$의 값을 구하시오.

20

이차방정식 $2x^2-1.5x-\frac{1}{4}=x(x-1)$을 $(x-p)^2=q$의 꼴로 나타낼 때, $p+q$의 값을 구하시오.

정답과 풀이 43쪽

21

이차방정식 $2\left(\frac{x}{4}-2\right)^2+2\left(2-\frac{x}{4}\right)=9-\left(2-\frac{x}{4}\right)$의 두 근 중 작은 근이 이차방정식 $x^2+4a^2x-9=3ax$의 근일 때, 상수 a의 값을 모두 구하시오.

쌤의 출제 Point

22

방정식 $(x-3)(x-1)(x+4)(x+6)+48=0$의 정수인 해를 구하시오.

공통 부분이 생기도록 2개씩 묶어서 전개한다.

23

방정식 $x^4-x^3-10x^2-x+1=0$의 한 근을 α라 할 때, $\alpha+\frac{1}{\alpha}$의 값을 모두 구하시오.

24 만점 KILL (분당 | 서현)

x, y는 자연수일 때, 다음 두 이차방정식을 동시에 만족시키는 x, y의 값을 구하시오.

$$(x+y)^2-3(x+y)-40=0, \qquad (x-y)^2+5(x-y)-14=0$$

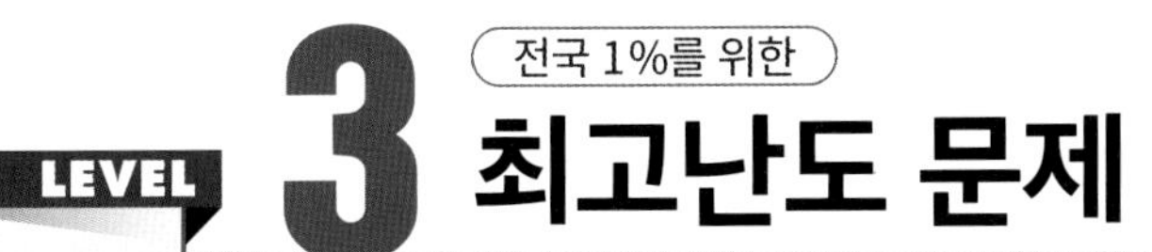

동영상 강의 »

정답과 풀이 44쪽

01 이차방정식 $4x^2-5x-1=0$의 한 근이 $x=\alpha$일 때, $-2\alpha+\dfrac{7\alpha-1}{2\alpha-1}$의 값을 구하시오.

02 $\langle x\rangle$를 자연수 x의 약수의 개수라 하자. $\langle x\rangle^2+9\langle x\rangle-252=0$을 만족시키는 자연수 x 중 가장 작은 값을 구하시오.

03 두 이차방정식 $2x^2-x-3=0$과 $x^2+px+q=0$은 1개의 공통인 근을 갖는다. 두 상수 p, q에 대하여 $pq=\dfrac{3}{4}$일 때, p, q의 값을 모두 구하시오.

Challenge

04 방정식 $x^2+|x-2|=\sqrt{(2x-1)^2}+7$의 해를 구하시오.

06 근의 공식과 이차방정식의 활용

① 이차방정식의 근의 공식

(1) 근의 공식

이차방정식 $ax^2+bx+c=0$의 해는

$$x=\frac{-b\pm\sqrt{b^2-4ac}}{2a}\ (\text{단, } b^2-4ac\geq 0)$$

예 이차방정식 $2x^2-5x+1=0$에서 $a=2$, $b=-5$, $c=1$이므로

$$x=\frac{-(-5)\pm\sqrt{(-5)^2-4\times2\times1}}{2\times2}=\frac{5\pm\sqrt{17}}{4}$$

이차방정식의 풀이
① 인수분해가 되면 인수분해 이용
② 인수분해가 안 되면 근의 공식 이용

(2) 일차항의 계수가 짝수일 때의 근의 공식

이차방정식 $ax^2+2b'x+c=0$의 해는

$$x=\frac{-b'\pm\sqrt{b'^2-ac}}{a}\ (\text{단, } b'^2-ac\geq 0)$$

예 이차방정식 $x^2+4x-2=0$에서 $a=1$, $b'=2$, $c=-2$이므로

$$x=\frac{-2\pm\sqrt{2^2-1\times(-2)}}{1}=-2\pm\sqrt{6}$$

참고 일차항의 계수가 짝수일 때, (1), (2)의 공식을 모두 이용해도 되지만 (2)의 공식을 이용하면 계산이 간단해진다.

② 이차방정식의 근의 개수

이차방정식 $ax^2+bx+c=0$의 근의 개수는 b^2-4ac의 부호에 의해 결정된다.

(1) $b^2-4ac>0$ ➡ 서로 다른 두 근을 갖는다.(근이 2개)
(2) $b^2-4ac=0$ ➡ 한 근(중근)을 갖는다.(근이 1개)
(1), (2): $b^2-4ac\geq 0$이면 근을 갖는다.
(3) $b^2-4ac<0$ ➡ 근이 없다.(근이 0개)

예

이차방정식	b^2-4ac의 부호	근의 개수
$3x^2+x-1=0$	$1^2-4\times3\times(-1)=13>0$	2
$4x^2+4x+1=0$	$4^2-4\times4\times1=0$	1
$x^2-5x+7=0$	$(-5)^2-4\times1\times7=-3<0$	0

③ 이차방정식의 근과 계수의 관계 심화 개념

이차방정식 $ax^2+bx+c=0$의 두 근을 α, β라 할 때

(1) **두 근의 합** : $\alpha+\beta=-\frac{b}{a}$

(2) **두 근의 곱** : $\alpha\beta=\frac{c}{a}$

예 $2x^2+3x-2=0$에서

두 근의 합은 $-\frac{3}{2}$, 두 근의 곱은 $\frac{-2}{2}=-1$

참고 $2x^2+3x-2=0$에서 $(x+2)(2x-1)=0$이므로 $x=-2$ 또는 $x=\frac{1}{2}$

즉, 두 근의 합은 $-2+\frac{1}{2}=-\frac{3}{2}$, 두 근의 곱은 $-2\times\frac{1}{2}=-1$임을 확인할 수 있다.

쌤의 활용 꿀팁
근과 계수의 관계를 알면 두 근을 직접 구하지 않아도 계수를 이용하여 두 근의 합과 곱을 간단하게 구할 수 있어요.

④ 계수가 유리수인 이차방정식의 근 심화 개념

계수가 유리수인 이차방정식에서 한 근이 $p+q\sqrt{m}$이면 다른 한 근은 $p-q\sqrt{m}$이다.
(단, p, q는 유리수, $\sqrt{m}$은 무리수)

예 a, b가 유리수일 때, $x^2+ax+b=0$의 한 근이 $x=2+\sqrt{3}$이면 다른 한 근은 $x=2-\sqrt{3}$이므로
(두 근의 합)$=(2+\sqrt{3})+(2-\sqrt{3})=-a$ $\quad\therefore a=-4$
(두 근의 곱)$=(2+\sqrt{3})(2-\sqrt{3})=b$ $\quad\therefore b=1$

계수가 유리수라는 조건이 있는지 확인하고, 한 근 $p+q\sqrt{m}$에서 $q\sqrt{m}$의 부호를 바꾸면 다른 근이 됨을 이용하세요.

⑤ 이차방정식 구하기

(1) 두 근이 α, β이고 x^2의 계수가 a인 이차방정식 ➡ $a(x-\alpha)(x-\beta)=0$, $a\{x^2-(\alpha+\beta)x+\alpha\beta\}=0$

(2) 중근이 α이고 x^2의 계수가 a인 이차방정식 ➡ $a(x-\alpha)^2=0$

예 (1) 두 근이 -3, 2이고 x^2의 계수가 2인 이차방정식은
$2(x+3)(x-2)=0$, $2(x^2+x-6)=0$ $\quad\therefore 2x^2+2x-12=0$
(2) 중근이 $x=-1$이고 x^2의 계수가 3인 이차방정식은
$3(x+1)^2=0$, $3(x^2+2x+1)=0$ $\quad\therefore 3x^2+6x+3=0$

참고 두 근의 합이 m, 곱이 n이고 x^2의 계수가 a인 이차방정식은 $a(x^2-mx+n)=0$

⑥ 이차방정식의 활용

(1) 이차방정식의 활용 문제 풀이 순서

① 문제의 뜻을 파악하고 구하려는 것을 미지수 x로 놓는다.
② 문제의 뜻에 맞게 x에 대한 이차방정식을 세운다.
③ 이차방정식을 풀고 구한 해 중에서 문제의 뜻에 맞는 것을 답으로 택한다.
④ 구한 답이 문제의 뜻에 맞는지 확인한다.

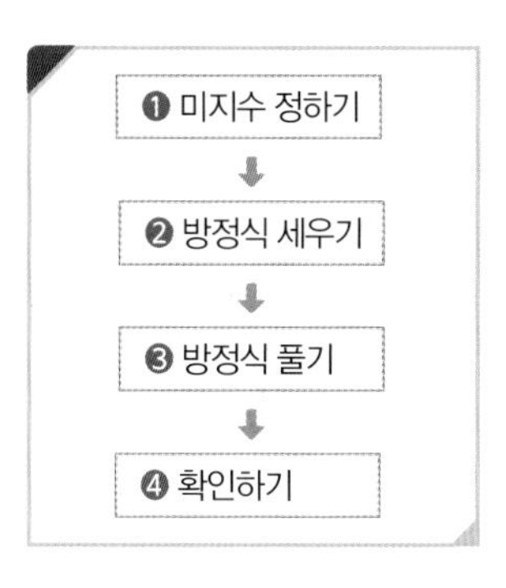

(2) 수에 대한 활용 문제

① 연속하는 두 정수 : x, $x+1$ 또는 $x-1$, x
② 연속하는 세 정수 : $x-1$, x, $x+1$ 또는 x, $x+1$, $x+2$
③ 연속하는 두 짝수 : x, $x+2$(x는 짝수) 또는 $2x$, $2x+2$(x는 자연수)
④ 연속하는 두 홀수 : x, $x+2$(x는 홀수) 또는 $2x-1$, $2x+1$(x는 자연수)

(3) 도형에 대한 활용 문제

① (삼각형의 넓이)$=\frac{1}{2}\times$(밑변의 길이)$\times$(높이)
② (직사각형의 넓이)$=$(가로의 길이)$\times$(세로의 길이)
③ (n각형의 대각선의 총개수)$=\frac{n(n-3)}{2}$

(4) 위로 던져 올린 물체에 대한 활용 문제

① 위로 던져 올린 물체의 t초 후의 높이가 (at^2+bt+c) m로 주어졌을 때
➡ 높이가 h m일 때의 시각은 t에 대한 이차방정식 $at^2+bt+c=h$의 해이다.
② 위로 던져 올린 물체의 높이가 h m인 경우는 올라갈 때와 내려올 때 두 번이고, 높이가 최고 지점일 때는 한 번이다.
③ 물체가 지면에 떨어질 때의 높이는 0 m이다.

참고 길이, 넓이, 부피, 시간, 속력 등은 양수이어야 하고 사람 수, 나이, 물건의 개수 등은 자연수이어야 한다.

LEVEL 1 (학교 선생님이)

시험에 꼭 내는 문제

이것이 진짜 **출제율 100%** 문제

① 이차방정식의 근의 공식

01 (대표문제)

이차방정식 $x^2+3x-7=0$의 해가 $x=\frac{A\pm\sqrt{B}}{2}$일 때, 두 유리수 A, B에 대하여 $A+B$의 값은?

① 31 ② 32 ③ 33
④ 34 ⑤ 35

02

이차방정식 $3x^2-8x+2=0$의 두 근 중 큰 근을 a라 할 때, $\sqrt{10}-3a$의 값을 구하시오.

03

이차방정식 $\frac{1}{3}(x-1)^2+\frac{4}{5}x=x^2+0.2$의 해가 $x=\frac{a\pm\sqrt{b}}{10}$일 때, 두 유리수 a, b에 대하여 $b-a$의 값을 구하시오.

② 이차방정식의 근의 개수

04 (대표문제) 실수多

이차방정식 $(2x-1)(x+2)=k$가 근을 갖도록 하는 상수 k의 값의 범위를 구하시오.

쌤의 오답 코칭 | 근을 갖는다는 것은 근이 1개 또는 2개일 때이다.

05

이차방정식 $(k+1)x^2+(2k-1)x+2=0$이 중근을 갖도록 하는 양수 k의 값은?

① $\frac{1}{2}$ ② $\frac{3}{2}$ ③ $\frac{5}{2}$
④ $\frac{7}{2}$ ⑤ $\frac{9}{2}$

06

이차방정식 $kx^2-(k-3)x+1=0$에 대하여 상수 k의 값이 1, 5, 10일 때의 근의 개수를 각각 a, b, c라 하자. 이때 $a+b+c$의 값을 구하시오.

③ 이차방정식의 근과 계수의 관계 심화

07 대표문제

이차방정식 $x^2+3x-5=0$의 두 근의 합과 곱이 이차방정식 $x^2+mx+n=0$의 두 근일 때, $m+n$의 값은? (단, m, n은 상수)

① 17 ② 19 ③ 21
④ 23 ⑤ 25

08

이차방정식 $x^2+ax+b=0$의 두 근이 -1, 4일 때, 이차방정식 $ax^2-bx+6=0$의 해를 구하시오. (단, a, b는 상수)

09

이차방정식 $3x^2-27x+k=0$의 한 근이 다른 한 근의 2배일 때, 상수 k의 값을 구하시오.

④ 계수가 유리수인 이차방정식의 근 심화

10 대표문제

이차방정식 $x^2+mx+n=0$의 한 근이 $5+2\sqrt{3}$일 때, 두 유리수 m, n에 대하여 $m+2n$의 값을 구하시오.

⑤ 이차방정식 구하기

11 대표문제

$-\frac{1}{4}$, $\frac{2}{5}$를 두 근으로 하고 x^2의 계수가 20인 이차방정식은?

① $20x^2+3x-1=0$ ② $20x^2+3x-2=0$
③ $20x^2-3x-1=0$ ④ $20x^2-3x-2=0$
⑤ $20x^2-3x-5=0$

12

이차방정식 $2x^2+3kx+5-4m=0$이 중근 -3을 가질 때, km의 값을 구하시오. (단, k, m은 상수)

⑥ 이차방정식의 활용

13 대표문제

올해 형의 나이는 9살이고 동생의 나이는 5살이다. 형의 나이와 동생의 나이의 곱이 지금 나이의 곱보다 72만큼 많아지는 것은 지금부터 몇 년 후인지 구하시오.

14

연속하는 세 홀수 중에서 가장 큰 홀수의 제곱이 나머지 두 홀수의 제곱의 합보다 9만큼 작을 때, 세 홀수를 구하시오.

15

다음 그림과 같이 세 개의 반원으로 둘러싸인 도형이 있다. $\overline{AB}=16\text{ cm}$이고, 색칠한 부분의 넓이가 $15\pi\text{ cm}^2$일 때, 두 번째로 큰 반원의 반지름의 길이는? (단, $\overline{AC}<\overline{BC}$)

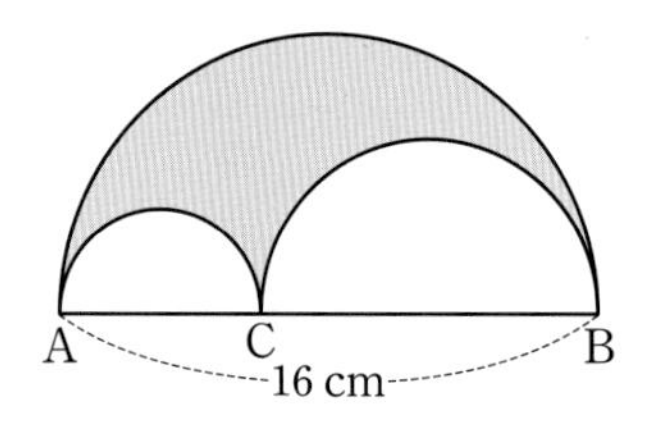

① $\frac{9}{2}$ cm ② 5 cm ③ $\frac{11}{2}$ cm
④ 6 cm ⑤ $\frac{13}{2}$ cm

16

지면으로부터 25 m 높이의 건물 옥상에서 초속 80 m로 쏘아 올린 폭죽의 t초 후의 높이가 $(-5t^2+80t+25)$ m라 하자. 이 폭죽이 올라가면서 높이가 325 m인 지점에서 터졌다면 쏘아 올린 지 몇 초 후인지 구하시오.

이것이 진짜 **교과서에서 뽑아온** 문제

17

| 지학사 유사 |

이차방정식 $kx^2-4x+3=0$이 중근을 가질 때, 이차방정식 $kx^2+(3k-2)x-1=0$의 해를 구하시오.

(단, k는 상수)

18

| 천재 유사 |

하윤이와 준서는 x^2의 계수가 1인 이차방정식을 푸는데 하윤이는 x의 계수를 잘못 보고 풀어 $x=-2$와 $x=6$을 근으로 얻었고, 준서는 상수항을 잘못 보고 풀어 $x=-3\pm\sqrt{2}$를 근으로 얻었다. 처음에 주어진 이차방정식을 구하시오.

19

| 동아 유사 |

가로의 길이와 세로의 길이의 비가 5 : 3인 직사각형이 있다. 이 직사각형의 가로의 길이를 8 cm 늘이고, 세로의 길이를 2 cm 줄였더니 넓이가 처음 직사각형의 넓이의 2배보다 48 cm^2만큼 줄어들었다. 이때 처음 직사각형의 가로의 길이와 세로의 길이를 각각 구하시오.

01

$p>0$일 때, $\sqrt{(p-1)^2+4p}=p^2$을 만족시키는 p의 값을 구하시오.

02

이차방정식 $x^2-2\sqrt{3}x-4=0$의 두 근 중 큰 근을 α라 할 때, α^2의 값은?

① $5-2\sqrt{15}$ ② $10-\sqrt{15}$ ③ $10-2\sqrt{21}$
④ $5+2\sqrt{30}$ ⑤ $10+2\sqrt{21}$

03 신유형 광주 | 봉선

영준이는 이차방정식 $ax^2+bx+c=0$의 근의 공식을 $x=\frac{b\pm\sqrt{b^2-ac}}{2a}$로 잘못 알고 이를 이용하여 근을 구했더니 두 근이 -4, 2가 되었다. 이 방정식의 바르게 구한 두 근을 각각 α, β라 할 때, $2\alpha+\beta$의 값을 구하시오. (단, $\alpha>\beta$)

04

이차방정식 $2(x-1)^2+3-3x=(1-x)^2+1$의 해가 $x=\frac{p\pm\sqrt{q}}{2}$일 때, 두 유리수 p, q에 대하여 $p+q$의 값을 구하시오.

쌤의 출제 Point

잘못 구한 해 $x=\frac{b\pm\sqrt{b^2-ac}}{2a}$의 합과 곱을 이용한다.

05

이차방정식 $x^2-8x+3a-6=0$의 해가 모두 정수가 되도록 하는 모든 자연수 a의 값의 합은?

① 11　② 13　③ 15　④ 17　⑤ 19

쌤의 출제 Point

α가 정수일 때, $x=\alpha\pm\sqrt{\beta}$가 정수이려면 β는 0 또는 제곱수이어야 한다.

06

$a*b=ab+a-b+2$, $a\cdot b=a-b$라 할 때, 다음 방정식을 푸시오.

$$\{(2x+1)\cdot(x-1)\}*\{(3x-2)\cdot(x+3)\}=0$$

07

이차방정식 $x^2+4x-2k+3=0$은 서로 다른 두 근을 갖고, 이차방정식 $(k-7)x^2-(k-4)x-1=0$은 중근을 가질 때, 상수 k의 값을 구하시오.

08

이차방정식 $2x^2+(k-5)x-k+5=0$이 중근을 가질 때의 상수 k의 값이 이차방정식 $3x^2+ax+b=0$의 두 근일 때, 상수 a, b에 대하여 $a-b$의 값을 구하시오.

09

이차방정식 $x^2-(2a+1)x+2a=0$의 두 근의 비가 $2:3$일 때, 상수 a의 값을 모두 고르면? (정답 2개)

① $\frac{1}{4}$ ② $\frac{1}{3}$ ③ $\frac{1}{2}$
④ $\frac{2}{3}$ ⑤ $\frac{3}{4}$

10 신유형 대전 | 둔산

이차방정식 $2x^2-3x-6=0$의 두 근을 α, β라 할 때, $\left|\frac{1}{\alpha}-\frac{1}{\beta}\right|$의 값을 구하시오.

11

이차방정식 $(x-6)(2x+3)=x-6$의 두 근이 m, n일 때, 이차방정식 $x^2+mx+n=0$의 두 근을 α, β라 하자. 이때 $\frac{\beta}{\alpha+1}+\frac{\alpha}{\beta+1}$의 값을 구하시오. (단, $m>n$)

12 만점 KILL 서울 | 목동

이차방정식 $x^2-kx+2k=0$의 두 근이 정수가 되도록 하는 자연수 k의 값을 모두 구하시오.

쌤의 출제 Point

$(\alpha-\beta)^2=(\alpha+\beta)^2-4\alpha\beta$임을 이용한다.

$\alpha^2+\beta^2=(\alpha+\beta)^2-2\alpha\beta$임을 이용한다.

13

이차방정식 $x^2+(k^2+k-20)x-k+3=0$의 두 근의 절댓값이 같고 부호는 서로 반대일 때, 상수 k의 값과 두 근을 각각 구하시오.

쌤의 출제 Point
절댓값이 같고, 부호가 서로 반대인 두 수는 α, $-\alpha$이다.

14 복합 개념 서울 | 목동

일차함수 $y=ax+b$의 그래프가 오른쪽 그림과 같을 때, a, b를 두 근으로 하고 x^2의 계수가 4인 이차방정식은? (단, a, b는 상수)

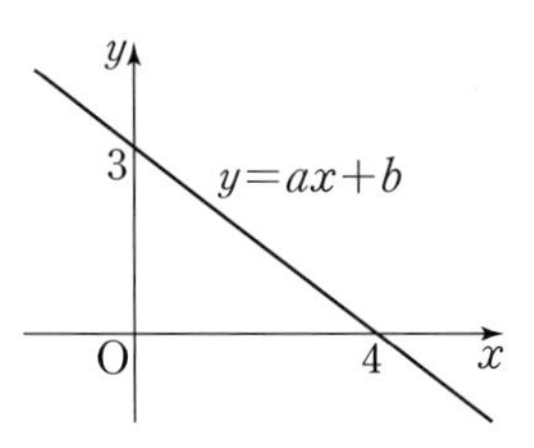

① $4x^2-x-9=0$
② $4x^2-9x-9=0$
③ $4x^2-9x+9=0$
④ $4x^2+9x-1=0$
⑤ $4x^2+9x+5=0$

15

이차방정식 $2x^2-5x-6=0$의 두 근을 α, β라 할 때, $\frac{1}{\alpha}+1$, $\frac{1}{\beta}+1$을 두 근으로 하고 x^2의 계수가 6인 이차방정식을 구하시오.

$\left(\frac{1}{\alpha}+1\right)+\left(\frac{1}{\beta}+1\right)$, $\left(\frac{1}{\alpha}+1\right)\left(\frac{1}{\beta}+1\right)$의 값을 구한다.

16 교과서 추론 | 천재 유사 |

연속하는 세 짝수를 각각 제곱하여 더한 값이 200일 때, 이 세 수를 세 변의 길이로 하는 삼각형의 넓이를 구하시오.

쌤의 출제 Point

17

오른쪽 그림과 같이 가로의 길이가 22 cm, 세로의 길이가 18 cm인 직사각형 모양의 종이의 네 귀퉁이에서 크기가 같은 정사각형을 잘라낸 나머지로 윗면이 없는 직육면체 모양의 상자를 만들었더니 밑면의 넓이가 140 cm^2가 되었다. 이 상자의 부피를 구하시오.

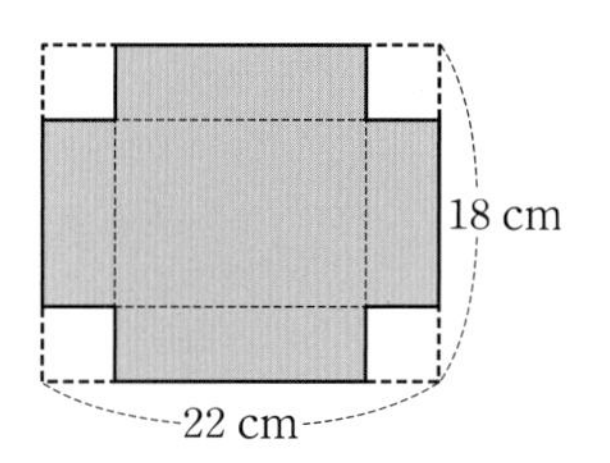

18

(매출액)=(입장료)×(입장객 수)

어느 박물관의 입장료를 x % 인상하면 이 박물관의 하루 동안의 입장객 수는 $\frac{2}{3}x$ % 감소한다고 한다. 하루 동안의 매출을 4 % 증가하게 하려면 입장료를 몇 % 인상해야 하는지 구하시오. (단, $0<x<30$)

19 신유형

오른쪽 그림과 같이 가로의 길이가 2 cm인 직사각형 ABCD에서 정사각형 ABFE를 잘라내고 남은 직사각형 DEFC와 직사각형 ABCD가 서로 닮은 도형일 때, 다음 물음에 답하시오.

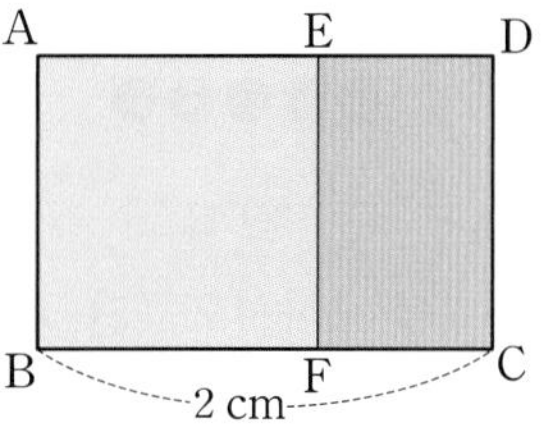

(1) $\overline{AB}$의 길이를 구하시오.

(2) 직사각형 ABCD의 대각선 AC에 대하여 $\overline{AC}=k$ cm라 하자.
이차방정식 $x^2+ax+b=0$의 한 근이 k^2일 때, 유리수 a, b의 값을 각각 구하시오.

20 신유형 서울 | 강남

X는 십의 자리의 숫자와 일의 자리의 숫자의 합이 5인 두 자리의 자연수이고, Y는 X의 십의 자리의 숫자와 일의 자리의 숫자를 바꾼 수이다. $XY+3X-2Y=669$일 때, X의 값을 구하시오.

쌤의 출제 Point

21

지면에서 초속 70 m로 똑바로 쏘아 올린 물체의 t초 후의 높이는 $(70t-5t^2)$ m라 한다. 이 물체가 지면으로부터 높이가 120 m 이상인 지점을 지나는 것은 몇 초 동안인지 구하시오.

22

다음 그림과 같이 한 변의 길이가 12 cm인 직사각형 1개와 한 변의 길이가 x cm인 직사각형 4개를 겹치지 않게 이어 붙여 넓이가 280 cm^2인 큰 직사각형을 만들었다. x의 값을 구하시오. (단, 두 종류의 직사각형의 다른 한 변의 길이는 서로 같다.)

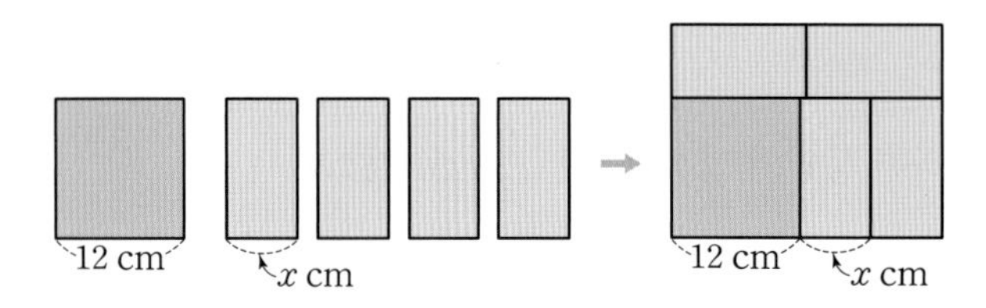

23 교과서 창의사고력 | 신사고 유사 |

다음 그림과 같이 바둑돌을 나열할 때, 물음에 답하시오.

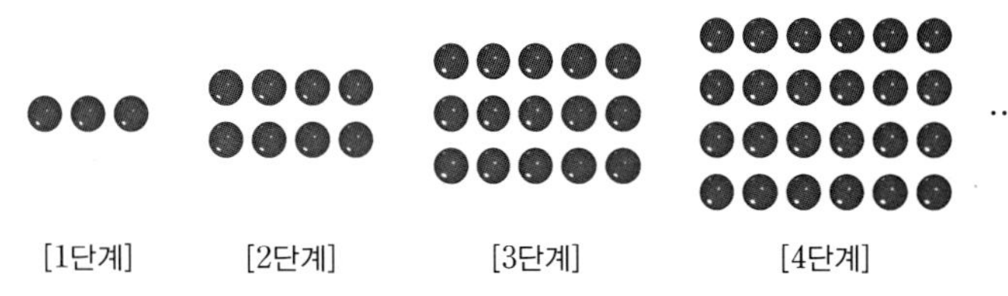

(1) n단계에서 나열되는 바둑돌의 개수를 구하시오. (단, n은 자연수)

(2) 나열되는 바둑돌의 개수가 483인 것은 몇 단계인지 구하시오.

n단계에서 나열되는 모양에서 가로, 세로로 놓이는 바둑돌의 개수를 n으로 나타내 본다.

24 만점 KILL 서울 | 목동

오른쪽 그림과 같이 한 변의 길이가 20 m인 정사각형 모양의 땅에 4개의 합동인 직각이등변삼각형 모양을 만든 후, 이 부분에는 공원을, 나머지 부분에는 길을 만들려고 한다. 길의 넓이가 공원 전체의 넓이의 $\frac{3}{7}$일 때, x의 값을 구하시오.

(단, 길의 폭은 일정하다.)

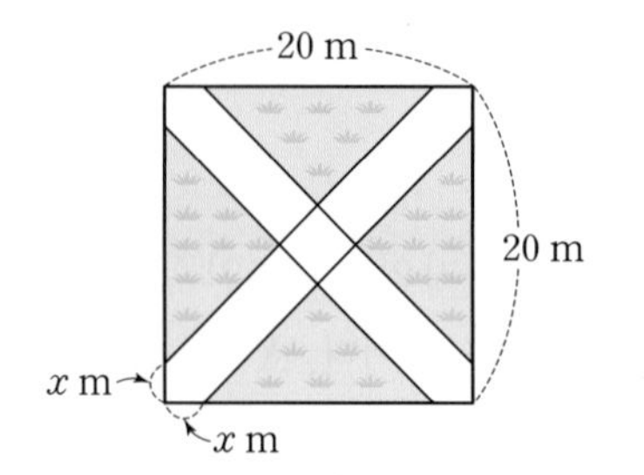

LEVEL **3** 전국 1%를 위한

최고난도 문제

동영상 강의 »

정답과 풀이 53쪽

01 $x=m$이 이차방정식 $2x^2-(5a+2)x-2=0$의 한 해이고, $m-\frac{1}{m}=a^2$일 때, 양수 a의 값을 구하시오. (단, $m>0$)

02 양수 a의 소수 부분을 b라 하자. $a^2+b^2=17$일 때, a의 값을 구하시오.

Challenge

03 $\triangle$ABC에서 $\overline{AB}$와 $\overline{AC}$의 삼등분점 중 꼭짓점 A에 가까운 점을 각각 D, E라 하고, $\overline{DE}$, $\overline{BC}$의 길이를 각각 k, l이라 하자. 이차방정식 $px^2-qx+r=0$은 k, l을 두 근으로 하고, 이차방정식 $rx^2+qx+p=0$의 두 근의 차는 $\frac{1}{9}$보다 클 때, k의 값 중 가장 큰 자연수를 구하시오.

(단, p, q, r는 상수)

04 x에 대한 이차방정식 $(x-a)(x-b)+(x-b)(x-c)+(x-c)(x-a)=0$이 중근을 가질 때, a, b, c를 세 변의 길이로 하는 삼각형은 어떤 삼각형인지 말하시오. (단, a, b, c는 상수)

같은 문제 선배들의 다른 풀이

본책 63쪽 → 09 번 문제

일차함수 $y=kx+3k-6$의 그래프가 점 $(k+2,\ -2k+2)$를 지나고 제1사분면을 지나지 않을 때, 상수 k의 값을 구하시오.

이 문제는 그래프가 지나는 점의 좌표 $(k+2,\ -2k+2)$를 일차함수의 식에 대입하여 k에 대한 이차방정식을 세운 후, 해를 구해 가능한 k의 값을 찾는 문제야. 그런데 k의 값을 찾는 다른 방법이 있어.
바로 고등학교 1학년 때 배우는 '항등식의 성질'을 이용하여 일차함수의 그래프가 k의 값에 관계없이 항상 지나는 점을 찾는 것이지.

중학교 1학년 때, 항등식은 미지수에 어떤 값을 대입하여도 항상 참이 되는 등식이라고 배웠어.
고등학교 1학년 때에는 다음과 같은 항등식의 성질을 배우게 돼.

$ax+b=0$이 x에 대한 항등식 ➡ $a=0,\ b=0$

$ax+by+c=0$이 $x,\ y$에 대한 항등식 ➡ $a=0,\ b=0,\ c=0$

그럼 이 문제에서 항등식의 성질을 어떻게 이용할 수 있을까?

일차함수 $y=kx+3k-6$의 그래프는 k의 값에 따라 그 모양이 달라지지만, k의 값에 관계없이 항상 한 점을 지나게 돼. 이 점은 다음과 같이 $y=kx+3k-6$이 k에 대한 항등식 되도록 하는 $x,\ y$의 값을 각각 구하면 찾을 수 있어.

$y=kx+3k-6$에서 $(x+3)k-(y+6)=0$

이 식이 k에 대한 항등식이 되려면 $x+3=0,\ y+6=0$이어야 하므로 $x=-3,\ y=-6$이야.

즉, 그래프는 k의 값에 관계없이 항상 점 $(-3,\ -6)$을 지나게 돼.

그래프가 두 점 $(-3,\ -6),\ (k+2,\ -2k+2)$를 지나므로

$$(\text{기울기})=\frac{-2k+2-(-6)}{k+2-(-3)}=\frac{-2k+8}{k+5}=k$$

$-2k+8=k(k+5),\ k^2+7k-8=0,\ (k+8)(k-1)=0 \quad \therefore k=-8$ 또는 $k=1$

이렇게 고등학교에서 배우는 항등식의 성질을 이용하여 k의 값을 찾을 수 있다는 것도 참고하도록 해.

IV

이차함수

현직 교사의 학교 시험 고난도 킬러 강의

이 단원에서는 이차함수의 그래프의 특징을 정확하게 이해하는 것이 중요해요. 이차함수의 식을 보고, 그 그래프의 꼭짓점의 좌표, 축의 방정식을 구하는 문제는 이 단원에서의 가장 기본적인 문제이죠. 또한, 이차함수의 그래프의 평행이동을 이용하는 문제, 일차함수의 그래프의 성질을 이용하여 이차함수의 그래프의 개형을 찾는 문제, 이차함수의 그래프가 x축 또는 y축과 만나는 점의 좌표를 구하는 문제는 꼭 출제돼요. 특히, 이차함수의 그래프의 특징과 여러 가지 조건을 이용하여 주어진 도형의 넓이를 구하는 문제는 이 단원에서의 kill 문제죠.

07 이차함수와 그 그래프

① 이차함수의 뜻

함수 $y=f(x)$에서 y가 x에 대한 이차식

$$y=ax^2+bx+c\ (a,\ b,\ c\text{는 상수},\ a\neq 0)$$

로 나타내어질 때, 이 함수 y를 x에 대한 이차함수라 한다.

예 • $y=2x^2$, $y=x^2+2$, $y=-\frac{1}{2}x^2+3x$, $y=3x^2+2x-4$ ➡ 이차함수이다.

• $y=2x^3-3$, $y=\frac{1}{x^2}$ ➡ 이차함수가 아니다.

참고 x의 값의 범위에 대한 특별한 언급이 없으면 x의 값의 범위는 실수 전체로 생각한다.

주의 $y=ax^2+bx+c$에서 $b=0$ 또는 $c=0$이어도 이차함수이지만 $a=0$이면 이차함수가 아니다.

② 이차함수 $y=ax^2$의 그래프

(1) 원점을 꼭짓점으로 하고, y축(직선 $x=0$)을 축으로 하는 포물선이다.

(2) $a>0$일 때는 아래로 볼록하고, $a<0$일 때는 위로 볼록하다.

(3) a의 절댓값이 클수록 그래프의 폭이 좁아진다.

➡ 그래프의 폭이 좁아지면 그래프는 y축에 가까워진다.

(4) 이차함수 $y=-ax^2$의 그래프와 x축에 대하여 대칭이다.

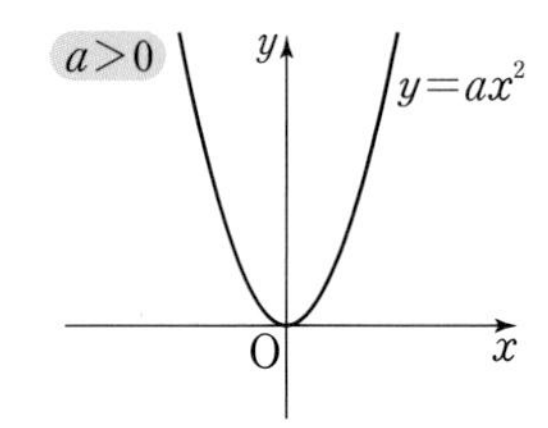

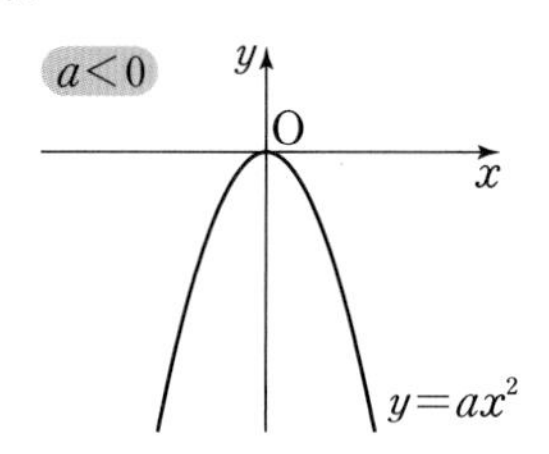

참고 ① 포물선 : 이차함수 $y=ax^2$의 그래프와 같은 모양의 곡선을 포물선이라 한다.
② 축 : 포물선의 대칭축을 포물선의 축이라 한다.
③ 꼭짓점 : 포물선과 축의 교점을 포물선의 꼭짓점이라 한다.
④ 이차함수 $y=ax^2$의 그래프의 모양과 폭이 각각 a의 부호와 절댓값에 의하여 결정된다.

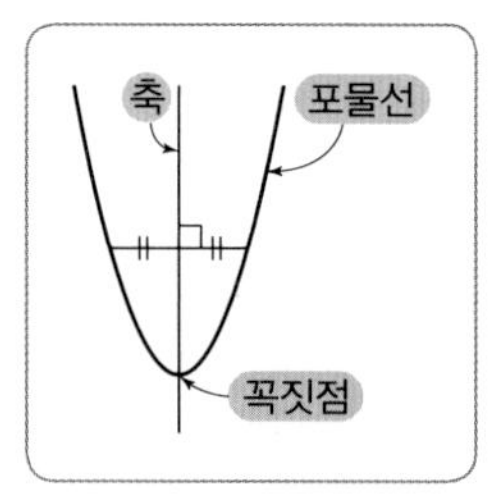

③ 이차함수 $y=ax^2+q$의 그래프

(1) 이차함수 $y=ax^2$의 그래프를 y축의 방향으로 q만큼 평행이동한 것이다.

(2) **꼭짓점의 좌표** : $(0,\ q)$

(3) **축의 방정식** : $x=0$ (y축)

참고 $q>0$이면 그래프가 y축의 양의 방향(위쪽)으로 이동하고,
$q<0$이면 그래프가 y축의 음의 방향(아래쪽)으로 이동한다.

주의 이차함수 $y=ax^2$의 그래프를 평행이동하여도 이차항의 계수 a는 변하지 않으므로
그래프의 모양과 폭은 변하지 않는다.

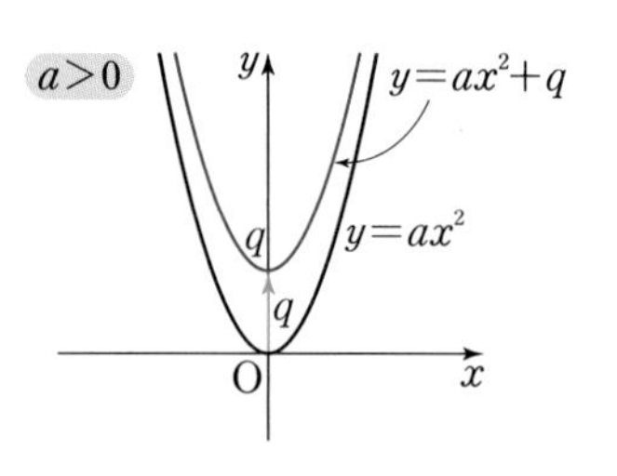

④ 이차함수 $y=a(x-p)^2$의 그래프

(1) 이차함수 $y=ax^2$의 그래프를 x축의 방향으로 p만큼 평행이동한 것이다.

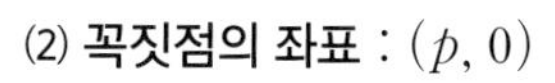
(2) **꼭짓점의 좌표** : $(p, 0)$

(3) **축의 방정식** : $x=p$

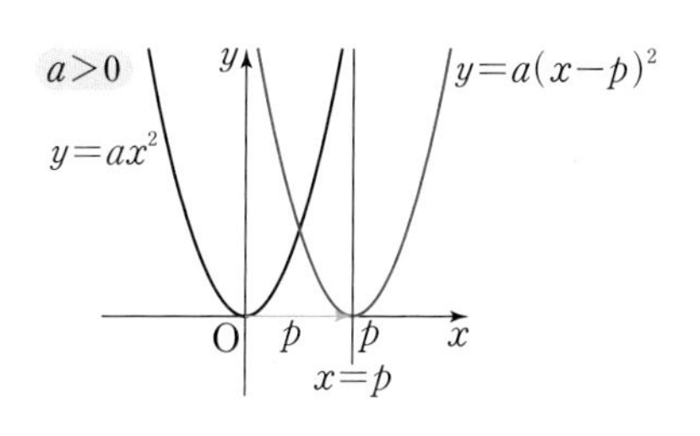

참고 $p>0$이면 그래프가 x축의 양의 방향(오른쪽)으로 이동하고,
$p<0$이면 그래프가 x축의 음의 방향(왼쪽)으로 이동한다.

⑤ 이차함수 $y=a(x-p)^2$의 그래프의 증가와 감소 심화 개념

(1) $a>0$일 때

$x<p$이면 x의 값이 증가할 때, y의 값은 감소한다.

$x>p$이면 x의 값이 증가할 때, y의 값도 증가한다.

(2) $a<0$일 때

$x<p$이면 x의 값이 증가할 때, y의 값도 증가한다.

$x>p$이면 x의 값이 증가할 때, y의 값은 감소한다.

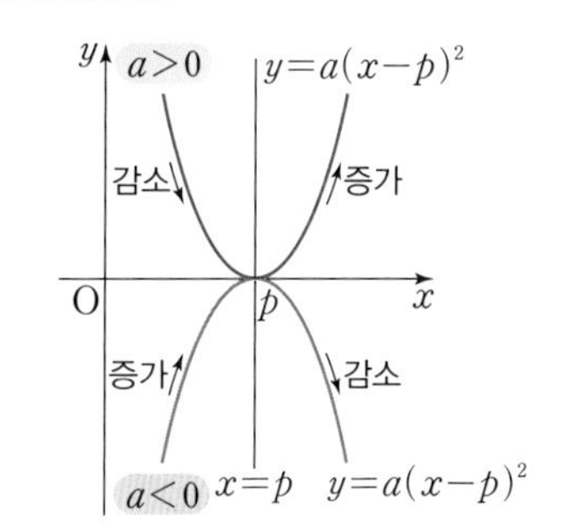

쌤의 활용 꿀팁

이차함수 $y=a(x-p)^2$의 그래프의 개형을 그려 놓고, 직선 $x=p$를 기준으로 그래프의 증가와 감소를 생각하면 이해하기 쉬워요.

⑥ 이차함수 $y=a(x-p)^2+q$의 그래프

(1) 이차함수 $y=ax^2$의 그래프를 x축의 방향으로 p만큼, y축의 방향으로 q만큼 평행이동한 것이다.

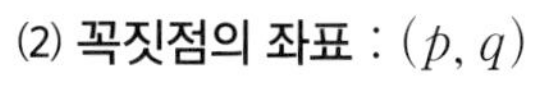
(2) **꼭짓점의 좌표** : (p, q)

(3) **축의 방정식** : $x=p$

참고 이차함수 $y=f(x)$의 그래프의 평행이동

① x축의 방향으로 p만큼 평행이동 : x 대신에 $x-p$를 대입 ➡ $y=f(x-p)$

예 $y=3x^2$의 그래프를 x축의 방향으로 1만큼 평행이동하면 $y=3(x-1)^2$

② y축의 방향으로 q만큼 평행이동 : y 대신에 $y-q$를 대입 ➡ $y-q=f(x)$

예 $y=3x^2$의 그래프를 y축의 방향으로 2만큼 평행이동하면 $y-2=3x^2$ $\therefore y=3x^2+2$

③ x축의 방향으로 p만큼, y축의 방향으로 q만큼 평행이동 : x 대신에 $x-p$, y 대신에 $y-q$를 대입 ➡ $y-q=f(x-p)$

예 $y=3x^2$의 그래프를 x축의 방향으로 1만큼, y축의 방향으로 2만큼 평행이동하면

$y-2=3(x-1)^2$ $\therefore y=3(x-1)^2+2$

⑦ 이차함수 $y=a(x-p)^2+q$의 그래프에서 a, p, q의 부호 심화 개념

(1) a**의 부호** ➡ 그래프의 모양에 따라 결정

① 아래로 볼록하면 $a>0$ ② 위로 볼록하면 $a<0$

(2) p, q**의 부호** ➡ 꼭짓점의 위치에 따라 결정

① 제1사분면 : $p>0, q>0$ ② 제2사분면 : $p<0, q>0$

③ 제3사분면 : $p<0, q<0$ ④ 제4사분면 : $p>0, q<0$

쌤의 활용 꿀팁

이차함수 $y=a(x-p)^2+q$의 그래프의 모양을 보면 a, p, q의 값을 몰라도 각각의 부호를 알 수 있어요.

LEVEL 1 학교 선생님이

시험에 꼭 내는 문제

이것이 진짜 **출제율 100%** 문제

① 이차함수의 뜻

01 대표문제

다음 중 이차함수인 것을 모두 고르면? (정답 2개)

① $y=2x-3$

② $y=2(x+3)^2-2x^2$

③ $y=-x(x+2)$

④ $y=\frac{1}{x^2}+2$

⑤ $y=\frac{1}{2}(x+1)(2x-1)$

02

이차함수 $f(x)=x^2-3x+2$에서 $f(-1)=b$, $f(a)=12$일 때, $a+b$의 값을 구하시오. (단, $a>0$)

03

다음 보기 중 y가 x에 대한 이차함수인 것을 모두 고르시오.

보기

ㄱ. 한 모서리의 길이가 x cm인 정육면체의 부피 y cm^3

ㄴ. x시간 동안 시속 60 km로 이동한 거리 y km

ㄷ. 가로의 길이가 x cm이고, 둘레의 길이가 24 cm인 직사각형의 넓이 y cm^2

ㄹ. 반지름의 길이가 x cm이고, 중심각의 크기가 120°인 부채꼴의 넓이 y cm^2

ㅁ. 한 변의 길이가 각각 x cm, $2x$ cm인 두 정삼각형의 둘레의 길이의 합 y cm

② 이차함수 $y=ax^2$의 그래프

04 대표문제

다음은 이차함수 $y=-2x^2$의 그래프에 대한 설명이다. 옳은 것은?

① 이차함수 $y=2x^2$의 그래프와 y축에 대하여 대칭이다.

② 점 $(-1, 2)$를 지나고 위로 볼록한 포물선이다.

③ $x>0$일 때, x의 값이 증가하면 y의 값도 증가한다.

④ 원점을 제외한 모든 부분은 x축보다 아래쪽에 있다.

⑤ 꼭짓점의 좌표는 $(0, 0)$이고, 축의 방정식은 $x=-2$이다.

05

원점을 꼭짓점으로 하는 이차함수 $y=f(x)$의 그래프가 점 $(-2, 2)$를 지날 때, $f(4)$의 값을 구하시오.

③ 이차함수 $y=ax^2+q$의 그래프

06 대표문제

이차함수 $y=-\frac{1}{2}x^2$의 그래프를 y축의 방향으로 q만큼 평행이동하면 두 점 $(-2, 5)$, $(3, a)$를 지난다. 이때 $a+q$의 값을 구하시오.

07 실수多

이차함수 $y=ax^2+q$의 그래프가 모든 사분면을 지날 때, 다음 중 항상 옳은 것은? (단, a, q는 상수)

① $a+q>0$　② $a+q<0$　③ $a-q>0$
④ $aq>0$　⑤ $aq<0$

쌤의 오답 코칭 | $y=ax^2+q$의 그래프가 모든 사분면을 지나려면 어떤 개형이어야 하는지 생각한다.

④ 이차함수 $y=a(x-p)^2$의 그래프

08 대표문제

일차함수 $y=ax+b$의 그래프가 오른쪽 그림과 같을 때, 이차함수 $y=a(x-b)^2$의 그래프가 지나는 사분면을 모두 구하시오. (단, a, b는 상수)

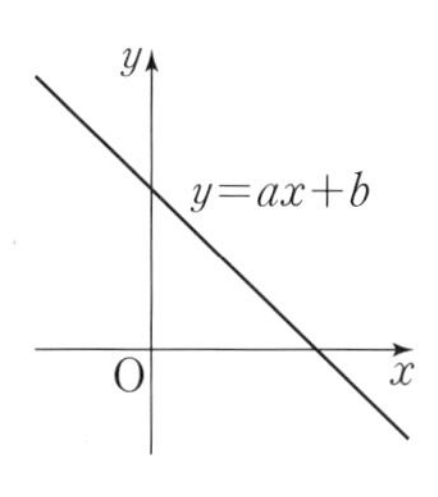

09

이차함수 $y=a(x-p)^2$의 그래프는 꼭짓점의 좌표가 $(2, 0)$이고, 점 $(-1, -6)$을 지난다. 이때 이 그래프가 y축과 만나는 점의 좌표를 구하시오. (단, a, p는 상수)

⑤ 이차함수 $y=a(x-p)^2$의 그래프의 증가와 감소 심화

10 대표문제

이차함수 $y=-3x^2$의 그래프를 x축의 방향으로 2만큼 평행이동한 그래프에서 x의 값이 증가할 때, y의 값은 감소하는 x의 값의 범위는?

① $x<-3$　② $x<-2$　③ $x>-2$
④ $x<2$　⑤ $x>2$

11

일차함수 $y=ax+b$의 그래프가 오른쪽 그림과 같다. 이차함수 $y=b(x-a)^2$의 그래프에서 x의 값이 증가할 때, y의 값도 증가하는 x의 값의 범위를 구하시오.

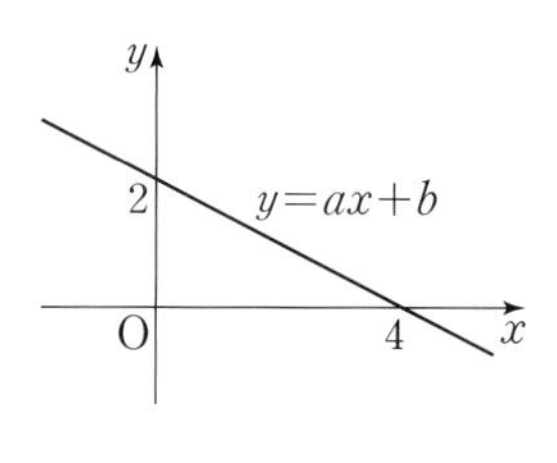

(단, a, b는 상수)

⑥ 이차함수 $y=a(x-p)^2+q$의 그래프

12 대표문제

이차함수 $y=-(x-p)^2+q$의 그래프의 축의 방정식은 $x=-3$이고, 점 $(2, 20)$을 지날 때, 이 그래프의 꼭짓점의 좌표를 구하시오. (단, p, q는 상수)

13

이차함수 $y=2(x-p)^2+3p^2$의 그래프의 꼭짓점이 직선 $y=-x+4$ 위에 있을 때, 양수 p의 값을 구하시오.

14 실수多

이차함수 $y=(x-1)^2+3$의 그래프는 어떤 이차함수의 그래프를 x축의 방향으로 -2만큼, y축의 방향으로 4만큼 평행이동한 것과 같다. 이때 어떤 이차함수의 식은?

① $y=(x-3)^2-1$　　② $y=(x-3)^2+7$
③ $y=(x+1)^2-1$　　④ $y=(x+1)^2+7$
⑤ $y=(x+2)^2+4$

쌤의 오답 코칭 | $y=(x-1)^2+3$의 그래프를 어떻게 평행이동하면 구하는 이차함수의 그래프와 같은지 생각해 본다.

⑦ 이차함수 $y=a(x-p)^2+q$의 그래프에서 a, p, q의 부호 심화

15 (대표문제)

이차함수 $y=a(x-p)^2+q$의 그래프가 오른쪽 그림과 같을 때, 상수 a, p, q의 부호를 각각 구하시오.

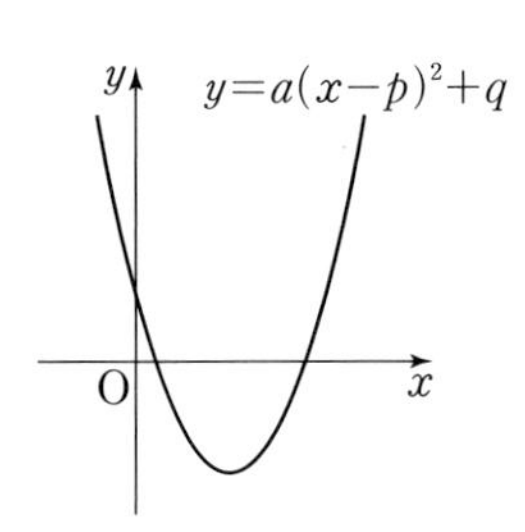

16

이차함수 $y=a(x-p)^2+q$의 그래프가 제1사분면만 지나지 않을 때, 이차함수 $y=p(x-q)^2+ap$의 그래프의 꼭짓점의 위치는? (단, a, p, q는 상수)

① 제1사분면　② 제2사분면　③ 제3사분면
④ 제4사분면　⑤ 알 수 없다.

이것이 진짜 교과서에서 뽑아온 문제

17 | 금성 유사 |

이차함수 $y=ax^2+q$의 그래프가 두 점 $(-1, 2)$, $(2, 11)$을 지날 때, 이 그래프의 꼭짓점의 좌표를 구하시오.

(단, a, q는 상수)

18 | 동아 유사 |

이차함수 $y=-(x-p)^2+3$의 그래프가 오른쪽 그림과 같고 점 $(3, -1)$을 지날 때, 이 그래프의 꼭짓점의 좌표와 축의 방정식을 각각 구하시오. (단, p는 상수)

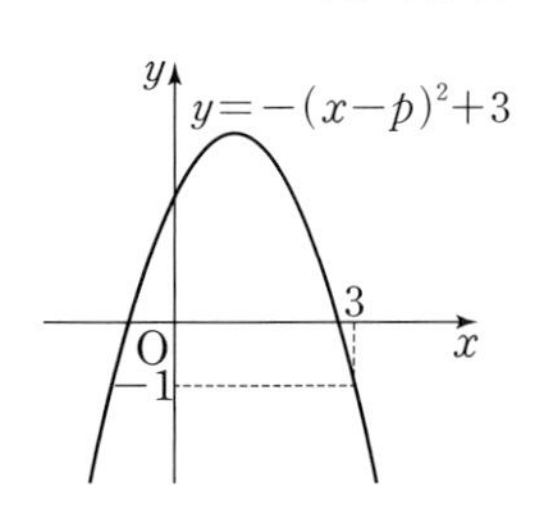

19 | 천재 유사 |

두 이차함수 $y=\frac{1}{3}x^2$과 $y=\frac{1}{3}x^2-3$의 그래프가 오른쪽 그림과 같을 때, 색칠한 부분의 넓이를 구하시오.

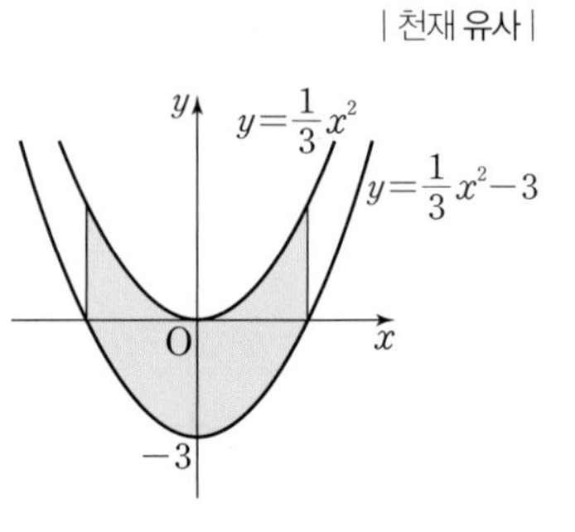

정답과 풀이 57쪽

01

이차함수 $y=-\frac{1}{4}x^2$의 그래프를 x축의 방향으로 a만큼, y축의 방향으로 2만큼 평행이동하면 점 $(1,\ -2)$를 지난다. 이 그래프의 꼭짓점이 제2사분면 위에 있을 때, a의 값을 구하시오.

02

오른쪽 그림과 같이 두 이차함수 $y=ax^2$, $y=\frac{1}{2}x^2$의 그래프가 직선 $y=8$과 제1사분면에서 만나는 두 점을 각각 P, Q라 하자. $\overline{PQ}=2$일 때, 상수 a의 값을 구하시오.

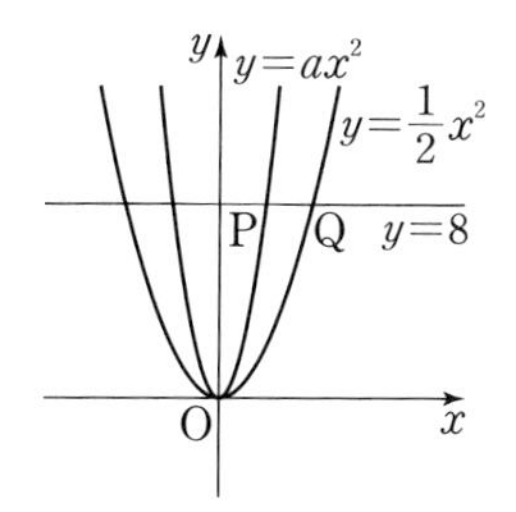

03

오른쪽 그림에서 □ABCD는 이차함수 $y=\frac{1}{4}x^2$의 그래프 위의 서로 다른 두 점 A, C를 두 꼭짓점으로 하며 각 변이 x축 또는 y축에 평행한 정사각형이다. 점 A에서 y축에 내린 수선의 발 E에 대하여 $\overline{EA}=\overline{AB}$일 때, □ABCD의 넓이를 구하시오.

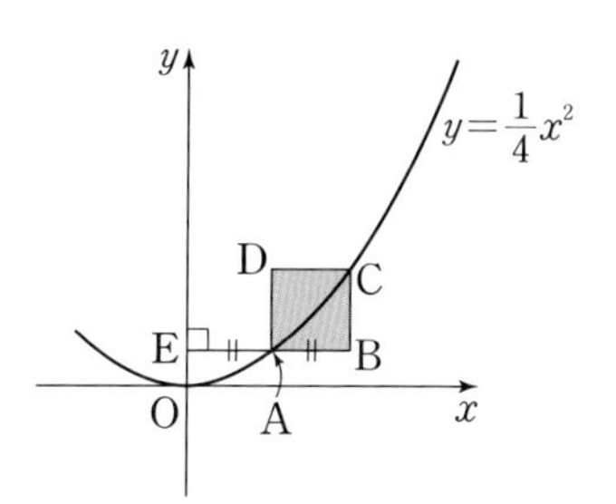

04

오른쪽 그림과 같이 이차함수 $y=-2x^2$의 그래프 위에 선분 AB가 x축과 평행하도록 두 점 A, B를 잡고, 이차함수 $y=ax^2$의 그래프 위에 □ABCD가 사다리꼴이 되도록 두 점 C, D를 잡았다. $\overline{CD}=2\overline{AB}$, □ABCD$=15$이고, 점 B의 좌표는 $(1,\ -2)$일 때, 양수 a의 값을 구하시오.

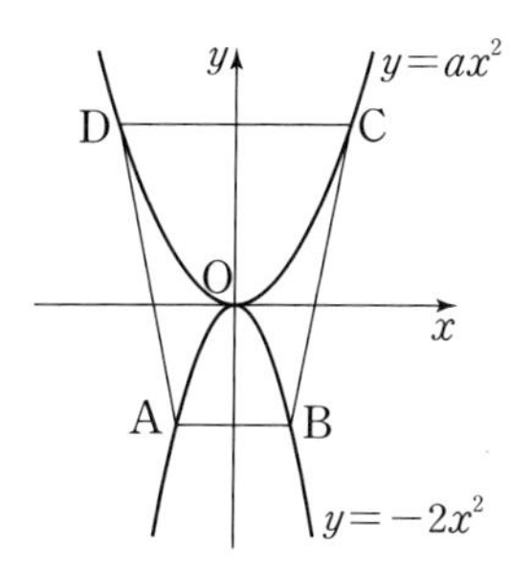

쌤의 출제 Point

점 P의 x좌표는 점 Q의 x좌표보다 작다.

두 점 A와 B는 y축에 대하여 서로 대칭이다.

05 교과서 창의사고력 | 비상 유사 |

어느 놀이 기구의 레일 일부분을 좌표평면 위에 나타내면 그 모양이 이차함수 $y=\frac{1}{6}x^2$의 그래프와 같다고 한다. 오른쪽 그림과 같이 두 점 P, Q는 이차함수 $y=\frac{1}{6}x^2$의 그래프 위의 점이고 □APBC는 정사각형이고, □DCQE는 직사각형이다. 이 두 사각형의 넓이는 서로 같고, $\overline{PB}:\overline{QC}=1:\sqrt{2}$일 때, 점 E의 좌표를 구하시오.

(단, 점 P는 제2사분면 위에 있고, 세 점 B, C, D는 y축 위에 있다.)

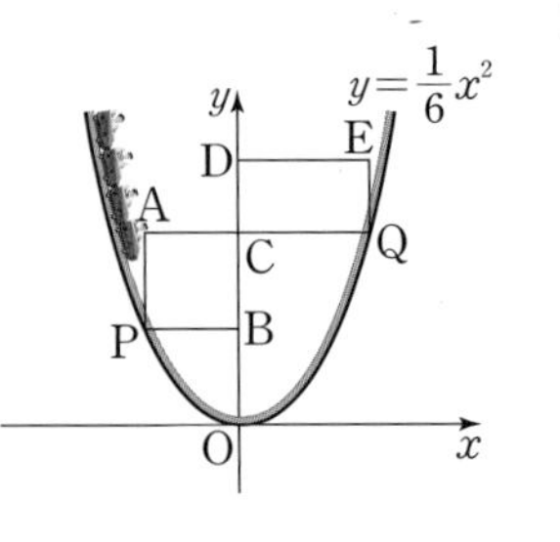

쌤의 출제 Point

점 P의 x좌표를 $-a(a>0)$라 하면 점 Q의 x좌표는 $\sqrt{2}a$이다.

06

이차함수 $y=-\frac{1}{6}x^2+q$의 그래프가 x축과 만나는 점의 x좌표가 모두 정수가 되게 하는 100 이하의 자연수 q의 값을 모두 구하시오.

07 복합 개념 (안양 | 평촌) 교과서 추론 | 천재 유사 |

오른쪽 그림과 같이 두 이차함수 $y=\frac{1}{2}x^2-1$, $y=\frac{1}{2}x^2+2$의 그래프와 두 직선 $x=-1$, $x=3$으로 둘러싸인 부분의 넓이를 구하시오.

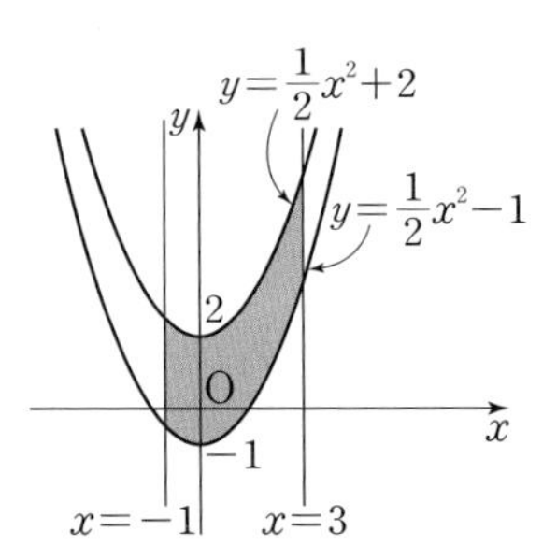

08

오른쪽 그림과 같이 두 이차함수 $y=x^2-4$, $y=-\frac{1}{2}x^2+a$의 그래프가 x축 위의 두 점 B, D에서 만날 때, □ABCD의 넓이를 구하시오. (단, a는 상수)

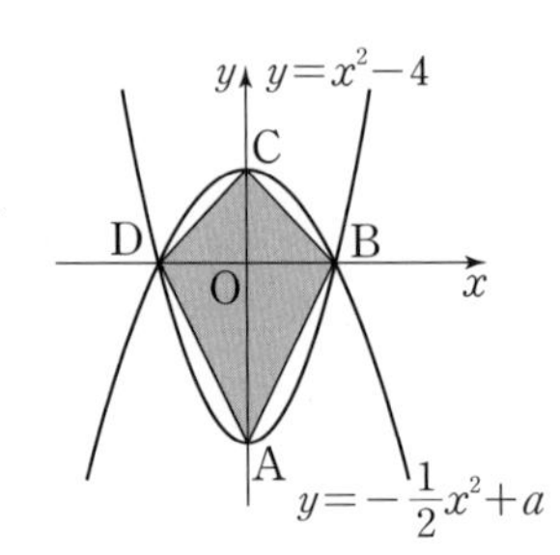

□ABCD=△ABD+△CDB

09

오른쪽 그림과 같은 이차함수 $y=\frac{1}{3}x^2-3$의 그래프가 x축과 만나는 두 점을 각각 A, B라 하자. 그래프 위의 점 P에 대하여 $\triangle$ABP의 넓이가 18일 때, 점 P의 좌표를 구하시오.

(단, 점 P는 제1사분면 위에 있다.)

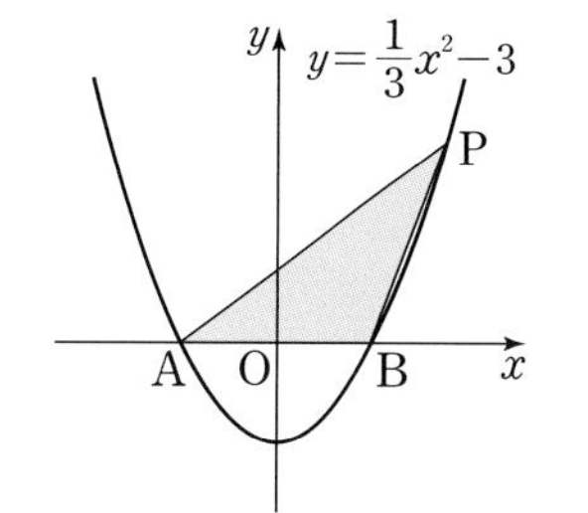

쌤의 출제 Point

P(a, b)라 하면
$\triangle \text{ABP}=\frac{1}{2}\times\overline{\text{AB}}\times b$

10

교과서 추론 | 신사고 유사 |

오른쪽 그림과 같이 두 이차함수 $y=-x^2+4$, $y=a(x-b)^2$의 그래프가 서로의 꼭짓점을 지날 때, ab의 값을 구하시오.

(단, a, b는 상수)

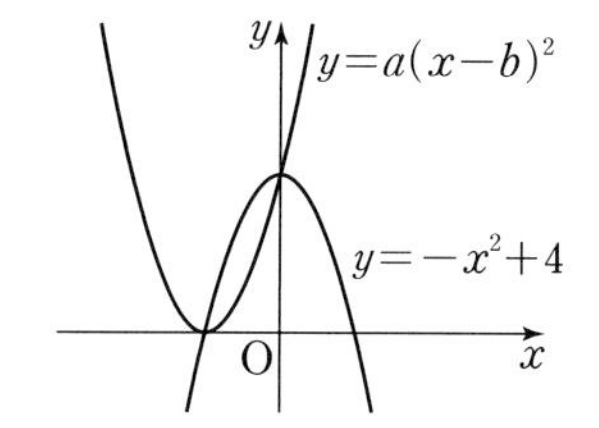

11

이차함수 $y=-\frac{1}{3}(x+2)^2+6$의 그래프가 제1사분면 위의 점 P(a, b)를 지날 때, 점 P에서 그래프의 축까지의 거리와 x축까지의 거리가 같다고 한다. 이때 b의 값을 구하시오.

x축과 점 P(a, b) 사이의 거리는 $|b|$이다.

12

이차함수 $y=-(x-1)^2+4$의 그래프가 x축과 만나는 두 점의 x좌표를 각각 a, b라 할 때, 이차함수 $y=b(x+a)^2-1$의 그래프가 y축과 만나는 점의 좌표를 구하시오. (단, $a<b$)

쌤의 출제 Point

13

이차함수 $y=(x+a)^2+a^2-3a$의 그래프를 x축의 방향으로 3만큼, y축의 방향으로 -4만큼 평행이동하면 꼭짓점의 좌표가 $(7, b)$이다. 이때 $a+b$의 값을 구하시오. (단, a는 상수)

14 신유형 서울 | 목동

이차함수 $y=2(x-1)^2-7$의 그래프를 x축의 방향으로 p만큼, y축의 방향으로 $-p+1$만큼 평행이동하면 꼭짓점의 좌표가 제3사분면 위에 있게 된다. 이때 모든 정수 p의 값의 합을 구하시오.

15

오른쪽 그림과 같이 이차함수 $y=\frac{1}{2}(x-2)^2+3$의 그래프와 y축과의 교점을 P라 하자. 점 P를 지나면서 x축에 평행한 직선과 $y=\frac{1}{2}(x-2)^2+3$의 그래프와의 교점을 Q라 할 때, 일차함수 $y=2x+k$의 그래프가 $\overline{PQ}$와 만나기 위한 실수 k의 값의 범위를 구하시오.

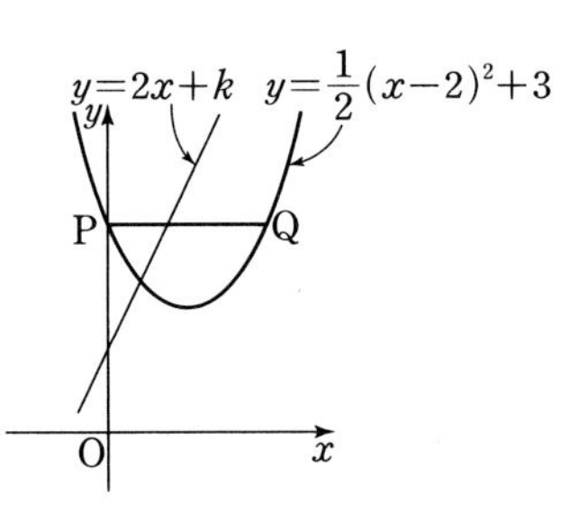

16 만점 KILL 서울 | 강남

이차함수 $y=-(x+2)^2-3$의 그래프를 x축의 방향으로 -3만큼, y축의 방향으로 2만큼 평행이동한 그래프와 x축에 대하여 대칭인 그래프가 점 $(k, 5)$를 지날 때, k의 값을 모두 구하시오.

$y=f(x)$의 그래프와 x축에 대하여 대칭인 그래프의 식은 y 대신에 $-y$를 대입한 식 $-y=f(x)$, 즉 $y=-f(x)$이다.

동영상 강의 ≫
정답과 풀이 61쪽

01 오른쪽 그림과 같이 이차함수 $y=3x^2$의 그래프 위에 점 A가 있고, 이차함수 $y=\frac{1}{3}x^2$의 그래프 위에 두 점 B, D가 있다. □ABCD는 정사각형이고 각 변이 x축 또는 y축에 평행할 때, □ABCD의 둘레의 길이를 구하시오.

(단, 네 점 A, B, C, D는 모두 제1사분면 위의 점이다.)

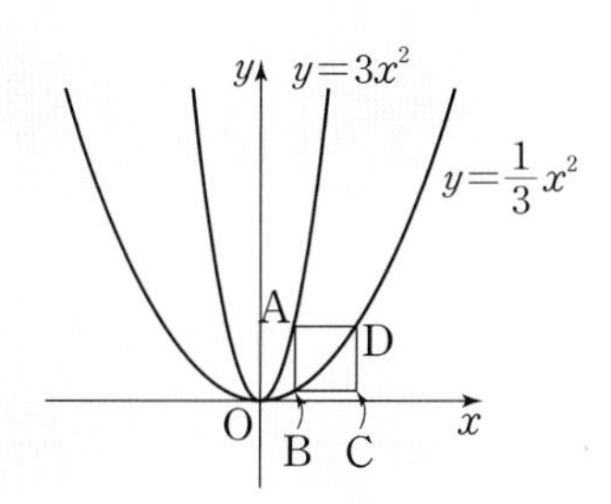

02 이차함수 $y=-\frac{1}{2}(x+1)^2+3$의 그래프를 y축의 방향으로 5만큼 평행이동한 그래프의 꼭짓점을 A, x축과 만나는 두 점을 각각 B, C, y축과 만나는 점을 D라 할 때, □ABCD의 넓이를 구하시오. (단, 점 B는 y축의 왼쪽에 있다.)

03 오른쪽 그림과 같이 일차함수 $y=-x+k$의 그래프가 y축과 만나는 점을 A, x축과 만나는 점을 B라 하고, 이차함수 $y=(x-1)^2+3$의 그래프와 제1사분면 위에서 만나는 점을 P라 하자. $\overline{AP}:\overline{PB}=1:2$일 때, 상수 k의 값을 구하시오.

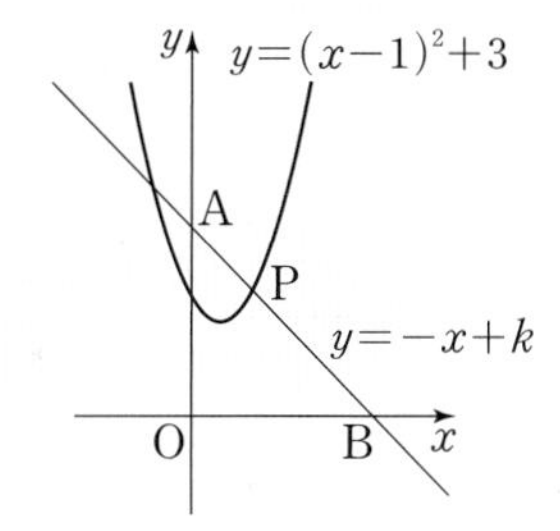

Challenge

04 오른쪽 그림과 같이 이차함수 $y=-(x-5)^2+16$의 그래프와 x축 위에 다각형을 그렸다. 다각형의 각 변은 x축 또는 y축에 평행하거나 x축 위에 있다. 6개의 점 B, D, F, K, M, P는 포물선 위의 점이고, 두 점 H, I는 그래프가 x축과 만나는 점이다. 또, $\overline{AQ}$는 그래프의 꼭짓점을 지나고 $\overline{BC}=\overline{DE}=\overline{FG}=\overline{KJ}=\overline{ML}=\overline{PN}=1$, $\overline{AQ}=2$일 때, 색칠한 다각형의 넓이를 구하시오.

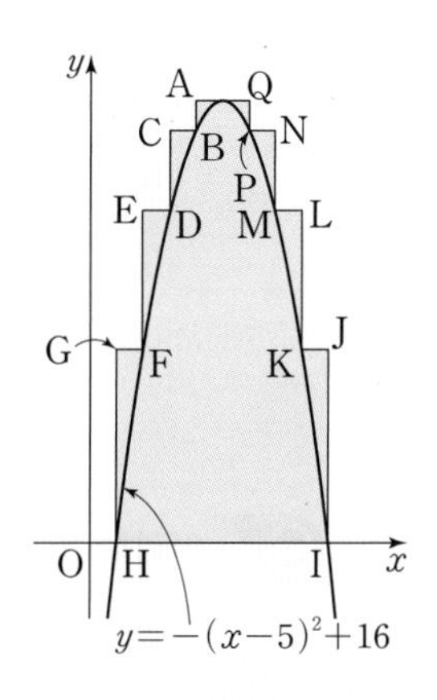

08 이차함수 $y=ax^2+bx+c$의 그래프

① 이차함수 $y=ax^2+bx+c$의 그래프

(1) 이차함수 $y=ax^2+bx+c$의 그래프는 $y=a(x-p)^2+q$의 꼴로 바꾸어 그릴 수 있다.

$$y=ax^2+bx+c$$
$$=a\left(x^2+\frac{b}{a}x\right)+c$$
$$=a\left\{x^2+\frac{b}{a}x+\left(\frac{b}{2a}\right)^2-\left(\frac{b}{2a}\right)^2\right\}+c$$
$$=a\left(x+\frac{b}{2a}\right)^2-\frac{b^2-4ac}{4a}$$

> $y=ax^2+bx+c$
> ➡ $y=a\left(x+\dfrac{b}{2a}\right)^2-\dfrac{b^2-4ac}{4a}$

(2) **꼭짓점의 좌표** : $\left(-\dfrac{b}{2a}, -\dfrac{b^2-4ac}{4a}\right)$

(3) **축의 방정식** : $x=-\dfrac{b}{2a}$

(4) **y축과의 교점의 좌표** : $(0, c)$

② 이차함수 $y=ax^2+bx+c$의 그래프에서 a, b, c의 부호

(1) **a의 부호** ➡ 그래프의 모양에 따라 결정

① 아래로 볼록하면 $a>0$ ② 위로 볼록하면 $a<0$

(2) **b의 부호** ➡ 축의 위치에 따라 결정

① 축이 y축의 왼쪽에 위치 : a, b는 같은 부호$(ab>0)$

② 축이 y축의 오른쪽에 위치 : a, b는 다른 부호$(ab<0)$

③ 축이 y축과 일치 : $b=0$

y, O, x
$ab>0$ $b=0$ $ab<0$

참고 $y=ax^2+bx+c$의 그래프의 축의 방정식은 $x=-\dfrac{b}{2a}$이므로

① 축이 y축의 왼쪽에 위치하면 $-\dfrac{b}{2a}<0$이므로 $ab>0$ ➡ a, b는 같은 부호

② 축이 y축의 오른쪽에 위치하면 $-\dfrac{b}{2a}>0$이므로 $ab<0$ ➡ a, b는 다른 부호

(3) **c의 부호** ➡ y축과의 교점의 위치에 따라 결정

① y축과의 교점이 x축의 위쪽에 위치 : $c>0$

② y축과의 교점이 x축의 아래쪽에 위치 : $c<0$

③ y축과의 교점이 원점과 일치 : $c=0$

③ 이차함수의 그래프와 직선의 교점의 좌표 구하기 심화 개념

(1) 이차함수 $y=ax^2+bx+c$의 그래프와 x축의 교점의 x좌표

➡ $y=0$일 때의 x의 값 ➡ 이차방정식 $ax^2+bx+c=0$의 해

(2) 이차함수 $y=ax^2+bx+c$의 그래프와 직선 $y=k$의 교점의 x좌표

➡ $y=k$일 때의 x의 값 ➡ 이차방정식 $ax^2+bx+c=k$의 해

> **쌤의 활용 꿀팁**
> 인수분해나 근의 공식을 이용하여 이차방정식의 해를 구하면 교점의 x좌표를 구할 수 있어요.

④ 이차함수의 식 구하기

(1) 꼭짓점의 좌표 (p, q)와 그래프 위의 다른 한 점을 알 때

① 이차함수의 식을 $y=a(x-p)^2+q$로 놓는다.

② 한 점의 좌표를 대입하여 a의 값을 구한다.

예 꼭짓점의 좌표가 $(1, 2)$이고 점 $(3, 10)$을 지나는 포물선을 그래프로 하는 이차함수의 식은
$y=a(x-1)^2+2$로 놓고 $x=3$, $y=10$을 대입하면 $a=2$ $\quad\therefore y=2(x-1)^2+2=2x^2-4x+4$

(2) 축의 방정식 $x=p$와 그래프 위의 서로 다른 두 점을 알 때

① 이차함수의 식을 $y=a(x-p)^2+q$로 놓는다.

② 두 점의 좌표를 각각 대입하여 a, q의 값을 구한다.

예 축의 방정식이 $x=-2$이고 두 점 $(-1, 4)$, $(-4, 7)$을 지나는 포물선을 그래프로 하는 이차함수의 식은
$y=a(x+2)^2+q$로 놓고
$x=-1$, $y=4$를 대입하면 $4=a+q$ ⋯⋯ ㉠
$x=-4$, $y=7$을 대입하면 $7=4a+q$ ⋯⋯ ㉡
㉠, ㉡을 연립하여 풀면 $a=1$, $q=3$ $\quad\therefore y=(x+2)^2+3=x^2+4x+7$

(3) 그래프 위의 서로 다른 세 점을 알 때

① 이차함수의 식을 $y=ax^2+bx+c$로 놓는다.

② 세 점의 좌표를 각각 대입하여 a, b, c의 값을 구한다.

예 세 점 $(0, -3)$, $(1, 3)$, $(-1, -1)$을 지나는 포물선을 그래프로 하는 이차함수의 식은
$y=ax^2+bx+c$로 놓고
$x=0$, $y=-3$을 대입하면 $-3=c$ ⋯⋯ ㉠
$x=1$, $y=3$을 대입하면 $3=a+b+c$ ⋯⋯ ㉡
$x=-1$, $y=-1$을 대입하면 $-1=a-b+c$ ⋯⋯ ㉢
㉠을 ㉡, ㉢에 대입한 후, 연립하여 풀면 $a=4$, $b=2$ $\quad\therefore y=4x^2+2x-3$

(4) x축과의 교점의 좌표 $(\alpha, 0)$, $(\beta, 0)$과 그래프 위의 다른 한 점을 알 때

① 이차함수의 식을 $y=a(x-\alpha)(x-\beta)$로 놓는다.

② 다른 한 점의 좌표를 대입하여 a의 값을 구한다.

예 x축과의 교점의 좌표가 $(-2, 0)$, $(3, 0)$이고, 점 $(0, 6)$을 지나는 포물선을 그래프로 하는 이차함수의 식은
$y=a(x+2)(x-3)$으로 놓고 $x=0$, $y=6$을 대입하면 $a=-1$
$\therefore y=-(x+2)(x-3)=-x^2+x+6$

⑤ 최댓값과 최솟값 심화 개념

(1) 최댓값과 최솟값 : 어떤 함수의 함숫값 중에서 가장 큰 값을 최댓값, 가장 작은 값을 최솟값이라 한다.

이차함수의 최댓값과 최솟값은 그래프의 꼭짓점의 좌표만 알면 쉽게 구할 수 있어요.

(2) 이차함수의 최댓값과 최솟값

이차함수 $y=ax^2+bx+c$를 $y=a(x-p)^2+q$의 꼴로 나타낼 때

① $a>0$이면 꼭짓점 (p, q)의 y좌표인 q보다 작은 함숫값이 없다.
➡ $x=p$일 때, 최솟값은 q이다.

② $a<0$이면 꼭짓점 (p, q)의 y좌표인 q보다 큰 함숫값이 없다.
➡ $x=p$일 때, 최댓값은 q이다.

$a>0$

$a<0$

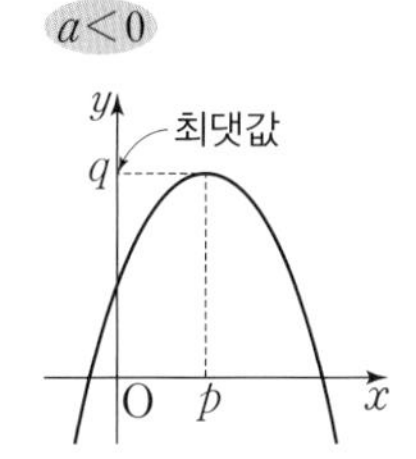

LEVEL 1 학교 선생님이

시험에 꼭 내는 문제

이것이 진짜 출제율 100% 문제

① 이차함수 $y=ax^2+bx+c$의 그래프

01 대표문제

다음 중 이차함수 $y=-2x^2+4x+1$의 그래프에 대한 설명으로 옳은 것은?

① 축의 방정식은 $x=2$이다.
② 꼭짓점의 좌표는 $(2,\ -3)$이다.
③ y의 값의 범위는 $y\geq 3$이다.
④ $x>1$일 때, x의 값이 증가하면 y의 값도 증가한다.
⑤ $y=-2x^2$의 그래프를 x축의 방향으로 1만큼, y축의 방향으로 3만큼 평행이동한 것이다.

02

두 이차함수 $y=\frac{1}{3}x^2-2x+1$과 $y=2x^2+ax+b$의 그래프의 꼭짓점이 일치할 때, 상수 a, b에 대하여 $a+b$의 값을 구하시오.

03

이차함수 $y=-\frac{1}{3}x^2+4x+k$의 그래프가 x축과 서로 다른 두 점에서 만나도록 하는 상수 k의 값의 범위를 구하시오.

② 이차함수 $y=ax^2+bx+c$의 그래프에서 a, b, c의 부호

04 대표문제

이차함수 $y=ax^2+bx+c$의 그래프가 오른쪽 그림과 같을 때, 이차함수 $y=cx^2+ax-b$의 그래프의 꼭짓점의 위치는?

(단, a, b, c는 상수)

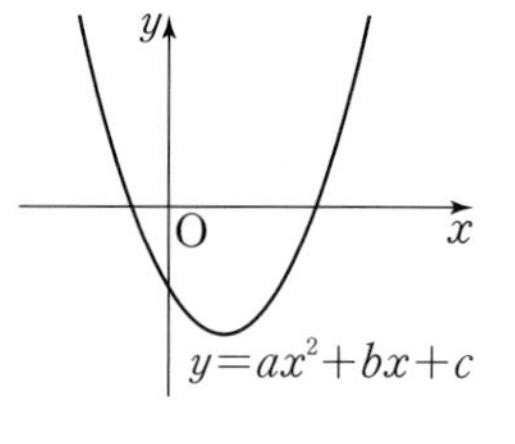

① 제1사분면　② 제2사분면
③ 제3사분면　④ 제4사분면
⑤ 알 수 없다.

05 실수多

오른쪽 그림과 같은 이차함수 $y=ax^2+bx+c$의 그래프에 대하여 다음 중 옳은 것을 모두 고르면? (정답 2개)

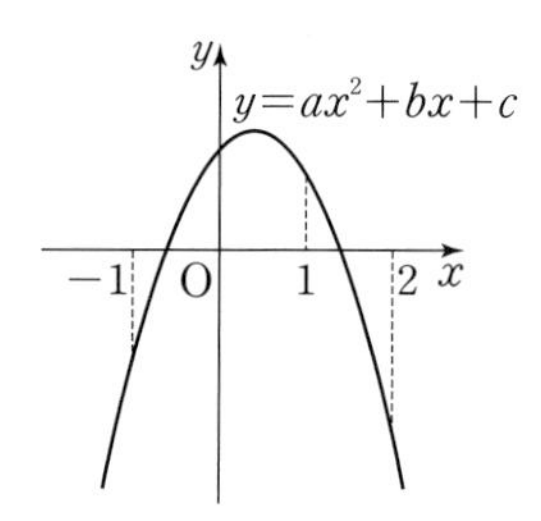

① $abc>0$
② $a-b+c>0$
③ $a+b+c>0$
④ $4a+2b+c>0$
⑤ $2a+b<0$

쌤의 오답 코칭 | x에 적당한 값을 대입하여 식의 값의 부호를 생각한다.

③ 이차함수의 그래프와 직선의 교점의 좌표 구하기 심화

06 대표문제

이차함수 $y=x^2-2x-5$의 그래프가 직선 $y=3$과 만나는 서로 다른 두 점을 A, B라 할 때, $\overline{AB}$의 길이를 구하시오.

07

오른쪽 그림과 같이 이차함수 $y=x^2+3x-4$의 그래프가 x축과 두 점 A, B에서 만나고, y축과 점 C에서 만날 때, △ABC의 넓이를 구하시오.

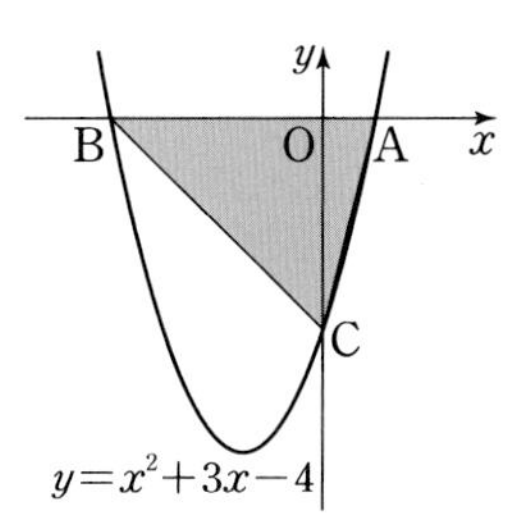

08

이차함수 $y=2x^2+ax+b$의 그래프의 축의 방정식은 $x=-1$이고 x축과 서로 다른 두 점 A, B에서 만난다. $\overline{AB}=6$일 때, 상수 a, b에 대하여 $a+b$의 값을 구하시오.

④ 이차함수의 식 구하기

09 대표문제

이차함수 $y=ax^2+bx+c$의 그래프가 오른쪽 그림과 같을 때, 상수 a, b, c에 대하여 $a+b-c$의 값을 구하시오.

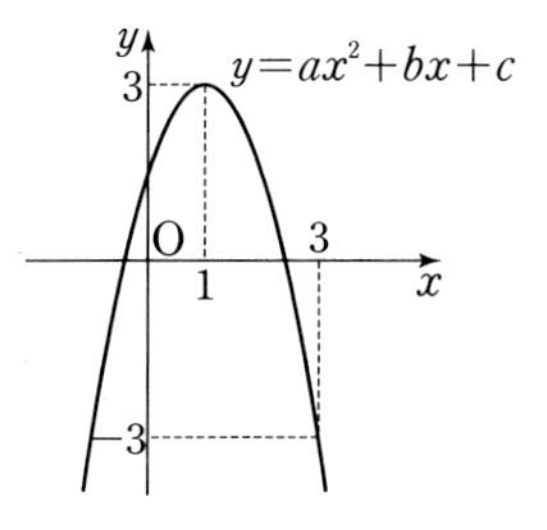

10

축의 방정식이 $x=-2$이고 두 점 $(-4, 3)$, $(1, 8)$을 지나는 이차함수의 그래프가 y축과 만나는 점의 좌표를 구하시오.

11

세 점 $(0, 3)$, $(-4, -1)$, $(2, 8)$을 지나는 이차함수의 그래프가 점 $(-8, k)$를 지날 때, k의 값은?

① 1 ② 2 ③ 3 ④ 4 ⑤ 5

12

x축과 두 점 $(-3, 0)$, $(2, 0)$에서 만나고, y축과 점 $(0, 12)$에서 만나는 포물선을 그래프로 하는 이차함수의 식을 $y=ax^2+bx+c$라 할 때, $a+b+c$의 값을 구하시오.

(단, a, b, c는 상수)

⑤ 최댓값과 최솟값 심화

13 (대표문제)

이차함수 $y=-3x^2+6x-2$의 최댓값을 M, 이차함수 $y=\frac{1}{3}x^2+2x-1$의 최솟값을 m이라 할 때, $M+m$의 값을 구하시오.

14

이차함수 $y=-\frac{1}{2}x^2+6x-5+k$의 최댓값과 이차함수 $y=4x^2-8x+5-2k$의 최솟값이 서로 같을 때, 상수 k의 값을 구하시오.

이것이 진짜 **교과서에서 뽑아온** 문제

15

| 미래엔 유사 |

이차함수 $y=x^2-4x-3$의 그래프를 x축의 방향으로 m만큼, y축의 방향으로 n만큼 평행이동한 그래프가 나타내는 이차함수의 식이 $y=x^2+2x+3$일 때, $m+n$의 값을 구하시오.

16

| 동아 유사 |

이차함수 $y=-x^2+2ax-3a+1$의 그래프의 꼭짓점이 직선 $y=-2x+3$ 위에 있을 때, 상수 a의 값을 구하시오.

(단, $a>0$)

17

| 신사고 유사 |

오른쪽 그림과 같이 이차함수 $y=2x^2+4x-6$의 그래프가 x축과 만나는 두 점을 각각 A, B라 하자. 그래프의 꼭짓점을 C, y축과 만나는 점을 D라 할 때, △ABC : △ABD를 가장 간단한 자연수의 비로 나타내시오.

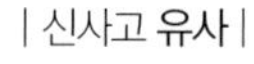

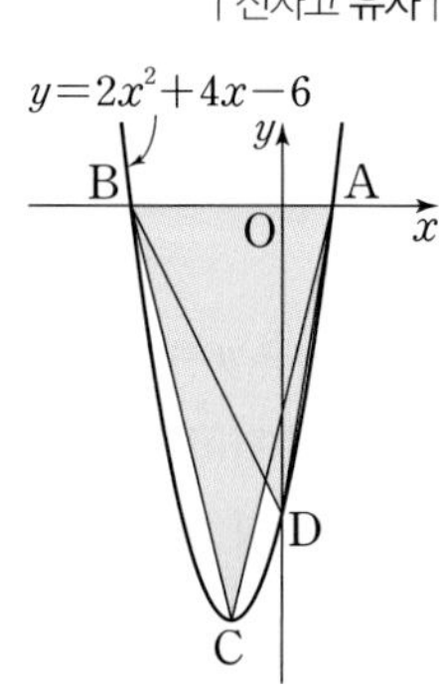

18

| 동아 유사 |

이차함수 $y=ax^2+bx+c$의 그래프가 오른쪽 그림과 같을 때, 이 그래프의 꼭짓점의 좌표를 구하시오.

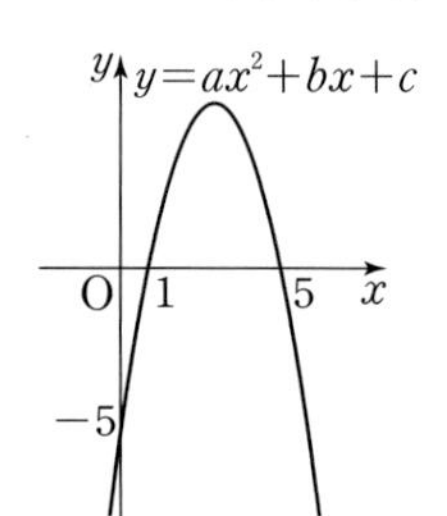

01

이차함수 $y=-x^2+6x+3$의 그래프를 y축에 대하여 대칭이동한 후 x축의 방향으로 -4만큼, y축의 방향으로 3만큼 평행이동한 그래프가 점 $(a, 6)$을 지날 때, a의 값을 모두 구하시오.

쌤의 출제 Point

y축에 대하여 대칭이동한 그래프의 식
➡ x 대신 $-x$ 대입

02 복합 개념 (광주 | 봉선)

이차함수 $y=-x^2+2x+2$의 그래프의 꼭짓점을 A라 하고, 이 그래프를 x축의 방향으로 m만큼, y축의 방향으로 -4만큼 평행이동한 그래프의 꼭짓점을 B라 하자. 두 점 A, B를 지나는 직선이 일차함수 $y=-2x+3$의 그래프와 평행할 때, m의 값을 구하시오.

03

이차함수 $y=x^2+4x+a+2$의 그래프가 점 $(a, 2a^2+6)$을 지나고 꼭짓점의 y좌표가 양수일 때, 상수 a의 값을 구하시오.

04

오른쪽 그림과 같이 좌표평면 위에 직사각형 ABCD가 있다. 이차함수 $y=ax^2-2ax+a$의 그래프가 직사각형 ABCD와 만나도록 하는 상수 a의 값의 범위를 구하시오.

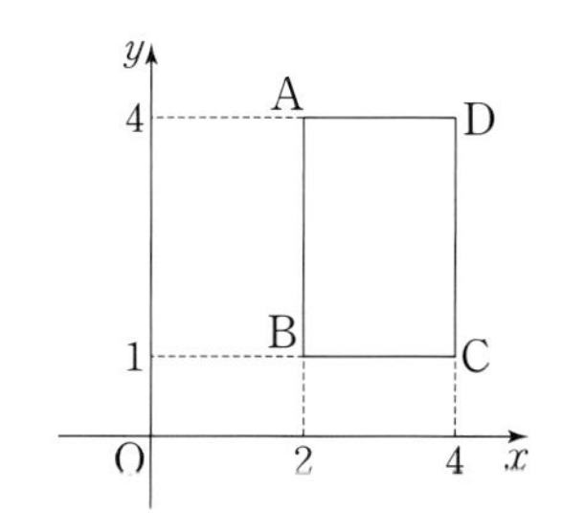

이차함수의 그래프가 직사각형과 만난다.
➡ 직사각형의 적당한 꼭짓점을 찾아 좌표를 대입한다.

05 교과서 추론 | 교학사 유사 |

오른쪽 그림과 같이 이차함수 $y=x^2-2x-2$와 $y=x^2-10x+22$의 그래프의 꼭짓점을 각각 A, B라 할 때, 색칠한 부분의 넓이를 구하시오.

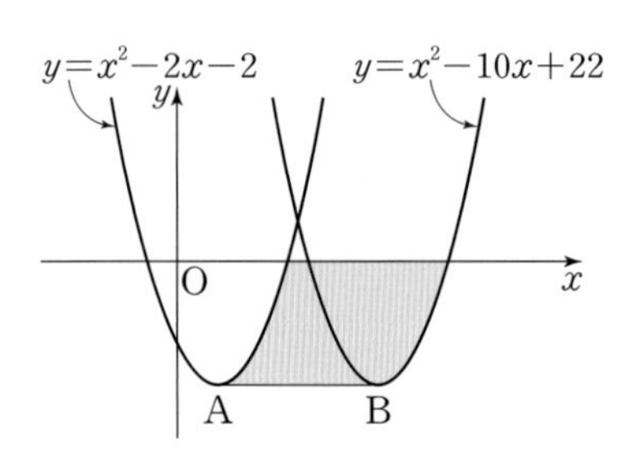

쌤의 출제 Point

06

이차함수 $y=ax^2+bx+c$의 그래프가 제2, 3, 4사분면을 지날 때, 다음 중 이차함수 $y=acx^2+bx+bc$의 그래프가 될 수 있는 것은? (단, a, b, c는 상수)

①
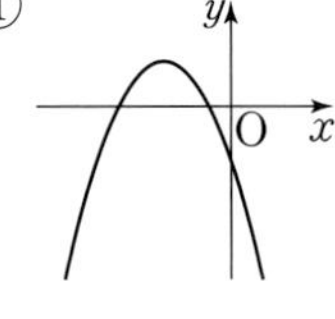

②
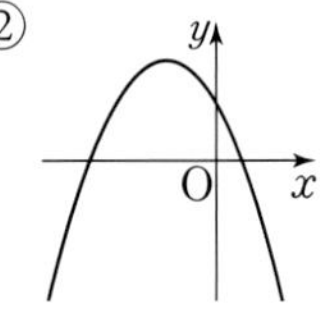

③

④

⑤
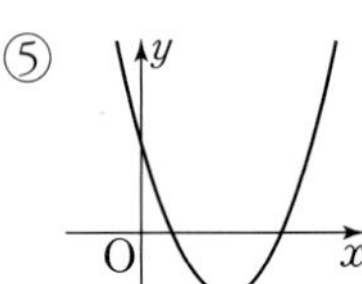

$y=ax^2+bx+c$가 이차함수이면 $a\neq0$이다.

07

이차함수 $y=ax^2+bx+c$의 그래프의 꼭짓점의 좌표는 $(1,\ -4)$이다. 이 그래프가 모든 사분면을 지날 때, 정수 a는 모두 몇 개인지 구하시오.

08 신유형 안양 | 평촌

이차함수 $y=x^2+2x-15$의 그래프를 y축의 방향으로 q만큼 평행이동하면 x축과 만나는 두 점 사이의 거리가 처음의 반이 될 때, q의 값을 구하시오.

09

오른쪽 그림과 같이 직선 $y=k(k>2)$가 이차함수 $y=x^2+2x+3$의 그래프와 만나는 점을 각각 A, B라 하고, 이차함수 $y=x^2-6x+11$의 그래프와 만나는 점을 각각 C, D라 하자. $\overline{AC}+\overline{BD}$의 값을 구하시오.

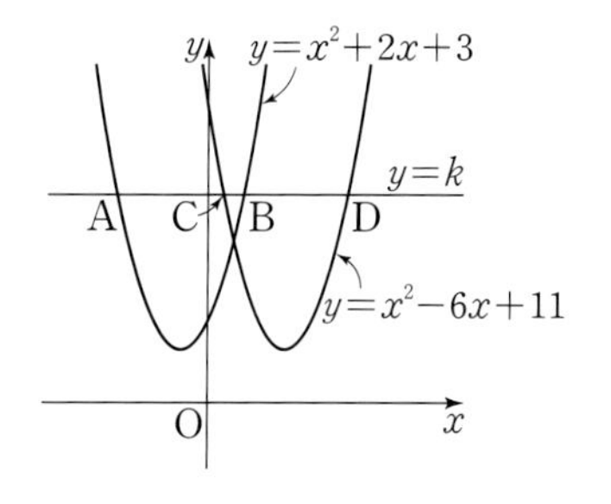

쌤의 출제 Point

두 그래프는 어떻게 평행이동한 것인지 구해 본다.

10

오른쪽 그림과 같이 이차함수 $y=x^2-4x-5$의 그래프의 꼭짓점을 A, x축의 양의 부분과의 교점을 B, y축과의 교점을 C라 할 때, △ABC의 넓이를 구하시오.

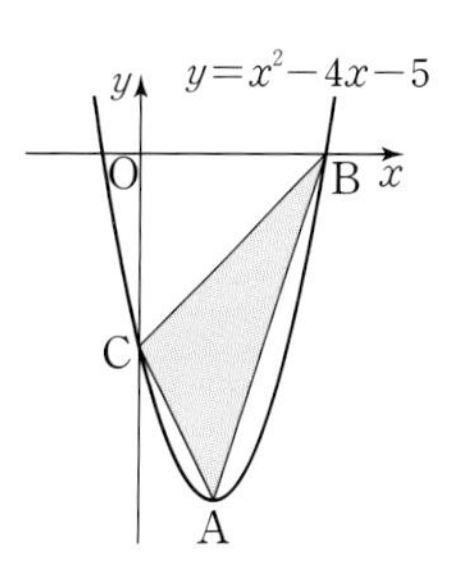

△ABC=□ABOC−△CBO

11 교과서 **창의사고력** | 신사고 유사 |

오른쪽 그림과 같이 이차함수 $y=x^2+4x+5$의 그래프가 y축과 만나는 점을 A라 하고, 점 A를 지나고 x축에 평행한 직선이 $y=x^2+4x+5$의 그래프와 만나는 다른 점을 B라 하자. 주사위를 한 번 던져 나오는 눈의 수를 m이라 할 때, 직선 $y=-x+m$이 선분 AB와 만날 확률을 구하시오. (단, m은 상수)

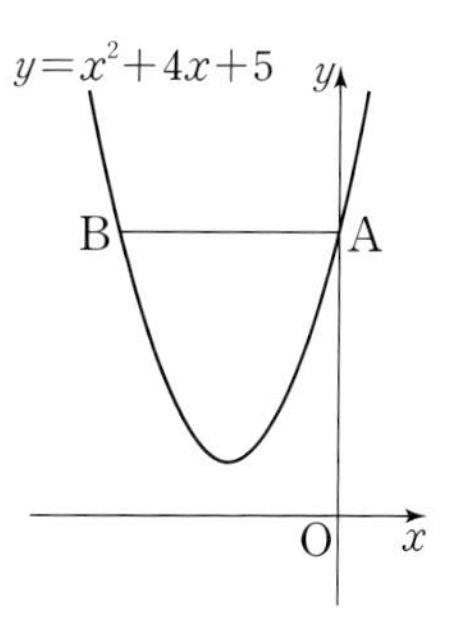

12

오른쪽 그림과 같이 이차함수 $y=x^2+2x+3$의 그래프와 직선 $y=x+5$가 만나는 점을 각각 A, B라 하고, 두 점 A, B에서 x축에 내린 수선의 발을 각각 C, D라 하자. □ACDB의 넓이를 구하시오.

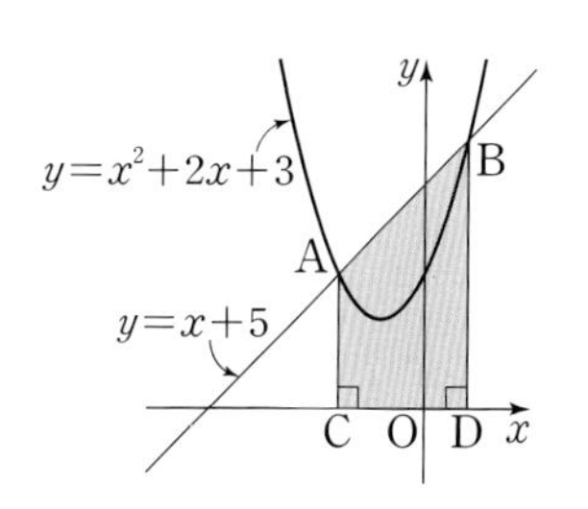

LEVEL 2 필수 기출 문제

13 신유형 만점 KILL 서울|강남

이차함수 $y=x^2-4x+1$의 그래프는 두 점 $(2, 0)$, $(0, 4)$를 지나는 직선과 서로 다른 두 점 A, B에서 만날 때, 두 점 A, B 사이의 거리를 구하시오.

쌤의 출제 Point

두 점 사이의 거리를 구할 때, 피타고라스 정리를 이용한다.

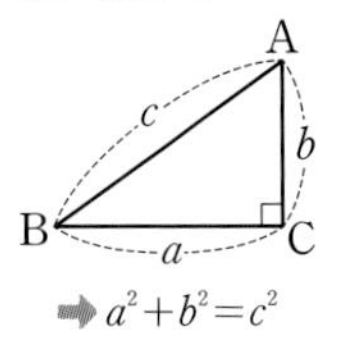

➡ $a^2+b^2=c^2$

14

오른쪽 그림과 같은 이차함수의 그래프와 x축에 대하여 대칭인 그래프의 식을 $y=ax^2+bx+c$라 할 때, $a-b+2c$의 값을 구하시오.

(단, a, b, c는 상수)

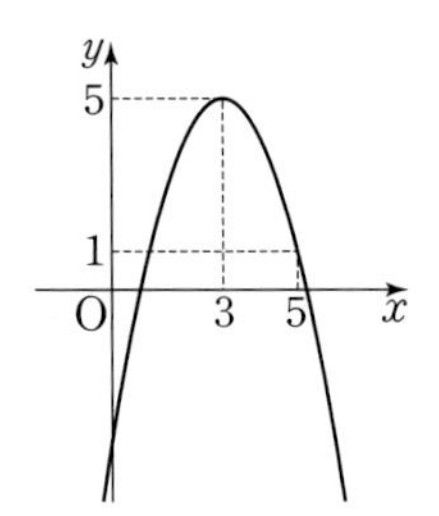

x축에 대하여 대칭인 그래프의 식
➡ y 대신 $-y$ 대입

15

다음 세 조건을 모두 만족시키는 포물선을 그래프로 하는 이차함수의 식을 $y=ax^2+bx+c$의 꼴로 나타내시오.

(가) 점 $(-1, 3)$을 지난다.
(나) 이차함수 $y=\frac{1}{2}x^2$의 그래프를 평행이동한 것이다.
(다) $x<-3$이면 x의 값이 증가할 때 y의 값은 감소하고, $x>-3$이면 x의 값이 증가할 때 y의 값도 증가한다.

16

이차함수 $y=f(x)$의 그래프가 직선 $y=7$과 만나는 두 점의 x좌표는 각각 -2, 6이고, y축과 만나는 점의 y좌표는 15일 때, $f(-3)$의 값을 구하시오.

17 신유형 분당 | 서현

이차함수 $y=f(x)$의 그래프가 오른쪽 그림과 같을 때, 이차함수 $y=f\left(\frac{x+1}{2}\right)$의 그래프가 x축과 만나는 두 점의 좌표를 구하시오.

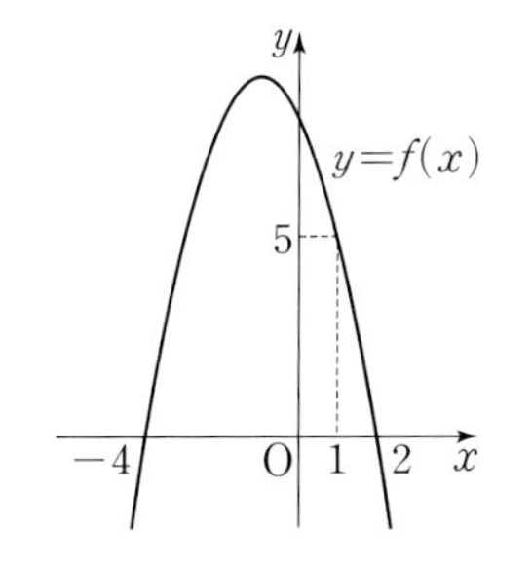

쌤의 출제 Point

$y=f\left(\frac{x+1}{2}\right)$

➡ $y=f(x)$에 x 대신 $\frac{x+1}{2}$을 대입

18

이차항의 계수가 1인 두 이차함수 $y=f(x)$, $y=g(x)$에 대하여 $y=f(x)$의 그래프가 x축과 만나는 점의 좌표는 $(3, 0)$, $(8, 0)$이고, $y=f(x)+g(x)$의 그래프가 x축과 만나는 점의 좌표는 $(3, 0)$, $(6, 0)$이다. 이때 $y=g(x)$의 그래프가 x축과 만나는 두 점의 좌표를 구하시오.

19 신유형 서울 | 목동

다음 조건을 모두 만족시키는 포물선을 그래프로 하는 이차함수의 식을 $y=ax^2+bx+c$의 꼴로 나타내시오.

> (가) 꼭짓점의 좌표는 $(3, -4)$이다.
> (나) x축과 만나는 두 점 사이의 거리는 $4\sqrt{2}$이다.

20

오른쪽 그림과 같이 이차함수 $y=-x^2+ax+b$의 그래프가 x축과 두 점 A, B에서 만나고, y축과 점 C에서 만난다. $y=-x^2+ax+b$의 그래프가 직선 $y=2x+8$과 두 점 A, C에서 만날 때, $y=-x^2+ax+b$의 그래프의 꼭짓점의 좌표를 구하시오. (단, a, b는 상수)

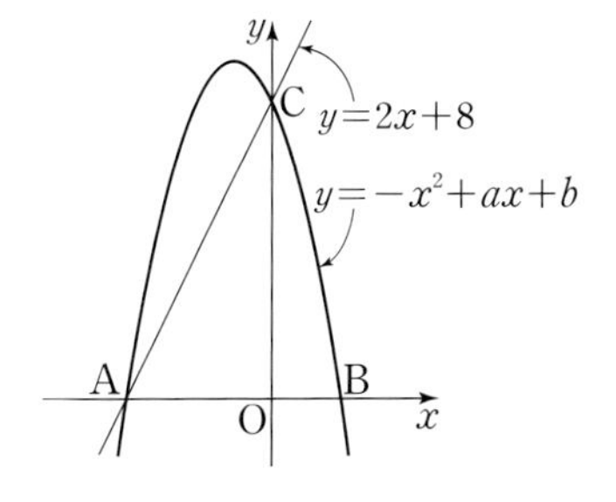

두 점 A, C는 직선 $y=2x+8$이 각각 x축, y축과 만나는 점이므로 그 좌표를 구할 수 있다.

정답과 풀이 70쪽

쌤의 출제 Point

21

오른쪽 그림에서 직사각형 ABCD의 두 꼭짓점 A, D는 이차함수 $y=ax^2-8ax$의 그래프 위의 점이고, $\overline{BC}$는 $y=ax^2-8ax$의 그래프의 꼭짓점을 지나고 x축에 평행하다. 점 A의 좌표가 $(-2, 5)$이고, $y=ax^2-8ax$의 그래프 위의 점 P에 대하여 $3\triangle DPC=\square ABCD$일 때, 점 P의 좌표를 구하시오. (단, a는 상수)

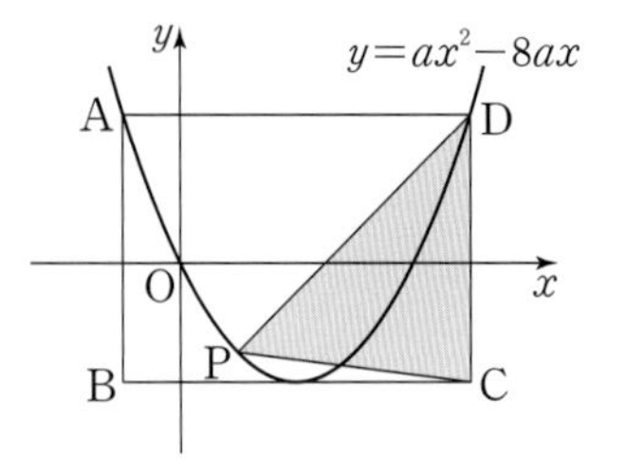

22

두 이차함수 $f(x)=x^2+x+1$, $g(x)=x^2-x+1$에 대하여 $\dfrac{f(1)f(2)f(3)\cdots f(49)}{g(1)g(2)g(3)\cdots g(49)}$의 값을 구하시오.

$f(x)=ax^2+q$
$g(x)=a(x-p)^2+q$
➡ $f(x)=g(x+p)$

23

이차함수 $y=\dfrac{1}{2}x^2-kx-6k+1$의 최솟값을 m이라 할 때, m의 값이 최대가 되도록 하는 상수 k의 값을 구하시오.

이차함수의 최댓값 또는 최솟값은 이차함수의 그래프의 꼭짓점의 y좌표이다.

24

오른쪽 그림과 같이 한 변의 길이가 20 cm인 정사각형 ABCD에서 점 P는 매초 2 cm의 속력으로 점 A를 출발하여 점 B까지 움직이고, 점 Q는 매초 3 cm의 속력으로 점 B를 출발하여 점 C까지 움직인다. 두 점 P, Q가 동시에 출발할 때, $\triangle PBQ$의 넓이가 최대가 되는 것은 두 점이 출발한 지 몇 초 후인지 구하시오.

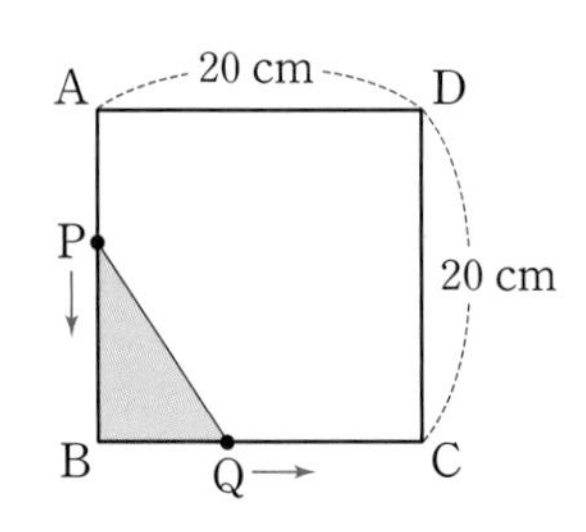

동영상 강의 ≫

정답과 풀이 71쪽

01 오른쪽 그림에서 두 점 A, B는 이차함수 $y=-x^2+4x$의 그래프 위의 점이고 x축 위의 두 점 C, D에 대하여 □ACDB가 정사각형일 때, □ACDB의 넓이를 구하시오.

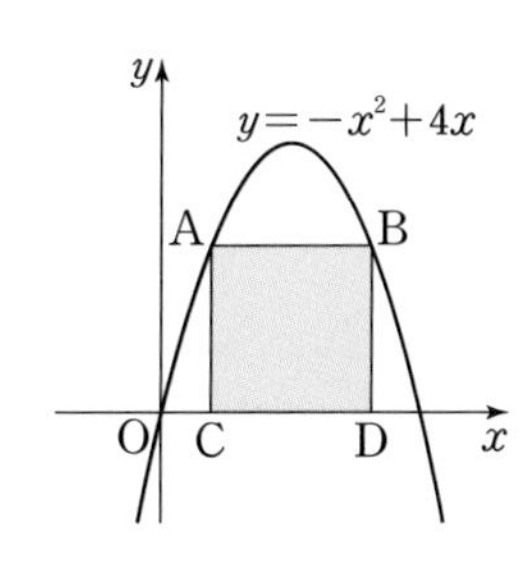

02 오른쪽 그림과 같이 이차함수 $y=-x^2+2x+3$의 그래프의 꼭짓점을 A, x축과 만나는 두 점을 각각 B, C라 할 때, 점 B를 지나고 △ABC의 넓이를 이등분하는 직선 l의 방정식을 구하시오.

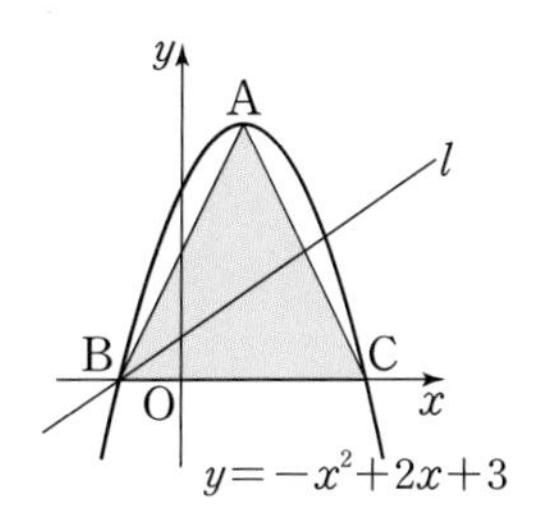

03 이차함수 $y=-2x^2+(k^2-3k)x+4$의 그래프가 직선 $y=4$와 만나는 점의 x좌표를 $f(k)$라 할 때, $f(k)$의 최솟값을 구하시오. (단, k는 상수이고, $f(k)\neq 0$)

Challenge

04 실수 m의 값에 관계없이 이차함수 $y=x^2-2(m-2)x+m$의 그래프의 꼭짓점이 이차함수 $y=ax^2+bx+c$의 그래프 위에 있을 때, 상수 a, b, c에 대하여 $2a+3b+c$의 값을 구하시오.

같은 문제 선배들의 다른 풀이

본책 100쪽 → 13 번 문제

이차함수 $y=x^2-4x+1$의 그래프는 두 점 $(2, 0)$, $(0, 4)$를 지나는 직선과 서로 다른 두 점 A, B에서 만날 때, 두 점 A, B 사이의 거리를 구하시오.

이 문제는 '이차함수의 그래프와 직선이 만나는 두 점 사이의 거리'를 구하는 문제로 좌표평면 위의 두 점 사이의 거리를 구하기 위하여 피타고라스 정리를 이용하였어.

그런데 고등학교 1학년 때는 '좌표평면 위의 두 점 사이의 거리'를 다음과 같이 공식처럼 배우게 돼.

> 좌표평면 위의 두 점 $A(x_1, y_1)$, $B(x_2, y_2)$ 사이의 거리
>
> ➡ $\overline{AB}=\sqrt{(x_2-x_1)^2+(y_2-y_1)^2}$

예를 들면

좌표평면 위의 두 점 $A(3, 5)$, $B(-2, 4)$ 사이의 거리를 공식을 이용하면 구하면

$\overline{AB}=\sqrt{(-2-3)^2+(4-5)^2}=\sqrt{26}$이야.

이 문제에서는 아직 이 공식을 배우기 전이니 이차함수 $y=x^2-4x+1$의 그래프와 두 점 $(2, 0)$, $(0, 4)$를 지나는 직선의 교점인 $A(-1, 6)$, $B(3, -2)$를 각각 구하고, $\overline{AB}$를 빗변으로 하는 직각삼각형 ABC를 그린 후, 피타고라스 정리를 이용하여 $\overline{AB}$의 길이, 즉 두 점 A, B 사이의 거리를 구했어.

하지만 고등학교에서 배우는 공식을 미리 알고, 이 문제에 적용하면 피타고라스 정리를 이용하지 않고 $\overline{AB}=\sqrt{\{3-(-1)\}^2+(-2-6)^2}=\sqrt{80}=4\sqrt{5}$와 같이 좀 더 간단하게 두 점 사이의 거리를 구할 수 있어. 하지만 공식을 단순히 암기하고 적용하기 보단 그 원리를 이해하고 익히는 것이 중요하니 이 단원에서는 기본 원리에 충실하게 문제를 풀어 보도록 해.

절대등급

최상위의 절대 기준

최상위의 절대 기준

절대등급

나는 수학의 기초를 세운 탈레스

Thales →

피라미드의 높이 측정!

정답과 풀이

중학 **수학 3-1**

동아출판

최상위의 절대 기준

절대등급 중학 **수학 3-1 빠른 정답 안내**

[모바일 빠른 정답]

QR 코드를 찍으면 **정답과 풀이**를 쉽고 빠르게 확인할 수 있습니다.

최상위의 절대 기준

절대등급

중학 수학 3-1

정답과 풀이

빠른 정답

Ⅰ. 실수와 그 연산

01. 제곱근과 실수 | 본책 8쪽~17쪽

LEVEL 1 **01** ②, ⑤ **02** -6 **03** $2b$ **04** $-2x+1$ **05** 150 **06** ⑤
07 2 **08** $\sqrt{a}$ **09** 24 **10** ①, ⑤ **11** $\sqrt{2.5}$, $2-\sqrt{3}$
12 P : $-3+\sqrt{5}$, Q : $4-\sqrt{13}$ **13** ③ **14** ④ **15** $C<A<B$
16 $x=\sqrt{33}$, $y=\sqrt{3}$ **17** $\sqrt{2}$배 **18** 810
19 P : $-\sqrt{13}$, Q : $\sqrt{13}$, R : $7-\sqrt{5}$, S : $7+\sqrt{5}$ 대소 관계: $\sqrt{13}<7-\sqrt{5}$
20 $\sqrt{30}$ m

LEVEL 2 **01** $-\sqrt{6}$ **02** $4\sqrt{2}$ **03** $-abc+2ab-1$ **04** 7 **05** ③
06 7 **07** $n=63$, (C의 넓이)$=245\text{ m}^2$ **08** 200 **09** ③ **10** 3
11 $\sqrt{(a-1)^2}$ **12** 4 **13** 7 **14** 4 **15** 21 **16** 6 **17** 2개 **18** $7-\sqrt{5}$
19 $\sqrt{10}-1$ **20** $3-\sqrt{3}$ **21** $\sqrt{17}$ **22** $\sqrt{5}$ **23** $6-\sqrt{10}$ **24** $\sqrt{3}x$

LEVEL 3 **01** 27 **02** 3 **03** 78 **04** 1, 2, 4, 5, 8, 9, 10, 16

02. 근호를 포함한 식의 계산 | 본책 20쪽~29쪽

LEVEL 1 **01** ④ **02** ③ **03** ⑤ **04** $\frac{\sqrt{17}}{2}$배 **05** 2 **06** ⑤
07 ②, ⑤ **08** $7\sqrt{2}-5\sqrt{3}$ **09** $3\sqrt{3}+\sqrt{6}$ **10** 1 **11** 3
12 $a=-6$, $b=1$ **13** ⑤ **14** 58 **15** $\frac{8\sqrt{17}}{17}$ **16** $2-\sqrt{3}$ **17** 0.58
18 (가) : $\frac{\sqrt{30}}{15}$, (나) : $5\sqrt{3}$, (다) : $5\sqrt{6}$, (라) : $\frac{2}{5}$ **19** 28

LEVEL 2 **01** $120\sqrt{5}$ **02** 다섯 자리 **03** ④ **04** $\frac{2080\sqrt{3}}{27}$ **05** 1400
06 ⑤ **07** ③ **08** ② **09** ④ **10** $68\sqrt{5}$ **11** $16+6\sqrt{2}$ **12** $(2+\sqrt{2})\pi$
13 $\frac{\sqrt{6}}{3}$ **14** $\frac{5-\sqrt{10}}{20}$ **15** $\frac{5\sqrt{3}}{3}$ **16** 14 **17** -5
18 $\sqrt{1.4}$: 8, $\sqrt{14}$: 4 **19** ⑤ **20** $3-2\sqrt{2}$ **21** $\sqrt{10}-1$ **22** 5
23 $6+6\sqrt{2}+2\sqrt{3}$

LEVEL 3 **01** $720\sqrt{70}$ **02** $-2+\sqrt{5}$ **03** $\frac{52}{5}$ **04** $\frac{11}{190}$

Ⅱ. 다항식의 곱셈과 인수분해

03. 다항식의 곱셈과 곱셈 공식 | 본책 33쪽~41쪽

LEVEL 1 **01** 36 **02** ④ **03** ① **04** 5 **05** ④ **06** 43 **07** 731
08 25.02 **09** $27-8\sqrt{6}$ **10** $2\sqrt{2}+\sqrt{3}$ **11** 7 **12** ⑤ **13** ④ **14** 12
15 51 **16** -4 **17** ③ **18** $-a^2+5ab-6b^2$

LEVEL 2 **01** 4 **02** 50 **03** 11 **04** ② **05** 2 **06** -1
07 $-2x^2-4$ **08** $-2a^2+7ab-6b^2$ **09** x^8-7x^4+1 **10** $24+24\sqrt{3}$
11 $a=4$, $b=8$ **12** 16 **13** 17 **14** ④ **15** 1 **16** $22+4\sqrt{30}$ **17** 29
18 -22 **19** 424 **20** $4\sqrt{6}$

LEVEL 3 **01** -1, 1 **02** $31x^2-16x-92$ **03** $x^2+y^2+z^2$ **04** 9

04. 인수분해 | 본책 44쪽~53쪽

LEVEL 1 **01** ④ **02** ③ **03** -1 **04** $(a^2+b^2)(a+b)(a-b)$
05 $2x-13$ **06** 20, $5x-4y$ **07** $2x+3$ **08** $3a+5$ **09** 11 **10** ④
11 ② **12** 2 **13** $(x-y+1)(x+3y+2)$ **14** 2572 **15** 16
16 $4x+8$ **17** $(x-3)(2x+1)$ **18** 1

LEVEL 2 **01** 8 **02** 5 **03** $-\sqrt{5}$ **04** $20x-6$ **05** 수학 **06** 5
07 32 **08** 1 **09** $\frac{51}{100}$ **10** ③ **11** (1) 40 (2) 1600 **12** 8 **13** 131
14 20 **15** 4 **16** 4 **17** $a+b$ **18** 28 **19** ④ **20** $3x+y+z+1$
21 12 **22** $2\pi(a-b)(a+5b)$

LEVEL 3 **01** $\frac{531}{380}$ **02** 23 **03** $(x+2)(x+5)$ **04** $-63+27\sqrt{7}$

Ⅲ. 이차방정식

05. 이차방정식의 뜻과 풀이 | 본책 58쪽~67쪽

LEVEL 1 **01** ③ **02** 2 **03** 3 **04** -5 **05** 3 **06** ④ **07** 5 **08** ①
09 $\frac{7}{4}$ **10** 24 **11** 21 **12** -1 **13** 2 **14** $x=-\frac{3}{7}$ 또는 $x=3$ **15** ①
16 1 **17** 6 **18** $-3, 1$ **19** (1) $\left(x-\frac{1}{2}\right)^2=\frac{k-4}{4}$ (2) $k\geq 4$

LEVEL 2 **01** $m\neq 1$이고 $m\neq 4$ **02** 38 **03** ④
04 $x=-2$ 또는 $x=\frac{3}{2}$ **05** 12 **06** ④ **07** $x=-\frac{5}{6}$ **08** $\frac{1}{2}, 1$ **09** -8
10 ③ **11** -1 **12** $\frac{1}{12}$ **13** 8 **14** $x=1$ **15** $\frac{7\sqrt{5}}{5}, -\frac{7\sqrt{5}}{5}$ **16** ④
17 $-7\leq k<7$ **18** ⑤ **19** 6 **20** $\frac{9}{16}$ **21** $-\frac{1}{2}, \frac{5}{4}$
22 $x=-5$ 또는 $x=2$ **23** $-3, 4$ **24** $x=5, y=3$

LEVEL 3 **01** 2 **02** 60 **03** $p=\frac{3}{2}, q=\frac{1}{2}$ 또는 $p=-1, q=-\frac{3}{4}$
04 $x=-3$ 또는 $x=\frac{1+\sqrt{33}}{2}$

06. 근의 공식과 이차방정식의 활용 | 본책 70쪽~79쪽

LEVEL 1 **01** ④ **02** -4 **03** 20 **04** $k\geq -\frac{25}{8}$ **05** ④ **06** 3
07 ④ **08** $x=\frac{2\pm\sqrt{22}}{3}$ **09** 54 **10** 16 **11** ④ **12** -13 **13** 4년
14 7, 9, 11 **15** ② **16** 6초 **17** $x=\frac{-3\pm\sqrt{21}}{4}$
18 $x^2+6x-12=0$ **19** 가로의 길이 : 10 cm, 세로의 길이 : 6 cm

LEVEL 2 **01** $\frac{1+\sqrt{5}}{2}$ **02** ⑤ **03** $3+\sqrt{33}$ **04** 18 **05** ③
06 $x=\frac{1\pm\sqrt{3}}{2}$ **07** 6 **08** 39 **09** ②, ⑤ **10** $\frac{\sqrt{57}}{6}$ **11** $-\frac{16}{3}$
12 8, 9 **13** $k=4, x=\pm 1$ **14** ② **15** $6x^2-7x-1=0$ **16** 24
17 560 cm^3 **18** 20 % **19** (1) $(-1+\sqrt{5})$ cm (2) $a=-20, b=80$
20 41 **21** 10초 **22** 4 **23** (1) $n(n+2)$ (2) 21단계 **24** $10-\sqrt{70}$

LEVEL 3 **01** $\frac{5+\sqrt{41}}{4}$ **02** $\frac{4+3\sqrt{2}}{2}$ **03** 5 **04** 정삼각형

Ⅳ. 이차함수

07. 이차함수와 그 그래프 | 본책 84쪽~91쪽

LEVEL 1 **01** ③, ⑤ **02** 11 **03** ㄷ, ㄹ **04** ④ **05** 8 **06** $\frac{19}{2}$
07 ⑤ **08** 제3사분면, 제4사분면 **09** $\left(0, -\frac{8}{3}\right)$ **10** ⑤ **11** $x>-\frac{1}{2}$
12 $(-3, 45)$ **13** 1 **14** ① **15** $a>0, p>0, q<0$ **16** ① **17** $(0, -1)$
18 꼭짓점의 좌표 : $(1, 3)$, 축의 방정식 : $x=1$ **19** 18

LEVEL 2 **01** -3 **02** 2 **03** $\frac{16}{9}$ **04** $\frac{3}{4}$ **05** $(6\sqrt{2}, 12+3\sqrt{2})$
06 6, 24, 54, 96 **07** 12 **08** 12 **09** $(3\sqrt{3}, 6)$ **10** -2 **11** 3
12 $(0, 2)$ **13** 20 **14** -14 **15** $-3\leq k\leq 5$ **16** $-7, -3$

LEVEL 3 **01** 6 **02** 35 **03** 6 **04** 100

08. 이차함수 $y=ax^2+bx+c$의 그래프 | 본책 94쪽~103쪽

LEVEL 1 **01** ⑤ **02** 4 **03** $k>-12$ **04** ① **05** ③, ⑤ **06** 6
07 10 **08** -12 **09** 0 **10** $(0, 3)$ **11** ③ **12** 8 **13** -3 **14** -4
15 6 **16** 2 **17** 4 : 3 **18** $(3, 4)$

LEVEL 2 **01** $-4, -10$ **02** 2 **03** 4 **04** $\frac{1}{9}\leq a\leq 4$ **05** 12 **06** ⑤
07 3개 **08** 12 **09** 8 **10** 15 **11** $\frac{5}{6}$ **12** $\frac{27}{2}$ **13** $4\sqrt{5}$ **14** 15
15 $y=\frac{1}{2}x^2+3x+\frac{11}{2}$ **16** 1 **17** $(-9, 0), (3, 0)$ **18** $(3, 0), (4, 0)$
19 $y=\frac{1}{2}x^2-3x+\frac{1}{2}$ **20** $(-1, 9)$ **21** $(2, -3)$ **22** 2451 **23** -6
24 5초 후

LEVEL 3 **01** $24-8\sqrt{5}$ **02** $y=\frac{2}{3}x+\frac{2}{3}$ **03** $-\frac{9}{8}$ **04** 3

I. 실수와 그 연산

01. 제곱근과 실수

LEVEL 1 시험에 꼭 나오는 문제

→8쪽~10쪽

01 ②, ⑤	02 -6	03 $2b$	04 $-2x+1$	05 150
06 ⑤	07 2	08 $\sqrt{a}$	09 24	10 ①, ⑤
11 $\sqrt{2.5}$, $2-\sqrt{3}$	12 P : $-3+\sqrt{5}$, Q : $4-\sqrt{13}$	13 ③	14 ④	15 $C<A<B$
16 $x=\sqrt{33}$, $y=\sqrt{3}$	17 $\sqrt{2}$배	18 810		
19 P : $-\sqrt{13}$, Q : $\sqrt{13}$, R : $7-\sqrt{5}$, S : $7+\sqrt{5}$ 대소 관계: $\sqrt{13}<7-\sqrt{5}$	20 $\sqrt{30}$ m			

01

② 제곱근 5는 $\sqrt{5}$이다.
③ $\sqrt{9}=\sqrt{3^2}=3$이므로 $\sqrt{9}$의 제곱근은 $\pm\sqrt{3}$이다.
④ $\sqrt{121}=\sqrt{11^2}=11$이므로 $\sqrt{121}$의 음의 제곱근은 $-\sqrt{11}$이다.
⑤ 0의 제곱근은 0 한 개뿐이고, 음의 정수의 제곱근은 없다.
따라서 옳지 않은 것은 ②, ⑤이다. 답 ②, ⑤

02

$\sqrt{256}=\sqrt{16^2}=16$이므로
$\sqrt{256}$의 양의 제곱근은 $\sqrt{16}=\sqrt{4^2}=4$
제곱근 $\frac{4}{25}$는 $\sqrt{\frac{4}{25}}=\sqrt{\left(\frac{2}{5}\right)^2}=\frac{2}{5}$
따라서 $a=4$, $b=\frac{2}{5}$이므로
$a-25b=4-25\times\frac{2}{5}=-6$ 답 -6

03

$a-b<0$, $ab<0$이므로 $a<0$, $b>0$
$\therefore \sqrt{(a-b)^2}-\sqrt{a^2}+\sqrt{b^2}$
$=-(a-b)-(-a)+b$
$=-a+b+a+b=2b$ 답 $2b$

04

$-1<x<2$이므로 $x-2<0$, $x+1>0$
$\therefore \sqrt{(x-2)^2}-\sqrt{(x+1)^2}$
$=-(x-2)-(x+1)$
$=-x+2-x-1$
$=-2x+1$ 답 $-2x+1$

05

$\sqrt{24n}=\sqrt{2^3\times3\times n}$이 자연수가 되려면
$n=2\times3\times k^2$(k는 자연수)의 꼴이어야 하므로
$n=6, 24, 54, 96, 150, \cdots$
따라서 구하는 가장 작은 세 자리의 자연수 n의 값은 150이다.
답 150

06

$\sqrt{50-n}$이 자연수가 되려면 $50-n$이 50보다 작은 제곱수이어야 하므로
$50-n=1, 4, 9, 16, 25, 36, 49$
$\therefore n=1, 14, 25, 34, 41, 46, 49$
따라서 구하는 자연수 n의 값은 모두 7개이다. 답 ⑤

쌤의 오답 피하기 특강

자연수 A, x에 대하여
(1) $\sqrt{A+x}$가 자연수가 되려면 $A+x$는 A보다 큰 제곱수이어야 한다.
(2) $\sqrt{A-x}$가 자연수가 되려면 $A-x$는 A보다 작은 제곱수이어야 한다.

07

$2=\sqrt{4}$, $3=\sqrt{9}$이므로 $2<\sqrt{6}<3$
$\therefore \sqrt{6}-3<0$, $\sqrt{6}-2>0$
$\therefore \sqrt{(\sqrt{6}-3)^2}+\sqrt{(\sqrt{6}-2)^2}-\sqrt{(-2)^2}+(-\sqrt{3})^2$
$=-(\sqrt{6}-3)+(\sqrt{6}-2)-2+3$
$=-\sqrt{6}+3+\sqrt{6}-2-2+3$
$=2$ 답 2

08

$0<a<1$이면 $a^2<a$, $\sqrt{a^2}<\sqrt{a}$이므로 $a<\sqrt{a}$
$a<1<\frac{1}{a}$에서 $\sqrt{a}<\sqrt{\frac{1}{a}}$
$a^2<a$에서 $\frac{1}{a}<\frac{1}{a^2}$, $\sqrt{\frac{1}{a}}<\sqrt{\frac{1}{a^2}}=\frac{1}{a}$
$\therefore a^2<a<\sqrt{a}<\sqrt{\frac{1}{a}}<\frac{1}{a}$
따라서 세 번째로 작은 것은 $\sqrt{a}$이다. 답 $\sqrt{a}$

다른 풀이

$a=\frac{1}{2}$이라 하면
$a=\sqrt{\frac{1}{4}}$, $a^2=\frac{1}{4}=\sqrt{\frac{1}{16}}$, $\frac{1}{a}=2=\sqrt{4}$, $\sqrt{a}=\sqrt{\frac{1}{2}}$, $\sqrt{\frac{1}{a}}=\sqrt{2}$
이므로 $\sqrt{\frac{1}{16}}<\sqrt{\frac{1}{4}}<\sqrt{\frac{1}{2}}<\sqrt{2}<\sqrt{4}$
$\therefore a^2<a<\sqrt{a}<\sqrt{\frac{1}{a}}<\frac{1}{a}$
따라서 세 번째로 작은 것은 $\sqrt{a}$이다.

09

$5<\sqrt{3x+1}<7$의 각 변을 제곱하면
$25<3x+1<49$, $24<3x<48$ $\therefore 8<x<16$

이때 자연수 x의 값 중 가장 큰 수는 15, 가장 작은 수는 9이므로
$M=15$, $m=9$
$\therefore M+m=15+9=24$ 답 24

10

② 순환소수는 무한소수이지만 유리수이다.
③ $a=4$일 때, $\sqrt{a}=\sqrt{4}=\sqrt{2^2}=2$이므로 유리수이다.
④ $\sqrt{2}$와 $-\sqrt{2}$는 무리수이지만 $\sqrt{2}+(-\sqrt{2})=0$이므로 그 합은 유리수이다.
따라서 옳은 것은 ①, ⑤이다. 답 ①, ⑤

쌤의 특강

무한소수는 순환소수(유리수)와 순환하지 않는 무한소수(무리수)로 나뉜다. 모든 유한소수는 유리수이지만 모든 무한소수가 무리수는 아님에 주의한다.

11

$\sqrt{\frac{16}{49}}=\sqrt{\left(\frac{4}{7}\right)^2}=\frac{4}{7}$이므로 유리수이다.

$\sqrt{0.\dot{4}}=\sqrt{\frac{4}{9}}=\sqrt{\left(\frac{2}{3}\right)^2}=\frac{2}{3}$이므로 유리수이다.

따라서 무리수인 것은 $\sqrt{2.5}$, $2-\sqrt{3}$이다. 답 $\sqrt{2.5}$, $2-\sqrt{3}$

쌤의 오답 피하기 특강

근호가 있다고 하여 모두 무리수인 것은 아님에 주의한다. 즉, 근호 안의 수가 (유리수)^{2}의 꼴이면 근호를 사용하지 않고 나타낼 수 있으므로 유리수이다.

12

직각삼각형 ABC에서
$\overline{AB}=\sqrt{2^2+1^2}=\sqrt{5}$이므로 $\overline{BP}=\overline{BA}=\sqrt{5}$
직각삼각형 DEF에서
$\overline{DE}=\sqrt{2^2+3^2}=\sqrt{13}$이므로 $\overline{EQ}=\overline{ED}=\sqrt{13}$
따라서 두 점 P, Q에 대응하는 수는 각각 $-3+\sqrt{5}$, $4-\sqrt{13}$이다.
답 P : $-3+\sqrt{5}$, Q : $4-\sqrt{13}$

13

③ 서로 다른 두 유리수 1.5와 2.3 사이에는 정수가 2의 한 개이다.
답 ③

14

① $\sqrt{10}-2-1=\sqrt{10}-3=\sqrt{10}-\sqrt{9}>0$이므로
$\sqrt{10}-2>1$
② $\sqrt{40}-3-4=\sqrt{40}-7=\sqrt{40}-\sqrt{49}<0$이므로
$\sqrt{40}-3<4$
③ $\sqrt{12}+1-\sqrt{(-5)^2}=\sqrt{12}-4=\sqrt{12}-\sqrt{16}<0$이므로
$\sqrt{12}+1<\sqrt{(-5)^2}$
④ $\sqrt{5}-(-\sqrt{2})^2-(\sqrt{5}-\sqrt{3})=-2+\sqrt{3}=-\sqrt{4}+\sqrt{3}<0$
이므로 $\sqrt{5}-(-\sqrt{2})^2<\sqrt{5}-\sqrt{3}$
⑤ $3\sqrt{2}+\sqrt{15}-(\sqrt{15}+4)=3\sqrt{2}-4=\sqrt{18}-\sqrt{16}>0$이므로
$3\sqrt{2}+\sqrt{15}>\sqrt{15}+4$
따라서 대소 관계가 옳지 않은 것은 ④이다. 답 ④

15

$A-B=3-(\sqrt{17}-1)=4-\sqrt{17}=\sqrt{16}-\sqrt{17}<0$이므로
$A<B$
$A-C=3-(\sqrt{3}+1)=2-\sqrt{3}=\sqrt{4}-\sqrt{3}>0$이므로
$A>C$
$\therefore C<A<B$ 답 $C<A<B$

쌤의 특강

세 실수 a, b, c에 대하여 $a<b$이고 $b<c$이면 $a<b<c$
이때 세 실수 a, b, c에서 공통 부분이 있는 것끼리 두 개씩 짝을 지어 비교하는 것이 편리하다.

16

직각삼각형 ABD에서
$x=\sqrt{7^2-4^2}=\sqrt{33}$
직각삼각형 ACD에서
$y=\sqrt{6^2-x^2}=\sqrt{36-33}=\sqrt{3}$ 답 $x=\sqrt{33}$, $y=\sqrt{3}$

17

모든 정육각형은 서로 닮은 도형이므로 기존 재단의 윗면의 넓이와 새로운 재단의 윗면의 넓이의 비가 1 : 2이면 그 닮음비는 1 : $\sqrt{2}$이다.
따라서 재단의 윗면의 한 변의 길이를 $\sqrt{2}$배로 늘여야 한다.
답 $\sqrt{2}$배

18

$v=\sqrt{2\times9.8\times h}=\sqrt{2\times\frac{49}{5}\times h}=\sqrt{2\times\frac{7^2}{5}\times h}$가 자연수가 되려면 $h=2\times5\times k^2$ (k는 자연수)의 꼴이어야 하므로
$h=10, 40, 90, 160, 250, 360, 490, 640, 810, 1000, \cdots$
따라서 구하는 가장 큰 세 자리의 자연수 h의 값은 810이다.
답 810

19

$\overline{AB}=\overline{BC}=\sqrt{3^2+2^2}=\sqrt{13}$이므로
$\overline{BP}=\overline{BA}=\sqrt{13}$, $\overline{BQ}=\overline{BC}=\sqrt{13}$
$\overline{EF}=\overline{FG}=\sqrt{1^2+2^2}=\sqrt{5}$이므로
$\overline{FR}=\overline{FE}=\sqrt{5}$, $\overline{FS}=\overline{FG}=\sqrt{5}$
따라서 네 점 P, Q, R, S에 대응하는 수는 각각
$-\sqrt{13}$, $\sqrt{13}$, $7-\sqrt{5}$, $7+\sqrt{5}$이다.
이때 점 Q가 점 R보다 왼쪽에 있으므로 $\sqrt{13}<7-\sqrt{5}$
답 P : $-\sqrt{13}$, Q : $\sqrt{13}$, R : $7-\sqrt{5}$, S : $7+\sqrt{5}$,
대소 관계 : $\sqrt{13}<7-\sqrt{5}$

20

직각삼각형 DFE에서

$\overline{FE}=\sqrt{5^2-3^2}=4\,(m)$이므로

$\triangle DCE=\frac{1}{2}\times5\times4=10\,(m^2)$

또, $\square ABCD=4\times5=20\,(m^2)$이므로

우리의 전체 넓이는 $20+10=30\,(m^2)$

새로 만든 정사각형 모양의 우리의 한 변의 길이를 x m라 하면

$x^2=30$

이때 $x>0$이므로 $x=\sqrt{30}$

따라서 구하는 한 변의 길이는 $\sqrt{30}$ m이다. 답 $\sqrt{30}$ m

LEVEL 2 필수 기출 문제

→ 11쪽~16쪽

01 $-\sqrt{6}$	02 $4\sqrt{2}$	03 $-abc+2ab-1$	04 7
05 ③	06 7	07 $n=63$, (C의 넓이)$=245\,m^2$	08 200
09 ③	10 3	11 $\sqrt{(a-1)^2}$	12 4
13 7	14 4	15 21	16 6
17 2개	18 $7-\sqrt{5}$	19 $\sqrt{10}-1$	20 $3-\sqrt{3}$
21 $\sqrt{17}$	22 $\sqrt{5}$	23 $6-\sqrt{10}$	24 $\sqrt{3}x$

01

[전략] a, b의 값을 구하여 대입한다.

121의 양의 제곱근은 $\sqrt{121}=\sqrt{11^2}=11$ $\therefore a=11$

$b=\sqrt{(-5)^2}=5$

$\therefore \sqrt{3a+b-2}=\sqrt{3\times11+5-2}=\sqrt{36}=6$

이때 6의 음의 제곱근은 $-\sqrt{6}$이다. 답 $-\sqrt{6}$

02

[전략] 정사각형 R_5의 넓이를 이용하여 한 변의 길이를 구한다.

R_1의 넓이는 $\frac{64}{2}=32$

R_2의 넓이는 $\frac{32}{2}=16$

R_3의 넓이는 $\frac{16}{2}=8$

R_4의 넓이는 $\frac{8}{2}=4$

R_5의 넓이는 $\frac{4}{2}=2$

이때 정사각형 R_5의 한 변의 길이를 x라 하면 $x^2=2$

$x>0$이므로 $x=\sqrt{2}$

따라서 정사각형 R_5의 둘레의 길이는 $4\sqrt{2}$이다. 답 $4\sqrt{2}$

03

[전략] 주어진 조건을 이용하여 a, b, c의 부호를 판별한다.

$ac<0$, $a-c>0$이므로 $a>0$, $c<0$

$bc<0$이므로 $b>0$

따라서 $abc<0$, $ab-bc>0$, $ac-ab<0$, $ac+bc-1<0$이므로

$\sqrt{(abc)^2}+\sqrt{(ab-bc)^2}+\sqrt{(ac-ab)^2}-\sqrt{(ac+bc-1)^2}$

$=-abc+(ab-bc)-(ac-ab)+(ac+bc-1)$

$=-abc+2ab-1$ 답 $-abc+2ab-1$

04

[전략] $x=-3$, $x=3$을 경계로 $x<-3$, $-3\le x<3$, $x\ge3$인 경우로 나누어 근호를 푼다.

(i) $x<-3$일 때

$x+3<0$, $x-3<0$이므로

$\sqrt{(x+3)^2}+\sqrt{(x-3)^2}=-(x+3)-(x-3)$

$=-2x=6$

$\therefore x=-3$

이 값은 $x<-3$을 만족시키지 않는다.

(ii) $-3\le x<3$일 때

$x+3\ge0$, $x-3<0$이므로

$\sqrt{(x+3)^2}+\sqrt{(x-3)^2}=(x+3)-(x-3)=6$

이 등식은 $-3\le x<3$인 모든 정수 x에 대하여 항상 성립한다.

(iii) $x\ge3$일 때

$x+3>0$, $x-3\ge0$이므로

$\sqrt{(x+3)^2}+\sqrt{(x-3)^2}=(x+3)+(x-3)$

$=2x=6$

$\therefore x=3$

(i)~(iii)에서 주어진 식을 만족시키는 정수 x의 값의 개수는

$-3, -2, -1, 0, 1, 2, 3$의 7이다. 답 7

05

[전략] 제곱근의 성질을 이용하여 식을 간단히 할 때, 우변의 식이 나올 수 있는 조건을 생각한다.

$\sqrt{(a-b)^2}+\sqrt{(b-c)^2}+\sqrt{(c-a)^2}$

$=|a-b|+|b-c|+|c-a|$ ······㉠

이므로 $2b-2c>0$, 즉 $b>c$

이때 a와 b, c와 a의 대소 관계에 따른 ㉠의 값은 다음과 같다.

(i) $a>b$, $c>a$일 때

$a-b+b-c+c-a=0$

(ii) $a>b$, $c<a$일 때

$a-b+b-c-c+a=2a-2c$

(iii) $a<b$, $c>a$일 때

$-a+b+b-c+c-a=-2a+2b$

(iv) $a<b$, $c<a$일 때

$-a+b+b-c-c+a=2b-2c$

따라서 $a<b$, $c<a$일 때 등식이 성립하므로

a, b, c의 대소 관계는 $c<a<b$이다. 답 ③

다른 풀이

$\sqrt{(a-b)^2}+\sqrt{(b-c)^2}+\sqrt{(c-a)^2}=|a-b|+|b-c|+|c-a|$

서로 다른 세 수 a, b, c를 수직선 위에 나타내면

$|a-b|$는 a와 b를 나타내는 점 사이의 거리,

$|b-c|$는 b와 c를 나타내는 점 사이의 거리,

$|c-a|$는 c와 a를 나타내는 점 사이의 거리를 의미한다.

이때 이 세 거리의 합은 수직선에서 가장 오른쪽에 위치한 점과 가장 왼쪽에 위치한 점 사이의 거리의 2배이다.

그 값이 $2b-2c=2(b-c)$이므로 세 수 중에서 가장 큰 수는 b, 가장 작은 수는 c이다.

따라서 구하는 세 수의 대소 관계는 $c<a<b$이다.

06

[전략] 순환소수를 분수로 바꾼 후, 제곱근의 성질을 이용한다.

$1.2\dot{3}=\frac{123-12}{90}=\frac{111}{90}=\frac{37}{30}$

$1.\dot{1}\dot{2}=\frac{112-1}{99}=\frac{111}{99}=\frac{37}{33}$이므로

$\sqrt{1.2\dot{3}\times\frac{a}{b}}=1.\dot{1}\dot{2}$에서 $\sqrt{\frac{37}{30}\times\frac{a}{b}}=\frac{37}{33}$

즉, $\frac{37}{30}\times\frac{a}{b}=\left(\frac{37}{33}\right)^2$이므로

$\frac{a}{b}=\frac{37}{33}\times\frac{37}{33}\times\frac{30}{37}=\frac{370}{363}$

따라서 $a=370$, $b=363$이므로

$a-b=370-363=7$

답 7

쌤의 복합 개념 특강

순환소수를 분수로 나타내기

순환소수가 포함된 등식은 순환소수를 분수로 바꾸어 놓고 생각한다.

순환소수를 분수로 바꾸는 과정은 다음과 같다.

➡ (분모) : 순환마디의 숫자의 개수만큼 9를 적고, 그 뒤에 소수점 아래 순환하지 않는 숫자의 개수만큼 0을 적는다.

$a.b\dot{c}\dot{d}=\frac{abcd-ab}{990}$

➡ (분자) : (전체의 수)−(순환하지 않는 부분의 수)

07

[전략] 밭 A, B의 한 변의 길이가 모두 자연수가 되도록 하는 자연수 n의 값을 구한다.

밭 A의 한 변의 길이는 $\sqrt{28n}$ m이고

밭 B의 한 변의 길이는 $\sqrt{112-n}$ m이다.

$\sqrt{28n}=\sqrt{2^2\times7\times n}$이 자연수가 되려면

$n=7\times k^2$(k는 자연수)의 꼴이어야 하므로

$n=7, 28, 63, 112, \cdots$ ······㉠

$\sqrt{112-n}$이 자연수가 되려면 $112-n$이 112보다 작은 제곱수이어야 하므로

$112-n=1, 4, 9, \cdots, 100$

$\therefore n=12, 31, 48, 63, \cdots, 111$ ······㉡

㉠, ㉡에서 구하는 자연수 n의 값은 63이다.

즉, 밭 A의 한 변의 길이는

$\sqrt{28\times63}=\sqrt{2^2\times3^2\times7^2}=\sqrt{(2\times3\times7)^2}=42$ (m)

밭 B의 한 변의 길이는

$\sqrt{112-63}=\sqrt{49}=\sqrt{7^2}=7$ (m)

따라서 밭 C의 긴 변의 길이는 $42-7=35$ (m), 짧은 변의 길이는 7 m이므로 그 넓이는 $35\times7=245$ (m^2)

답 $n=63$, (C의 넓이)$=245$ m^2

08

[전략] a는 근호 안이 제곱수가 되도록 하는 수이다.

조건 (나)에서

$b=\sqrt{\frac{40}{3}\times a}=\sqrt{\frac{2^3\times5}{3}\times a}$가 자연수가 되려면

$a=2\times3\times5\times k^2$($k$는 자연수)의 꼴이어야 한다.

조건 (가)에서

$a=30k^2$은 500 이하의 자연수이므로

$k=1, 2, 3, 4$

한편, $a=30k^2$을 $b=\sqrt{\frac{40}{3}\times a}$에 대입하면

$b=\sqrt{\frac{40}{3}\times30k^2}$

$=\sqrt{400k^2}$

$=\sqrt{(20k)^2}$

$=20k$

즉, $b=20k$에 $k=1, 2, 3, 4$를 각각 대입하면

$b=20, 40, 60, 80$

따라서 모든 자연수 b의 값의 합은

$20+40+60+80=200$

답 200

09

[전략] $\sqrt{2n}$, $\sqrt{3n}$ 중 하나라도 유리수가 되도록 하는 자연수 n의 값을 제외한다.

(i) $\sqrt{2n}$이 유리수가 되는 경우

$n=2\times p^2$(p는 자연수)의 꼴이어야 하므로

$n=2\times1^2, 2\times2^2, 2\times3^2, \cdots, 2\times15^2$

(ii) $\sqrt{3n}$이 유리수가 되는 경우

$n=3\times q^2$(q는 자연수)의 꼴이어야 하므로

$n=3\times1^2, 3\times2^2, 3\times3^2, \cdots, 3\times12^2$

(i), (ii)에서 중복되는 수가 없으므로 $\sqrt{2n}$, $\sqrt{3n}$이 모두 무리수가 되도록 하는 500 이하의 자연수 n의 값의 개수는

$500-(15+12)=473$

답 ③

10

[전략] n의 값이 4개임을 이용하여 p의 범위를 찾고 p를 구한다.

(i) $p=2$일 때

$\sqrt{2pn}$이 자연수가 되려면 $n=k^2$(k는 자연수)의 꼴이어야 한다.

이때 $0<n\leq100$이므로 가능한 n의 값은

$n=1, 4, 9, 16, \cdots, 100$의 10개이므로 조건을 만족시키지 않는다.

(ii) $p\neq2$일 때
$\sqrt{2pn}$이 자연수가 되려면
$n=2\times p\times k^2$(k는 자연수)의 꼴이어야 한다.
즉, $n=2p, 8p, 18p, 32p, 50p, \cdots$
그런데 $0<n\leq100$을 만족시키는 n의 값이 4개이어야 하므로
$n=2p, 8p, 18p, 32p$
이때 n의 값 중 가장 큰 값인 $32p$에 대하여
$32p\leq100$이므로
$p\leq\frac{100}{32}=3.\times\times\times$ ……㉠
또, $50p$는 n의 값이 될 수 없으므로
$50p>100$
$\therefore p>2$ ……㉡
따라서 ㉠, ㉡을 동시에 만족시키는 소수 p의 값은 3이다.
(i), (ii)에서 소수 p의 값은 3이다.

답 3

11

[전략] 주어진 조건을 이용하여 a, b의 값의 범위를 구한다.

$a-b>0$, $ab<0$이므로 $a>0$, $b<0$
$a<\sqrt{a}$의 양변을 제곱하면 $a^2<a$
이때 $a>0$이므로 $a<1$
$\therefore a+1>0, a-1<0, b-1<0$
$\sqrt{(a+1)^2}=a+1$이고 $1<a+1<2$
$-\sqrt{b^2}=b$이고 $b<0$
$\sqrt{(a-1)^2}=1-a$이고 $0<1-a<1$
$\sqrt{(b-1)^2}=1-b$이고 $1-b>1$
$\frac{1}{a}>1$이므로 $\sqrt{\frac{1}{a}}>1$
따라서 $-\sqrt{b^2}$은 음수이므로 가장 작고, $\sqrt{(a+1)^2}$, $\sqrt{(b-1)^2}$, $\sqrt{\frac{1}{a}}$은 1보다 크므로 두 번째로 작은 것은 $\sqrt{(a-1)^2}$이다.

답 $\sqrt{(a-1)^2}$

12

[전략] 조건을 만족시키는 a, b의 값을 각각 구한 후 근호 안이 제곱수가 되도록 하는 n의 값을 구한다.

$2.8<\sqrt{x}<8$의 각 변을 제곱하면 $7.84<x<64$
$\therefore a=8, b=63$
따라서 $\sqrt{\frac{ab}{n}}=\sqrt{\frac{8\times63}{n}}=\sqrt{\frac{2^3\times3^2\times7}{n}}$이 자연수가 되도록 하는 자연수 n의 값의 개수는 2×7, $2^3\times7$, $2\times3^2\times7$, $2^3\times3^2\times7$의 4이다.

답 4

쌤의 특강

$\sqrt{\frac{2^3\times3^2\times7}{n}}$이 자연수가 되려면
$n=2\times7\times k$(k는 $2^2\times3^2$의 약수 중 제곱수)의 꼴이어야 한다.

13

[전략] 두 조건 (가), (나)에서 nx의 값이 될 수 있는 수를 모두 구한다.

조건 (가)에서 각 변을 제곱하면 $9\leq nx+1<16$
$\therefore 8\leq nx<15$
조건 (나)에서
$nx=8, 9, 10, 11, 12, 13, 14$
$\therefore x=\frac{8}{n}, \frac{9}{n}, \frac{10}{n}, \frac{11}{n}, \frac{12}{n}, \frac{13}{n}, \frac{14}{n}$
조건 (다)에서 모든 x의 값의 합이 11이므로
$\frac{8+9+10+11+12+13+14}{n}=\frac{77}{n}=11$
$\therefore n=7$

답 7

14

[전략] 새롭게 제작할 배수관의 단면의 반지름의 길이를 구한 후, 그 값의 범위를 이용한다.

단면인 원 모양의 반지름의 길이가 각각 4, 5인 두 배수관의 단면의 넓이의 합은
$\pi\times4^2+\pi\times5^2=41\pi$
새롭게 제작할 배수관의 단면인 원 모양의 반지름의 길이를 x라 하면
$\pi\times x^2=41\pi$, $x^2=41$
이때 $x>0$이므로 $x=\sqrt{41}$
한편, $40.96<41<42.25$이므로 $\sqrt{40.96}<\sqrt{41}<\sqrt{42.25}$
$\therefore 6.4<\sqrt{41}<6.5$
따라서 새롭게 제작할 배수관의 단면의 반지름의 길이는 $\sqrt{41}$이고, $\sqrt{41}=6.4\times\times\times$이므로 소수점 아래 첫째 자리의 숫자는 4이다.

답 4

쌤의 특강

$x>0$, $y>0$일 때, $x^2=a$, $y^2=b$라 하면
$a<A<b \Rightarrow \sqrt{x^2}<\sqrt{A}<\sqrt{y^2}$
$\Rightarrow x<\sqrt{A}<y$

15

[전략] 반올림한 값은 $\frac{(홀수)}{2}$를 경계로 달라진다. 즉, $f(n)$의 값이 달라지는 경계가 되는 수를 찾는다.

반올림의 경계가 되는 수를 찾으면 $\frac{1}{2}=0.5$, $\frac{3}{2}=1.5$, $\frac{5}{2}=2.5$, $\cdots$
(i) $0.5\leq\sqrt{n}<1.5$, 즉 $0.25\leq n<2.25$이면 $f(n)=1$
$\therefore f(1)=f(2)=1$
(ii) $1.5\leq\sqrt{n}<2.5$, 즉 $2.25\leq n<6.25$이면 $f(n)=2$
$\therefore f(3)=f(4)=f(5)=f(6)=2$
(iii) $2.5\leq\sqrt{n}<3.5$, 즉 $6.25\leq n<12.25$이면 $f(n)=3$
$\therefore f(7)=f(8)=f(9)=f(10)=f(11)=f(12)=3$
(iv) $3.5\leq\sqrt{n}<4.5$, 즉 $12.25\leq n<20.25$이면 $f(n)=4$
$\therefore f(13)=f(14)=f(15)=\cdots=f(19)=f(20)=4$
(v) $4.5\leq\sqrt{n}<5.5$, 즉 $20.25\leq n<30.25$이면 $f(n)=5$

$\therefore f(21)=f(22)=\cdots=f(25)=\cdots=f(30)=5$

⋮

(i)~(v)에서

$f(10)+f(15)+f(20)+f(25)+f(30)$

$=3+4+4+5+5=21$

답 21

16

[전략] 주어진 수 중 간단히 할 수 있는 수는 간단히 한다.

$\sqrt{2.\dot{7}}=\sqrt{\frac{27-2}{9}}=\sqrt{\frac{25}{9}}=\sqrt{\left(\frac{5}{3}\right)^2}=\frac{5}{3}$

$-\sqrt{1.44}=-\sqrt{(1.2)^2}=-1.2$

$\frac{\sqrt{256}}{\sqrt{64}}=\frac{\sqrt{16^2}}{\sqrt{8^2}}=\frac{16}{8}=2$

따라서 정수가 아닌 유리수는 $\sqrt{2.\dot{7}}$, $-\sqrt{1.44}$의 2개이고, 유리수가 아닌 수, 즉 무리수는 $2+\sqrt{6}$, $\sqrt{16.9}$, $7-\pi$의 3개이므로

$a=2,\ b=3 \qquad \therefore ab=6$

답 6

주의 $\sqrt{16.9}=\sqrt{\frac{169}{10}}=\sqrt{\frac{13^2}{10}}=\frac{13}{\sqrt{10}}$이므로 유리수가 아니다.

17

[전략] 한 가지라도 성립하지 않는 예가 있는지 찾아본다.

ㄱ. 0의 제곱근은 0 한 개뿐이고, 음수의 제곱근은 없다.

ㄷ. 모든 무리수는 무한소수이다.

ㄹ. 순환소수가 아닌 무한소수이므로 유리수가 아니다.

ㅁ. 무리수 π의 경우 π^2도 무리수이다.

ㅅ. 0은 유리수이고 $\sqrt{2}$는 무리수이지만 $0\times\sqrt{2}$는 유리수이다.

따라서 항상 옳은 것은 ㄴ, ㅂ의 2개이다.

답 2개

18

[전략] 점 Q에 대응하는 수를 이용하여 점 B, F, P에 대응하는 수를 순서대로 구한다.

직각삼각형 BEF에서

$\overline{BE}=\sqrt{2^2+1^2}=\sqrt{5}$이므로 $\overline{BQ}=\overline{BE}=\sqrt{5}$

이때 점 Q에 대응하는 수가 $5+\sqrt{5}$이므로

점 B에 대응하는 수는 $(5+\sqrt{5})-\sqrt{5}=5$

한편, 점 F에 대응하는 수는 $5+2=7$이고

직각삼각형 ABF에서

$\overline{AF}=\sqrt{1^2+2^2}=\sqrt{5}$이므로 $\overline{FP}=\overline{FA}=\sqrt{5}$

따라서 점 P에 대응하는 수는 $7-\sqrt{5}$이다.

답 $7-\sqrt{5}$

19

[전략] a, $a-b$, $c-b$의 부호를 판별하여 주어진 식을 간단히 한다.

$a=\sqrt{15}-2=\sqrt{15}-\sqrt{4}$이므로 $a>0$

$a-b=(\sqrt{15}-2)-2=\sqrt{15}-4=\sqrt{15}-\sqrt{16}$이므로 $a-b<0$

$c-b=(\sqrt{10}-1)-2=\sqrt{10}-3=\sqrt{10}-\sqrt{9}$이므로 $c-b>0$

$\therefore \sqrt{a^2}+\sqrt{(a-b)^2}+\sqrt{(c-b)^2}$

$=a-(a-b)+(c-b)$

$=c=\sqrt{10}-1$

답 $\sqrt{10}-1$

20

[전략] $\sqrt{3}$, $\sqrt{5}$의 크기를 이용하여 주어진 수의 대소를 비교한다.

제곱근의 대소 관계에 의하여

$1<\sqrt{3}<2$이고, $2<\sqrt{5}<3$이므로

$-1<\sqrt{5}-3<0,\ 0<\sqrt{5}-2<1$

$2<1+\sqrt{3}<3,\ -1<\sqrt{3}-2<0$

$-2<-\sqrt{3}<-1$이므로 $1<3-\sqrt{3}<2$

따라서 왼쪽에서 네 번째에 위치하는 수는 $3-\sqrt{3}$이다.

답 $3-\sqrt{3}$

쌤의 특강

주어진 수의 부호를 각각 구하면

$\sqrt{5}-3=\sqrt{5}-\sqrt{9}<0,\ 1+\sqrt{3}>0$

$3-\sqrt{3}=\sqrt{9}-\sqrt{3}>0,\ \sqrt{5}-2=\sqrt{5}-\sqrt{4}>0$

$\sqrt{3}-2=\sqrt{3}-\sqrt{4}<0$

따라서 $1+\sqrt{3}$, $3-\sqrt{3}$, $\sqrt{5}-2$의 대소만을 비교할 수도 있다.

21

[전략] 피타고라스 정리를 이용하여 $\overline{AC_n}$의 길이의 규칙성을 찾는다.

직각삼각형 ABC_1에서 $\overline{AC_1}=\sqrt{1^2+1^2}=\sqrt{2}$

직각삼각형 AC_1C_2에서 $\overline{AC_2}=\sqrt{1^2+(\sqrt{2})^2}=\sqrt{3}$

직각삼각형 AC_2C_3에서 $\overline{AC_3}=\sqrt{1^2+(\sqrt{3})^2}=\sqrt{4}$

⋮

직각삼각형 $AC_{n-1}C_n$에서 $\overline{AC_n}=\sqrt{1^2+(\sqrt{n})^2}=\sqrt{1+n}$

$\therefore \overline{AC_{16}}=\sqrt{1+16}=\sqrt{17}$

답 $\sqrt{17}$

22

[전략] 피타고라스 정리를 이용하여 변의 길이를 구한다.

직각삼각형 ABC에서 $\overline{AC}=\sqrt{1^2+1^2}=\sqrt{2}$

$\overline{AE}=\overline{AC}=\sqrt{2}$이므로 직각삼각형 AEF에서

$\overline{AF}=\sqrt{(\sqrt{2})^2+1^2}=\sqrt{3}$

$\overline{AG}=\overline{AF}=\sqrt{3}$이므로 직각삼각형 AGH에서

$\overline{AH}=\sqrt{(\sqrt{3})^2+1^2}=2$

$\overline{AI}=\overline{AH}=2$이므로 직각삼각형 AIJ에서

$\overline{AJ}=\sqrt{2^2+1^2}=\sqrt{5}$

답 $\sqrt{5}$

23

[전략] $\overline{AO}$, $\overline{BO}$, $\overline{CO}$의 길이를 순서대로 구한다.

점 A에서 $\overline{OC}$에 내린 수선의 발을 H라 하면 오른쪽 그림과 같은 직각삼각형 AOH에서

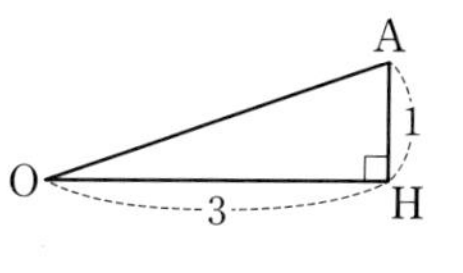

$\overline{OA}=\sqrt{3^2+1^2}=\sqrt{10}$

$\therefore \overline{OB}=\overline{OA}=\sqrt{10}$

오른쪽 그림과 같이 $\triangle AOC$는 $\overline{OC}$를 밑변으로 하는 이등변삼각형이므로

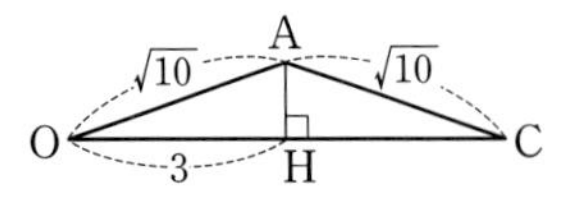

$\overline{OC}=2\times\overline{OH}=2\times3=6$

$\therefore\ \overline{BC}=\overline{OC}-\overline{OB}=6-\sqrt{10}$

답 $6-\sqrt{10}$

쌤의 만점 특강

오른쪽 그림과 같이 원의 중심 O에서 현 PQ에 내린 수선의 발을 H라 하면

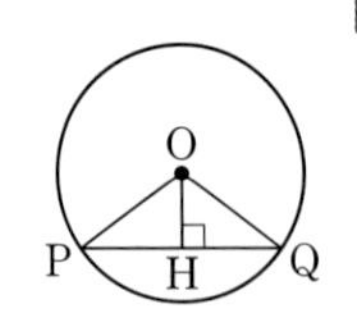

$\triangle OPH$와 $\triangle OQH$에서

$\overline{OP}=\overline{OQ}$ (반지름), $\angle OHP=\angle OHQ=90°$,

$\overline{OH}$는 공통이므로 $\triangle OPH\equiv\triangle OQH$(RHS 합동)

따라서 $\overline{PH}=\overline{QH}$이다.

24

[전략] 그림 (가), (나)의 물의 부피가 같음을 이용하여 물이 채워지지 않은 부분과 전체의 밑넓이의 비를 구한다.

물의 부피는 전체의 $\frac{2}{3}$이므로 물이 채워지지 않은 부분의 부피는 전체의 $\frac{1}{3}$이다.

그림 (나)의 $\triangle ABC$는 오른쪽 그림과 같고 $\triangle APQ$와 $\triangle ABC$는 서로 닮은 도형이다.

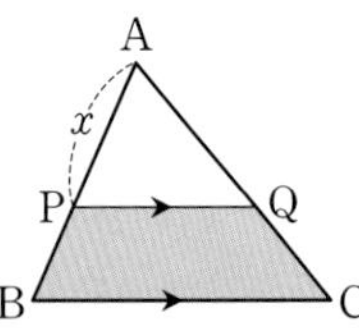

이때 밑면이 $\triangle APQ$와 $\triangle ABC$이고 높이가 $\overline{AD}$인 삼각기둥의 부피의 비는

$\frac{1}{3}:1=1:3$이므로 $\triangle APQ$와 $\triangle ABC$의 넓이의 비는 $1:3$이다.

따라서 $\triangle APQ$와 $\triangle ABC$의 닮음비는 $1:\sqrt{3}$이므로

$x:\overline{AB}=1:\sqrt{3}$

$\therefore\ \overline{AB}=\sqrt{3}x$

답 $\sqrt{3}x$

LEVEL 3 최고난도 문제

→ 17쪽

01 27 **02** 3 **03** 78 **04** 1, 2, 4, 5, 8, 9, 10, 16

01 solution 미리 보기

step ❶	$N(x)=1, 2, 3, \cdots$이 되는 x의 값 나열하기
step ❷	주어진 범위를 만족시키는 $N(1)+N(2)+N(3)+\cdots+N(n)$의 값 찾기
step ❸	주어진 조건을 만족시키는 자연수 n의 값 구하기

$\sqrt{1}=1, \sqrt{4}=2, \sqrt{9}=3, \sqrt{16}=4, \sqrt{25}=5$이므로

$N(1)=N(2)=N(3)=1$

$N(4)=N(5)=\cdots=N(8)=2$

$N(9)=N(10)=\cdots=N(15)=3$

$N(16)=N(17)=\cdots=N(24)=4$

$N(25)=N(26)=\cdots=N(35)=5$ ❶

이때

$N(1)+N(2)+N(3)+\cdots+N(24)$

$=1\times3+2\times5+3\times7+4\times9=70$이므로

$80<N(1)+N(2)+N(3)+\cdots+N(n)<90$을 만족시키려면

$N(1)+N(2)+N(3)+\cdots+N(n)=85$이어야 한다. ❷

따라서 자연수 n의 값은 $N(x)=5$가 되도록 하는 세 번째 자연수이므로 27이다. ❸

답 27

02 solution 미리 보기

step ❶	주어진 조건을 이용하여 w, x, y, z를 각각 n에 대한 식으로 나타내기
step ❷	반올림의 경계가 되는 수를 이용하여 부등식을 세워 n의 값의 범위 구하기
step ❸	가능한 순서쌍 (w, x, y, z)의 개수 구하기

연속하는 네 홀수 w, x, y, z를 각각 $2n-3, 2n-1, 2n+1, 2n+3$ (n은 2 이상의 자연수)이라 하면 ❶

$12.5\le\sqrt{w+x+y+z}<13.5$이므로

$12.5\le\sqrt{(2n-3)+(2n-1)+(2n+1)+(2n+3)}<13.5$

$\frac{25}{2}\le\sqrt{8n}<\frac{27}{2}$

각 변을 제곱하면 $\frac{625}{4}\le8n<\frac{729}{4}$, $\frac{625}{32}\le n<\frac{729}{32}$

$\therefore\ 19.5\times\times\times\le n<22.7\times\times\times$ ❷

이 식을 만족시키는 자연수 n의 값은 20, 21, 22이다.

따라서 가능한 순서쌍 (w, x, y, z)의 개수는

$(37, 39, 41, 43)$, $(39, 41, 43, 45)$, $(41, 43, 45, 47)$의 3이다. ❸

답 3

03 solution 미리 보기

step ❶	$a_1, a_2, a_3, \cdots$의 값 각각 구하기
step ❷	a_i의 값의 규칙 찾기
step ❸	a_{12}의 값 구하기

$a_i>0$이므로

$\sqrt{a_1^2}=\sqrt{1^3}=1$에서 $a_1=1$

$\sqrt{a_2^2}=\sqrt{1^3+2^3}=\sqrt{9}$에서 $a_2=3$

$\sqrt{a_3^2}=\sqrt{1^3+2^3+3^3}=\sqrt{36}$에서 $a_3=6$

$\sqrt{a_4^2}=\sqrt{1^3+2^3+3^3+4^3}=\sqrt{100}$에서 $a_4=10$

$\vdots$ ❶

이때

$a_1=1$

$a_2=1+2$

$a_3=1+2+3$

$a_4=1+2+3+4$

$\vdots$

$a_i=1+2+3+4+\cdots+i$ ······ ❷

$\therefore\ a_{12}=1+2+3+\cdots+12=78$ ······ ❸

답 78

04 solution 미리 보기

step ❶	한 변의 길이가 유리수인 정사각형 찾기
step ❷	한 변의 길이가 무리수인 정사각형 찾기
step ❸	정사각형의 넓이가 될 수 있는 수 모두 구하기

(i) 정사각형의 한 변의 길이가 유리수인 경우는 다음 그림과 같이 4종류가 가능하다.

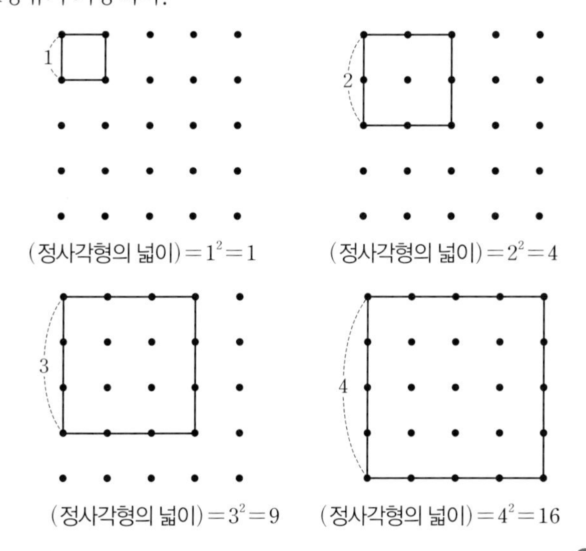

······ ❶

(ii) 정사각형의 한 변의 길이가 무리수인 경우는 다음 그림과 같이 4종류가 가능하다.

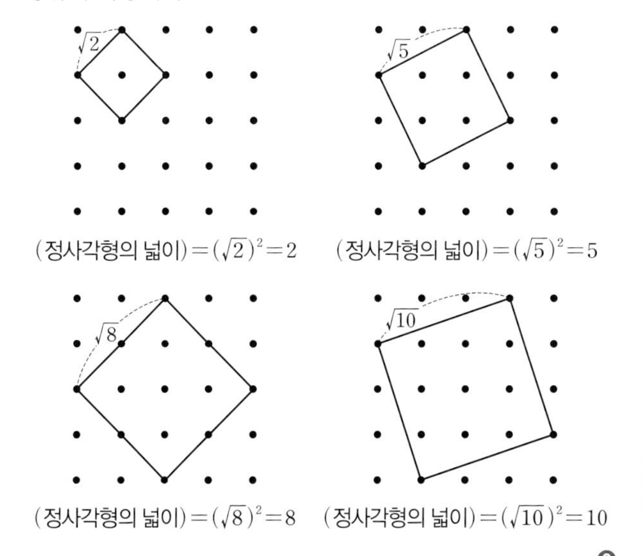

······ ❷

(i), (ii)에서 정사각형의 넓이가 될 수 있는 자연수는 1, 2, 4, 5, 8, 9, 10, 16이다. ······ ❸

답 1, 2, 4, 5, 8, 9, 10, 16

02. 근호를 포함한 식의 계산

LEVEL 1 시험에 꼭 내는 문제

→ 20쪽~22쪽

01 ④ **02** ③ **03** ⑤ **04** $\frac{\sqrt{17}}{2}$배 **05** 2 **06** ⑤

07 ②, ⑤ **08** $7\sqrt{2}-5\sqrt{3}$ **09** $3\sqrt{3}+\sqrt{6}$ **10** 1 **11** 3

12 $a=-6,\ b=1$ **13** ⑤ **14** 58 **15** $\frac{8\sqrt{17}}{17}$

16 $2-\sqrt{3}$ **17** 0.58

18 (가) : $\frac{\sqrt{30}}{15}$, (나) : $5\sqrt{3}$, (다) : $5\sqrt{6}$, (라) : $\frac{2}{5}$ **19** 28

01

$4\sqrt{3}=\sqrt{4^2\times3}=\sqrt{48}$이므로 $A=48$

$\sqrt{275}=\sqrt{5^2\times11}=5\sqrt{11}$이므로 $B=11$

$\therefore\ A-B=48-11=37$

답 ④

02

$\sqrt{216}=\sqrt{2^2\times3^2\times2\times3}=6\sqrt{2}\sqrt{3}=6ab$

답 ③

03

① $\sqrt{30}\sqrt{5}=\sqrt{5^2\times6}=5\sqrt{6}$

② $\sqrt{42}\div\sqrt{3}=\frac{\sqrt{42}}{\sqrt{3}}=\sqrt{\frac{42}{3}}=\sqrt{14}$

③ $2\sqrt{5}\times3\sqrt{2}\times\sqrt{\frac{3}{5}}=(2\times3)\times\sqrt{5\times2\times\frac{3}{5}}=6\sqrt{6}$

④ $\sqrt{60}\div2\sqrt{3}\times\sqrt{2}=2\sqrt{15}\times\frac{1}{2\sqrt{3}}\times\sqrt{2}$

$=\left(2\times\frac{1}{2}\right)\times\sqrt{15\times\frac{1}{3}\times2}$

$=\sqrt{10}$

⑤ $\frac{\sqrt{105}}{\sqrt{3}}\times\sqrt{2}\div\sqrt{5}=\frac{\sqrt{105}}{\sqrt{3}}\times\sqrt{2}\times\frac{1}{\sqrt{5}}$

$=\sqrt{\frac{105}{3}\times2\times\frac{1}{5}}$

$=\sqrt{14}$

따라서 옳지 않은 것은 ⑤이다.

답 ⑤

04

넓이가 85 cm^2인 정사각형의 한 변의 길이는 $\sqrt{85}$ cm

넓이가 $20\pi\ \text{cm}^2$인 원의 반지름의 길이를 r cm라 하면

$\pi r^2=20\pi,\ r^2=20$

이때 $r>0$이므로 $r=\sqrt{20}=2\sqrt{5}$

즉, 원의 반지름의 길이가 $2\sqrt{5}$cm이므로

$\sqrt{85}\div 2\sqrt{5}=\frac{\sqrt{85}}{2\sqrt{5}}=\frac{\sqrt{17}}{2}$

따라서 정사각형의 한 변의 길이는 원의 반지름의 길이의

$\frac{\sqrt{17}}{2}$배이다. 답 $\frac{\sqrt{17}}{2}$배

05

$\frac{\sqrt{175}}{\sqrt{12}}=\frac{5\sqrt{7}}{2\sqrt{3}}=\frac{5\sqrt{7}\times\sqrt{3}}{2\sqrt{3}\times\sqrt{3}}=\frac{5\sqrt{21}}{6}$ $\quad\therefore a=\frac{5}{6}$

$\frac{\sqrt{3}+\sqrt{8}}{\sqrt{6}}=\frac{(\sqrt{3}+\sqrt{8})\sqrt{6}}{\sqrt{6}\times\sqrt{6}}=\frac{\sqrt{18}+\sqrt{48}}{6}$

$=\frac{3\sqrt{2}+4\sqrt{3}}{6}=\frac{\sqrt{2}}{2}+\frac{2\sqrt{3}}{3}$

$\therefore b=\frac{1}{2},\ c=\frac{2}{3}$

$\therefore a+b+c=\frac{5}{6}+\frac{1}{2}+\frac{2}{3}=\frac{5+3+4}{6}=2$ 답 2

06

정사각형의 한 변의 길이를 x cm라 하면

직각삼각형 BCD에서

$\overline{BD}^2=(3x)^2+x^2=(5\sqrt{5})^2$

$10x^2=125,\ x^2=\frac{125}{10}=\frac{25}{2}$

이때 $x>0$이므로

$x=\sqrt{\frac{25}{2}}=\frac{5}{\sqrt{2}}=\frac{5\sqrt{2}}{\sqrt{2}\times\sqrt{2}}=\frac{5\sqrt{2}}{2}$

따라서 정사각형의 한 변의 길이는 $\frac{5\sqrt{2}}{2}$ cm이다. 답 ⑤

07

① $2\sqrt{3}-\sqrt{27}+5\sqrt{3}=2\sqrt{3}-3\sqrt{3}+5\sqrt{3}=4\sqrt{3}$

② $\sqrt{72}+3\sqrt{5}-2\sqrt{2}+\sqrt{20}=6\sqrt{2}+3\sqrt{5}-2\sqrt{2}+2\sqrt{5}$

$=4\sqrt{2}+5\sqrt{5}$

③ $\frac{4}{\sqrt{8}}+\sqrt{2}=\frac{4}{2\sqrt{2}}+\sqrt{2}=\frac{2\times\sqrt{2}}{\sqrt{2}\times\sqrt{2}}+\sqrt{2}$

$=\sqrt{2}+\sqrt{2}=2\sqrt{2}$

④ $\frac{4}{\sqrt{20}}-\frac{5}{\sqrt{80}}=\frac{4}{2\sqrt{5}}-\frac{5}{4\sqrt{5}}$

$=\frac{2\times\sqrt{5}}{\sqrt{5}\times\sqrt{5}}-\frac{5\times\sqrt{5}}{4\sqrt{5}\times\sqrt{5}}$

$=\frac{2\sqrt{5}}{5}-\frac{\sqrt{5}}{4}=\frac{8\sqrt{5}-5\sqrt{5}}{20}$

$=\frac{3\sqrt{5}}{20}$

⑤ $\frac{14}{\sqrt{7}}+\sqrt{48}-\sqrt{63}+4\sqrt{12}$

$=\frac{14\times\sqrt{7}}{\sqrt{7}\times\sqrt{7}}+4\sqrt{3}-3\sqrt{7}+8\sqrt{3}$

$=2\sqrt{7}-3\sqrt{7}+12\sqrt{3}$

$=12\sqrt{3}-\sqrt{7}$

따라서 옳은 것은 ②, ⑤이다. 답 ②, ⑤

08

$\sqrt{18}-2\sqrt{3}=\sqrt{18}-\sqrt{12}>0$이므로

$\sqrt{18}-2\sqrt{3}>0$

$\sqrt{27}-4\sqrt{2}=\sqrt{27}-\sqrt{32}<0$이므로

$\sqrt{27}-4\sqrt{2}<0$

$\therefore \sqrt{(\sqrt{18}-2\sqrt{3})^2}+\sqrt{(\sqrt{27}-4\sqrt{2})^2}$

$=(\sqrt{18}-2\sqrt{3})-(\sqrt{27}-4\sqrt{2})$

$=3\sqrt{2}-2\sqrt{3}-3\sqrt{3}+4\sqrt{2}$

$=7\sqrt{2}-5\sqrt{3}$ 답 $7\sqrt{2}-5\sqrt{3}$

09

$\sqrt{5}A-3\sqrt{2}B$

$=\sqrt{5}(3\sqrt{15}+2\sqrt{30})-3\sqrt{2}(3\sqrt{3}+2\sqrt{6})$

$=15\sqrt{3}+10\sqrt{6}-9\sqrt{6}-12\sqrt{3}$

$=3\sqrt{3}+\sqrt{6}$ 답 $3\sqrt{3}+\sqrt{6}$

10

$\frac{1}{\sqrt{6}}=\frac{\sqrt{6}}{\sqrt{6}\times\sqrt{6}}=\frac{\sqrt{6}}{6}$

$\frac{17-\sqrt{32}}{\sqrt{12}}=\frac{17-4\sqrt{2}}{2\sqrt{3}}=\frac{(17-4\sqrt{2})\times\sqrt{3}}{2\sqrt{3}\times\sqrt{3}}$

$=\frac{17\sqrt{3}-4\sqrt{6}}{6}$

$\therefore \sqrt{3}\left(2\sqrt{2}-\frac{1}{\sqrt{6}}\right)+\frac{17-\sqrt{32}}{\sqrt{12}}$

$=\sqrt{3}\left(2\sqrt{2}-\frac{\sqrt{6}}{6}\right)+\frac{17\sqrt{3}-4\sqrt{6}}{6}$

$=2\sqrt{6}-\frac{\sqrt{2}}{2}+\frac{17\sqrt{3}}{6}-\frac{2\sqrt{6}}{3}$

$=-\frac{\sqrt{2}}{2}+\frac{17\sqrt{3}}{6}+\frac{4\sqrt{6}}{3}$

따라서 $a=-\frac{1}{2},\ b=\frac{17}{6},\ c=\frac{4}{3}$이므로

$a+b-c=-\frac{1}{2}+\frac{17}{6}-\frac{4}{3}=\frac{-3+17-8}{6}=\frac{6}{6}=1$ 답 1

11

$$\frac{a(\sqrt{3}+2)}{\sqrt{27}}+\frac{\sqrt{2}-\sqrt{18}}{\sqrt{6}}=\frac{a(\sqrt{3}+2)}{3\sqrt{3}}+\frac{\sqrt{2}-3\sqrt{2}}{\sqrt{6}}$$
$$=\frac{a(\sqrt{3}+2)\times\sqrt{3}}{3\sqrt{3}\times\sqrt{3}}+\frac{(-2\sqrt{2})\times\sqrt{6}}{\sqrt{6}\times\sqrt{6}}$$
$$=\frac{3a+2a\sqrt{3}}{9}-\frac{4\sqrt{3}}{6}$$
$$=\frac{a}{3}+\frac{2a\sqrt{3}}{9}-\frac{2\sqrt{3}}{3}$$
$$=\frac{a}{3}+\left(\frac{2a}{9}-\frac{2}{3}\right)\sqrt{3}$$

유리수가 되려면 $\frac{2a}{9}-\frac{2}{3}=0$이어야 하므로

$2a-6=0 \quad \therefore a=3$ 답 3

12

$$\frac{a\sqrt{2}-2}{\sqrt{3}}+b\sqrt{2}\left(\frac{\sqrt{6}}{3}+\sqrt{12}-\sqrt{8}\right)$$
$$=\frac{(a\sqrt{2}-2)\times\sqrt{3}}{\sqrt{3}\times\sqrt{3}}+b\sqrt{2}\left(\frac{\sqrt{6}}{3}+2\sqrt{3}-2\sqrt{2}\right)$$
$$=\frac{a\sqrt{6}-2\sqrt{3}}{3}+\frac{2b\sqrt{3}}{3}+2b\sqrt{6}-4b$$
$$=-4b+\left(-\frac{2}{3}+\frac{2b}{3}\right)\sqrt{3}+\left(\frac{a}{3}+2b\right)\sqrt{6}$$

유리수가 되려면 $-\frac{2}{3}+\frac{2b}{3}=0$, $\frac{a}{3}+2b=0$이어야 하므로

$-\frac{2}{3}+\frac{2b}{3}=0 \quad \therefore b=1$

$\frac{a}{3}+2b=0$에 $b=1$을 대입하면

$\frac{a}{3}+2=0 \quad \therefore a=-6$ 답 $a=-6$, $b=1$

13

① $\sqrt{0.0103}=\sqrt{\frac{1.03}{100}}=\frac{\sqrt{1.03}}{10}=\frac{1.015}{10}=0.1015$

② $\sqrt{143}=\sqrt{1.43\times100}=10\sqrt{1.43}=10\times1.196=11.96$

③ $\sqrt{488}=\sqrt{400\times1.22}=20\sqrt{1.22}=20\times1.105=22.1$

④ $\sqrt{999}=\sqrt{900\times1.11}=30\sqrt{1.11}=30\times1.054=31.62$

⑤ $\sqrt{1310}=\sqrt{13.1\times100}=10\sqrt{13.1}$이고 주어진 제곱근표에서 $\sqrt{13.1}$의 값은 알 수 없으므로 $\sqrt{1310}$의 값은 구할 수 없다.

답 ⑤

쌤의 오답 피하기 특강

$\sqrt{488}=\sqrt{4.88\times100}=10\sqrt{4.88}$로도 구할 수 있지만 문제에 주어진 표를 이용하여 구할 수 없다.
따라서 $\sqrt{488}=\sqrt{400\times1.22}=20\sqrt{1.22}$와 같은 방법을 유추하여 주어진 표를 이용하여 그 값을 구할 수 있는지 확인한다.

14

$\sqrt{3330}=3\sqrt{370}=3\sqrt{3.7\times10^2}=30\sqrt{3.7}$
$=30\times1.924=57.72$

따라서 $\sqrt{3330}$과 가장 가까운 정수는 58이다. 답 58

15

$4<\sqrt{17}<5$이므로 $a=4$, $b=\sqrt{17}-4$

$$\therefore \frac{2a}{b+4}=\frac{8}{(\sqrt{17}-4)+4}$$
$$=\frac{8}{\sqrt{17}}=\frac{8\sqrt{17}}{\sqrt{17}\times\sqrt{17}}$$
$$=\frac{8\sqrt{17}}{17}$$

답 $\frac{8\sqrt{17}}{17}$

16

$3<\sqrt{12}<4$이므로 $4<\sqrt{12}+1<5$

$\therefore a=(\sqrt{12}+1)-4=\sqrt{12}-3=2\sqrt{3}-3$

$5<\sqrt{27}<6$이므로 $3<\sqrt{27}-2<4$

$\therefore b=(\sqrt{27}-2)-3=\sqrt{27}-5=3\sqrt{3}-5$

$\therefore a-b=(2\sqrt{3}-3)-(3\sqrt{3}-5)$
$=2\sqrt{3}-3-3\sqrt{3}+5$
$=2-\sqrt{3}$

답 $2-\sqrt{3}$

쌤의 오답 피하기 특강

$\sqrt{a}+k$(k는 정수)의 정수 부분, 소수 부분에 대한 문제를 풀 때에는 먼저 $n\le\sqrt{a}<n+1$을 만족시키는 정수 n을 구한 후 부등식의 성질을 이용하여 $\sqrt{a}+k$의 값의 범위를 구한다.

17

$$\frac{1}{\sqrt{3}}=\frac{\sqrt{3}}{\sqrt{3}\times\sqrt{3}}=\frac{\sqrt{3}}{3}=\frac{1.732\cdots}{3}=0.5773\cdots$$

이 값을 반올림하여 소수점 아래 둘째 자리까지 구하면 0.58이다.

답 0.58

쌤의 특강

분모를 유리화하면 그 값을 어림하기 쉽다.
예를 들어 $\frac{1}{\sqrt{2}}$의 값을 어림할 때,
$\frac{1}{\sqrt{2}}=\frac{1}{1.414\cdots}$보다 $\frac{1}{\sqrt{2}}=\frac{\sqrt{2}}{2}=\frac{1.414\cdots}{2}=0.707\cdots$이 그 값을 어림하기가 더 쉽다.

18

가장 왼쪽 세로줄에 있는 세 수의 곱은

$$2\sqrt{3}\times\frac{\sqrt{2}}{5}\times5\sqrt{5}=\left(2\times\frac{1}{5}\times5\right)\times\sqrt{3\times2\times5}=2\sqrt{30}$$

$\frac{\sqrt{2}}{5}\times$(다)$\times\sqrt{10}=2\sqrt{30}$에서

(다)$=2\sqrt{30}\times\frac{5}{\sqrt{2}}\times\frac{1}{\sqrt{10}}$

$=\frac{10\sqrt{3}\times\sqrt{2}}{\sqrt{2}\times\sqrt{2}}=\frac{10\sqrt{6}}{2}$

$=5\sqrt{6}$

(가)$\times$(다)$\times\sqrt{6}=2\sqrt{30}$에서

(가)$=2\sqrt{30}\times\frac{1}{5\sqrt{6}}\times\frac{1}{\sqrt{6}}$

$=\frac{2\sqrt{30}}{30}=\frac{\sqrt{30}}{15}$

$5\sqrt{5}\times\sqrt{6}\times$(라)$=2\sqrt{30}$에서

(라)$=2\sqrt{30}\times\frac{1}{5\sqrt{5}}\times\frac{1}{\sqrt{6}}=\frac{2}{5}$

(나)$\times\sqrt{10}\times$(라)$=2\sqrt{30}$에서

(나)$=2\sqrt{30}\times\frac{1}{\sqrt{10}}\times\frac{5}{2}=5\sqrt{3}$

답 (가) : $\frac{\sqrt{30}}{15}$, (나) : $5\sqrt{3}$, (다) : $5\sqrt{6}$, (라) : $\frac{2}{5}$

19

$\overline{AD}=\sqrt{125}=5\sqrt{5}$ (cm), $\overline{AB}=\sqrt{12}=2\sqrt{3}$ (cm)이고,
정사각형 EFID의 한 변의 길이는 $\sqrt{5}$ cm이므로
$\overline{HF}=\overline{AE}=5\sqrt{5}-\sqrt{5}=4\sqrt{5}$ (cm)
$\overline{HB}=\overline{AB}-\overline{AH}=2\sqrt{3}-\sqrt{5}$ (cm)
즉, □HBGF의 넓이는
$\overline{HF}\times\overline{HB}=4\sqrt{5}(2\sqrt{3}-\sqrt{5})$
$=8\sqrt{15}-20$ (cm^2)
따라서 $a=-20$, $b=8$이므로 $b-a=8-(-20)=28$

답 28

LEVEL 2 필수 기출 문제

→ 23쪽~28쪽

01 $120\sqrt{5}$ **02** 다섯 자리 **03** ④ **04** $\frac{2080\sqrt{3}}{27}$
05 1400 **06** ⑤ **07** ③ **08** ② **09** ④ **10** $68\sqrt{5}$
11 $16+6\sqrt{2}$ **12** $(2+\sqrt{2})\pi$ **13** $\frac{\sqrt{6}}{3}$ **14** $\frac{5-\sqrt{10}}{20}$
15 $\frac{5\sqrt{3}}{3}$ **16** 14 **17** -5 **18** $\sqrt{1.4}$: 8, $\sqrt{14}$: 4
19 ⑤ **20** $3-2\sqrt{2}$ **21** $\sqrt{10}-1$ **22** 5
23 $6+6\sqrt{2}+2\sqrt{3}$

01

[전략] x^2이 자연수이므로 x는 자연수의 양의 제곱근이다.

$x^2=n$(n은 자연수)이라 하면 $x>0$이므로 $x=\sqrt{n}$
$\sqrt{15}<x<\sqrt{85}$이므로 $\sqrt{15}<\sqrt{n}<\sqrt{85}$
$\therefore 15<n<85$ ……㉠
$\sqrt{5}x=\sqrt{5}\sqrt{n}=\sqrt{5n}$이 자연수이므로
$n=5k^2$(k는 자연수)의 꼴이어야 한다.
㉠에서 $15<5k^2<85$
$\therefore 3<k^2<17$
이를 만족시키는 자연수 k의 값은 2, 3, 4이고, 그때의 n의 값은 5×2^2, 5×3^2, 5×4^2이다.
따라서 모든 x의 값은 $\sqrt{5\times2^2}=2\sqrt{5}$, $\sqrt{5\times3^2}=3\sqrt{5}$, $\sqrt{5\times4^2}=4\sqrt{5}$이므로 그 곱은
$2\sqrt{5}\times3\sqrt{5}\times4\sqrt{5}=120\sqrt{5}$

답 $120\sqrt{5}$

다른 풀이

x^2과 $\sqrt{5}x$가 모두 자연수가 되도록 하려면 $x=\sqrt{5}n$ (n은 자연수)의 꼴이어야 하므로
$\sqrt{15}<\sqrt{5}n<\sqrt{85}$에서
$\sqrt{3}<n<\sqrt{17}$
각 변을 제곱하면 $3<n^2<17$이므로 이를 만족시키는 자연수 n의 값은 2, 3, 4이다.
따라서 모든 x의 값은 $2\sqrt{5}$, $3\sqrt{5}$, $4\sqrt{5}$이므로 그 곱은
$2\sqrt{5}\times3\sqrt{5}\times4\sqrt{5}=120\sqrt{5}$

02

[전략] 근호 안의 수를 소인수분해하여 간단히 정리한 후 판단한다.

$\sqrt{1\times2\times3\times\cdots\times10}=\sqrt{2^8\times3^4\times5^2\times7}$
$=\sqrt{(2^4\times3^2\times5)^2\times7}$
$=720\sqrt{7}$
$\therefore 25\sqrt{1\times2\times3\times\cdots\times10}=25\times720\sqrt{7}=18000\sqrt{7}$
이때 $2<\sqrt{7}<3$이므로 $36000<18000\sqrt{7}<54000$
따라서 주어진 수의 정수 부분은 다섯 자리의 수이다.

답 다섯 자리

쌤의 만점 특강

$1\times2\times3\times\cdots\times10$을 소인수의 곱으로 나타내면 소인수는 10 이하의 소수이므로 $1\times2\times3\times\cdots\times10=2^a\times3^b\times5^c\times7^d$ (a, b, c, d는 자연수)과 같다.
x의 정수 부분을 $[x]$라 하면
$a=\left[\frac{10}{2}\right]+\left[\frac{10}{2^2}\right]+\left[\frac{10}{2^3}\right]=5+2+1=8$
$b=\left[\frac{10}{3}\right]+\left[\frac{10}{3^2}\right]=3+1=4$
$c=\left[\frac{10}{5}\right]=2$, $d=\left[\frac{10}{7}\right]=1$
이와 같은 방법으로 각 소인수의 지수를 구할 수도 있다.

03

[전략] 보조선 AC를 긋는다.

오른쪽 그림과 같이 $\overline{AC}$를 그으면

직각삼각형 ABC에서

$\overline{AC}=\sqrt{4^2+8^2}=\sqrt{80}=4\sqrt{5}$

직각삼각형 ACD에서

$\overline{CD}=\sqrt{\overline{AC}^2-(2\sqrt{6})^2}$

$=\sqrt{(4\sqrt{5})^2-(2\sqrt{6})^2}$

$=\sqrt{80-24}=\sqrt{56}$

$=2\sqrt{14}$

$\therefore\ \square ABCD=\triangle ABC+\triangle ACD$

$=\frac{1}{2}\times4\times8+\frac{1}{2}\times2\sqrt{6}\times2\sqrt{14}$

$=16+4\sqrt{21}$

답 ④

04

[전략] 닮음비와 부피의 비를 이용한다.

처음 사각뿔의 부피는

$\frac{1}{3}\times2\sqrt{10}\times3\sqrt{6}\times4\sqrt{5}=80\sqrt{3}$

처음 사각뿔과 잘라 낸 사각뿔의 닮음비는 3 : 1이므로 두 도형의 부피의 비는

$3^3 : 1^3=27 : 1$

따라서 남은 입체도형의 부피는 처음 사각뿔의 부피의 $\frac{26}{27}$이다.

$\therefore\ 80\sqrt{3}\times\frac{26}{27}=\frac{2080\sqrt{3}}{27}$

답 $\frac{2080\sqrt{3}}{27}$

쌤의 복합 개념 특강

개념1 뿔의 부피

(뿔의 부피) $=\frac{1}{3}\times$ (기둥의 부피)

$=\frac{1}{3}\times$ (밑넓이) $\times$ (높이)

개념2 닮음의 활용

닮은 두 입체도형의 닮음비가 $m : n$이면 부피의 비는 $m^3 : n^3$이다.

05

[전략] $0.6\sqrt{a}=2\sqrt{14b}$를 이용하여 $\sqrt{\frac{b}{a}}$의 값을 구한다.

$0.6\sqrt{a}=2\sqrt{14b}$에서

$\frac{3\sqrt{a}}{5}=2\sqrt{14}\sqrt{b}$

$\frac{\sqrt{b}}{\sqrt{a}}=\sqrt{\frac{b}{a}}=\frac{3}{10\sqrt{14}}=\frac{3\sqrt{14}}{140}$

$\sqrt{\frac{b}{a}\times c}=\sqrt{\frac{b}{a}}\times\sqrt{c}=\frac{3\sqrt{14}}{140}\times\sqrt{c}=\frac{3}{140}\times\sqrt{14c}$이므로 자연수가 되려면 $\sqrt{14c}=140k$(k는 자연수)의 꼴이어야 한다.

$14c=140^2k^2$

$\therefore\ c=1400k^2$

따라서 $\sqrt{\frac{b}{a}\times c}$가 자연수가 되도록 하는 가장 작은 자연수 c의 값은 $k=1$일 때, 1400이다.

답 1400

06

[전략] A4 용지와 B6 용지의 넓이의 비를 이용하여 닮음비를 구한다.

A0 용지의 넓이를 a라 하면

A4 용지의 넓이는 $a\times\left(\frac{1}{2}\right)^4=\frac{a}{2^4}$

B0 용지의 넓이는 $1.5a$이므로

B6 용지의 넓이는 $1.5a\times\left(\frac{1}{2}\right)^6=\frac{3a}{2}\times\frac{1}{2^6}=\frac{3a}{2^7}$

A4 용지와 B6 용지의 넓이의 비는

$\frac{a}{2^4} : \frac{3a}{2^7}=8 : 3$이므로 두 용지의 닮음비는

$\sqrt{8} : \sqrt{3}=2\sqrt{2} : \sqrt{3}$

따라서 A4 용지의 긴 변의 길이는 B6 용지의 긴 변의 길이의

$\frac{2\sqrt{2}}{\sqrt{3}}=\frac{2\sqrt{6}}{3}$(배)이다.

답 ⑤

07

[전략] 정팔각형을 조각으로 나누어 각 부분의 넓이를 생각한다.

정팔각형의 한 변의 길이를 x라 하자.

오른쪽 그림과 같이 서로 수직인 4개의 대각선을 그으면 정팔각형은 1개의 정사각형, 4개의 직사각형, 4개의 직각이등변삼각형으로 나누어진다.

직각삼각형 ABC에서 $\overline{AC}=\overline{BC}=a$라 하면

$a^2+a^2=x^2,\ a^2=\frac{x^2}{2}$

이때 $a>0$이므로 $a=\sqrt{\frac{x^2}{2}}=\frac{x}{\sqrt{2}}=\frac{\sqrt{2}x}{2}$

따라서 정팔각형의 넓이는

$x^2+4\times x\times\frac{\sqrt{2}x}{2}+4\times\frac{1}{2}\times\frac{\sqrt{2}x}{2}\times\frac{\sqrt{2}x}{2}$

$=x^2+2\sqrt{2}x^2+x^2$

$=(2+2\sqrt{2})x^2$

즉, $(2+2\sqrt{2})x^2=24+24\sqrt{2}$이므로

$x^2=\frac{24+24\sqrt{2}}{2+2\sqrt{2}}=\frac{12(2+2\sqrt{2})}{2+2\sqrt{2}}=12$

이때 $x>0$이므로 $x=\sqrt{12}=2\sqrt{3}$

따라서 정팔각형의 한 변의 길이는 $2\sqrt{3}$이다.

답 ③

08

[전략] 근호 밖의 양수를 제곱하여 근호 안으로 넣어 정리한 후 $ab=6$을 대입한다.

$a\sqrt{\frac{12b}{a}}-\frac{1}{b}\sqrt{\frac{27b}{a}}+\frac{1}{a}\sqrt{\frac{75a}{b}}$

$=\sqrt{a^2\times\frac{12b}{a}}-\sqrt{\frac{1}{b^2}\times\frac{27b}{a}}+\sqrt{\frac{1}{a^2}\times\frac{75a}{b}}$

$=\sqrt{12ab}-\sqrt{\frac{27}{ab}}+\sqrt{\frac{75}{ab}}$

$=\sqrt{12\times6}-\sqrt{\frac{27}{6}}+\sqrt{\frac{75}{6}}$

$=6\sqrt{2}-\sqrt{\frac{9}{2}}+\sqrt{\frac{25}{2}}$

$=6\sqrt{2}-\frac{3\sqrt{2}}{2}+\frac{5\sqrt{2}}{2}=7\sqrt{2}$

답 ②

다른 풀이

$ab=6$에서 $a=\frac{6}{b}$, 즉 $\frac{1}{a}=\frac{b}{6}$이므로

$a\sqrt{\frac{12b}{a}}-\frac{1}{b}\sqrt{\frac{27b}{a}}+\frac{1}{a}\sqrt{\frac{75a}{b}}$

$=\frac{6}{b}\sqrt{12b\times\frac{b}{6}}-\frac{1}{b}\sqrt{27b\times\frac{b}{6}}+\frac{b}{6}\sqrt{\frac{75}{b}\times\frac{6}{b}}$

$=\frac{6}{b}\times b\sqrt{2}-\frac{1}{b}\times b\sqrt{\frac{9}{2}}+\frac{b}{6}\times\frac{15}{b}\sqrt{2}$

$=6\sqrt{2}-\frac{3\sqrt{2}}{2}+\frac{5\sqrt{2}}{2}=7\sqrt{2}$

09

[전략] 세 정사각형의 한 변의 길이를 각각 구한다.

주어진 도형의 둘레의 길이는 다음 그림의 가장 큰 직사각형의 둘레의 길이와 같다.

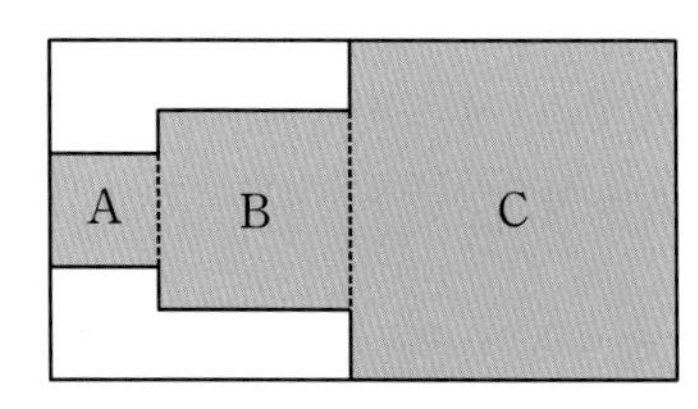

C의 넓이가 27이므로

B의 넓이는 $27\times\frac{1}{3}=9$, A의 넓이는 $9\times\frac{1}{3}=3$

즉, A의 한 변의 길이는 $\sqrt{3}$, B의 한 변의 길이는 3, C의 한 변의 길이는 $\sqrt{27}=3\sqrt{3}$이므로

가장 큰 직사각형의 가로의 길이는 $\sqrt{3}+3+3\sqrt{3}=3+4\sqrt{3}$,

세로의 길이는 $3\sqrt{3}$이다.

따라서 구하는 도형의 둘레의 길이는

$2\times\{(3+4\sqrt{3})+3\sqrt{3}\}=2\times(3+7\sqrt{3})=6+14\sqrt{3}$

답 ④

쌤의 특강

세 정사각형의 둘레의 길이를 모두 더한 후 겹치는 부분의 길이를 빼서 구할 수도 있다.

$4\times(\sqrt{3}+3+3\sqrt{3})-2\times(\sqrt{3}+3)=6+14\sqrt{3}$

10

[전략] 주어진 도형과 둘레의 길이가 같은 다른 도형을 찾는다.

주어진 도형의 둘레의 길이는 다음 그림의 가장 큰 정사각형의 둘레의 길이와 같다.

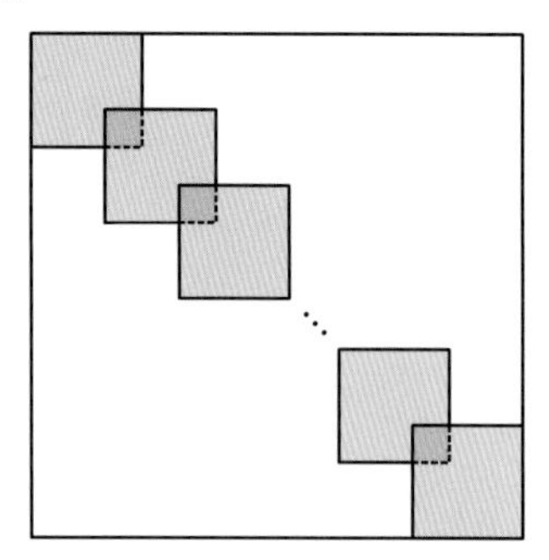

넓이가 45인 정사각형의 한 변의 길이는 $\sqrt{45}=3\sqrt{5}$, 넓이가 5인 정사각형의 한 변의 길이는 $\sqrt{5}$이므로 가장 큰 정사각형의 한 변의 길이는

$3\sqrt{5}+(3\sqrt{5}-\sqrt{5})\times7$

$=3\sqrt{5}+14\sqrt{5}$

$=17\sqrt{5}$

따라서 구하는 도형의 둘레의 길이는

$17\sqrt{5}\times4=68\sqrt{5}$

답 $68\sqrt{5}$

다른 풀이

넓이가 45인 정사각형의 둘레의 길이는

$4\times\sqrt{45}$

$=4\times3\sqrt{5}$

$=12\sqrt{5}$

넓이가 45인 정사각형 8개의 둘레의 길이는

$12\sqrt{5}\times8=96\sqrt{5}$

넓이가 5인 정사각형 7개의 둘레의 길이는

$4\sqrt{5}\times7=28\sqrt{5}$

따라서 구하는 도형의 둘레의 길이는

$96\sqrt{5}-28\sqrt{5}=68\sqrt{5}$

11

[전략] 칠교판의 7개 조각의 각 변의 길이를 구한다.

한 변의 길이가 1인 정사각형의 대각선의 길이는 $\sqrt{1^2+1^2}=\sqrt{2}$이므로 도형을 이룬 7개 조각의 각 부분의 길이는 다음과 같다.

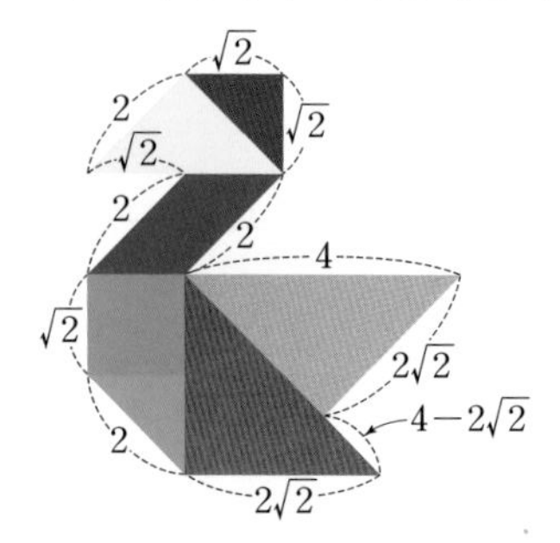

따라서 구하는 도형의 둘레의 길이는

$2+\sqrt{2}+2+\sqrt{2}+2+2\sqrt{2}+(4-2\sqrt{2})+2\sqrt{2}+4+2+\sqrt{2}+\sqrt{2}$

$=16+6\sqrt{2}$

답 $16+6\sqrt{2}$

12

[전략] 점 B가 움직인 모양을 수직선 위에 나타낸다.

한 변의 길이가 2인 정사각형의 대각선의 길이는

$\sqrt{2^2+2^2}=2\sqrt{2}$

정사각형 ABCD가 회전을 시작한 후, 점 B가 처음으로 다시 수직선 위에 위치할 때까지 점 B는 다음 그림과 같이 움직인다.

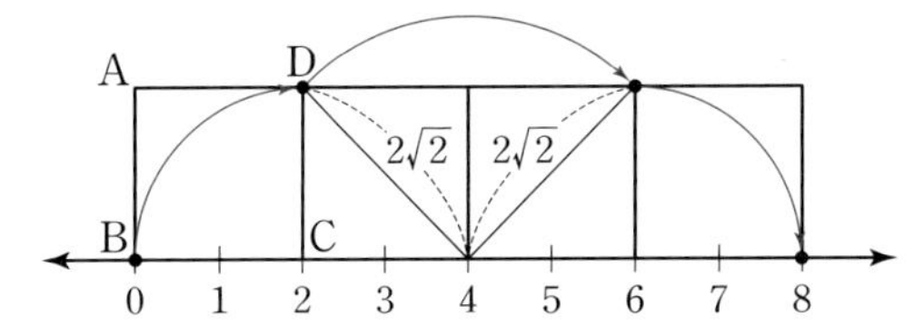

따라서 점 B가 움직인 거리는

$2\pi\times2\times\frac{90}{360}+2\pi\times2\sqrt{2}\times\frac{90}{360}+2\pi\times2\times\frac{90}{360}$

$=2\pi+\sqrt{2}\pi=(2+\sqrt{2})\pi$

답 $(2+\sqrt{2})\pi$

13

[전략] $x+y$, $x-y$의 값을 각각 구한 후, 주어진 식에 대입한다.

$x+y=\frac{\sqrt{2}+\sqrt{3}}{\sqrt{5}}+\frac{\sqrt{2}-\sqrt{3}}{\sqrt{5}}$

$=\frac{2\sqrt{2}}{\sqrt{5}}=\frac{2\sqrt{10}}{5}$

$x-y=\frac{\sqrt{2}+\sqrt{3}}{\sqrt{5}}-\frac{\sqrt{2}-\sqrt{3}}{\sqrt{5}}$

$=\frac{2\sqrt{3}}{\sqrt{5}}=\frac{2\sqrt{15}}{5}$

$\therefore \frac{x+y}{x-y}=\frac{2\sqrt{10}}{5}\div\frac{2\sqrt{15}}{5}=\frac{2\sqrt{10}}{5}\times\frac{5}{2\sqrt{15}}$

$=\frac{\sqrt{2}}{\sqrt{3}}=\frac{\sqrt{6}}{3}$

답 $\frac{\sqrt{6}}{3}$

다른 풀이

$x=\frac{\sqrt{2}+\sqrt{3}}{\sqrt{5}}=\frac{(\sqrt{2}+\sqrt{3})\times\sqrt{5}}{\sqrt{5}\times\sqrt{5}}=\frac{\sqrt{10}+\sqrt{15}}{5}$

$y=\frac{\sqrt{2}-\sqrt{3}}{\sqrt{5}}=\frac{(\sqrt{2}-\sqrt{3})\times\sqrt{5}}{\sqrt{5}\times\sqrt{5}}=\frac{\sqrt{10}-\sqrt{15}}{5}$

$\therefore x+y=\frac{\sqrt{10}+\sqrt{15}}{5}+\frac{\sqrt{10}-\sqrt{15}}{5}=\frac{2\sqrt{10}}{5}$

$x-y=\frac{\sqrt{10}+\sqrt{15}}{5}-\frac{\sqrt{10}-\sqrt{15}}{5}=\frac{2\sqrt{15}}{5}$

$\therefore \frac{x+y}{x-y}=\frac{2\sqrt{10}}{5}\div\frac{2\sqrt{15}}{5}=\frac{\sqrt{6}}{3}$

참고 주어진 x, y의 값이 분모가 같아 더하고 빼기 쉽고, 그 값이 간단하기 때문에 이 문제의 경우 x, y를 각각 유리화한 후 대입하는 방법보다 $x+y$, $x-y$의 값을 먼저 구하는 방법이 빠르다.

14

[전략] 두 방정식을 변끼리 더하고 빼서 $x+y$, $x-y$의 값을 각각 구한다.

$\begin{cases}(\sqrt{5}+\sqrt{2})x+(\sqrt{5}-\sqrt{2})y=\sqrt{5} & \cdots\cdots ㉠\\(\sqrt{5}-\sqrt{2})x+(\sqrt{5}+\sqrt{2})y=\sqrt{2} & \cdots\cdots ㉡\end{cases}$ 에서

㉠+㉡을 하면

$2\sqrt{5}x+2\sqrt{5}y=\sqrt{5}+\sqrt{2}$, $2\sqrt{5}(x+y)=\sqrt{5}+\sqrt{2}$

$\therefore x+y=\frac{\sqrt{5}+\sqrt{2}}{2\sqrt{5}}=\frac{(\sqrt{5}+\sqrt{2})\times\sqrt{5}}{2\sqrt{5}\times\sqrt{5}}=\frac{5+\sqrt{10}}{10}$

㉠−㉡을 하면

$2\sqrt{2}x-2\sqrt{2}y=\sqrt{5}-\sqrt{2}$, $2\sqrt{2}(x-y)=\sqrt{5}-\sqrt{2}$

$\therefore x-y=\frac{\sqrt{5}-\sqrt{2}}{2\sqrt{2}}=\frac{(\sqrt{5}-\sqrt{2})\times\sqrt{2}}{2\sqrt{2}\times\sqrt{2}}=\frac{\sqrt{10}-2}{4}$

$\therefore \left(x+y-\frac{1}{2}\right)(x-y)=\left(\frac{5+\sqrt{10}}{10}-\frac{1}{2}\right)\times\frac{\sqrt{10}-2}{4}$

$=\frac{\sqrt{10}}{10}\times\frac{\sqrt{10}-2}{4}$

$=\frac{10-2\sqrt{10}}{40}$

$=\frac{5-\sqrt{10}}{20}$

답 $\frac{5-\sqrt{10}}{20}$

15

[전략] 분모에 포함된 분수를 먼저 간단히 한다.

$\sqrt{3}+\cfrac{1}{\sqrt{3}-\cfrac{1}{\sqrt{3}-\cfrac{1}{\sqrt{3}}}}=\sqrt{3}+\cfrac{1}{\sqrt{3}-\cfrac{1}{\sqrt{3}-\cfrac{\sqrt{3}}{3}}}$

$=\sqrt{3}+\cfrac{1}{\sqrt{3}-\cfrac{1}{\cfrac{2\sqrt{3}}{3}}}=\sqrt{3}+\cfrac{1}{\sqrt{3}-\cfrac{3}{2\sqrt{3}}}$

$=\sqrt{3}+\cfrac{1}{\sqrt{3}-\cfrac{\sqrt{3}}{2}}=\sqrt{3}+\cfrac{1}{\cfrac{\sqrt{3}}{2}}$

$=\sqrt{3}+\frac{2}{\sqrt{3}}=\sqrt{3}+\frac{2\sqrt{3}}{3}$

$=\frac{5\sqrt{3}}{3}$

답 $\frac{5\sqrt{3}}{3}$

쌤의 만점 특강

분모 또는 분자에 분수식이 있는 분수를 번분수라 한다.

번분수는 다음과 같이 분수의 나눗셈을 이용하여 계산할 수 있다.

$\cfrac{\cfrac{d}{c}}{\cfrac{b}{a}}=\frac{d}{c}\div\frac{b}{a}=\frac{d}{c}\times\frac{a}{b}=\frac{ad}{bc}$

또, 분수의 분모와 분자에 같은 값을 각각 곱하여도 그 값은 변하지 않음을 이용하여 계산할 수도 있다.

예 $\cfrac{1}{\sqrt{2}-\cfrac{1}{\sqrt{2}}}$을 계산할 때, 분수 $\cfrac{1}{\sqrt{2}-\cfrac{1}{\sqrt{2}}}$에서

분모 $\sqrt{2}-\frac{1}{\sqrt{2}}$, 분자 1에 각각 $\sqrt{2}$를 곱하면 분모는 $2-1=1$, 분자는 $\sqrt{2}$

이다. 즉, $\cfrac{1}{\sqrt{2}-\cfrac{1}{\sqrt{2}}}=\frac{\sqrt{2}}{1}=\sqrt{2}$

이와 같이 분모나 분자에 분수가 있는 복잡한 문제를 해결할 때, 주어진 문제의 형태에 따라 분자 또는 분모에 포함된 분수부터 간단히 하는 방법, 분수의 나눗셈을 이용하는 방법, 분모와 분자에 같은 수를 곱하여 계산하는 방법 중 적당한 방법을 선택하여 풀 수 있다.

16

[전략] 근호 안의 제곱인 인수를 근호 밖으로 꺼내고, 분모를 유리화한다.

$$\frac{\sqrt{5}+\sqrt{7}}{\sqrt{12}}-\sqrt{45}\left(\sqrt{3}+\frac{5}{\sqrt{75}}\right)+\sqrt{189}$$

$$=\frac{\sqrt{5}+\sqrt{7}}{2\sqrt{3}}-3\sqrt{5}\left(\sqrt{3}+\frac{5}{5\sqrt{3}}\right)+3\sqrt{21}$$

$$=\frac{(\sqrt{5}+\sqrt{7})\sqrt{3}}{2\sqrt{3}\times\sqrt{3}}-3\sqrt{5}\left(\sqrt{3}+\frac{\sqrt{3}}{3}\right)+3\sqrt{21}$$

$$=\frac{\sqrt{15}+\sqrt{21}}{6}-3\sqrt{15}-\sqrt{15}+3\sqrt{21}$$

$$=-\frac{23\sqrt{15}}{6}+\frac{19\sqrt{21}}{6}$$

즉, $-\frac{23\sqrt{15}}{6}+\frac{19\sqrt{21}}{6}=a\sqrt{15}+b\sqrt{c}$이므로

$a=-\frac{23}{6}$, $b=\frac{19}{6}$, $c=21$

$\therefore a-b+c=-\frac{23}{6}-\frac{19}{6}+21=14$ 답 14

17

[전략] a의 값을 먼저 구한 후, 제곱근의 계산 결과가 유리수가 되기 위한 조건을 생각한다.

$\sqrt{80a}=\sqrt{4^2\times5\times a}$가 자연수가 되려면 $a=5k^2$(k는 자연수)의 꼴이어야 하므로 가장 작은 자연수 a의 값은 5이다.

이때 $\sqrt{5}-3=\sqrt{5}-\sqrt{9}<0$이므로

$$\sqrt{(\sqrt{a}-3)^2}-b\sqrt{a}=\sqrt{(\sqrt{5}-3)^2}-b\sqrt{5}$$
$$=-(\sqrt{5}-3)-b\sqrt{5}$$
$$=3-(1+b)\sqrt{5}$$

유리수가 되려면 $1+b=0$이어야 하므로 $b=-1$

$\therefore ab=5\times(-1)=-5$ 답 -5

18

[전략] $x>0$일 때, $\sqrt{x^2}=x$임을 이용하여 $\sqrt{1.4}$, $\sqrt{14}$의 값의 범위를 각각 찾는다.

$13924<1.4\times10^4<14161$이므로

$\sqrt{13924}<\sqrt{1.4\times10^4}<\sqrt{14161}$

$\sqrt{118^2}<10^2\sqrt{1.4}<\sqrt{119^2}$

$\frac{118}{100}<\sqrt{1.4}<\frac{119}{100}$

$\therefore 1.18<\sqrt{1.4}<1.19$

$139876<14\times10^4<140625$이므로

$\sqrt{139876}<\sqrt{14\times10^4}<\sqrt{140625}$

$\sqrt{374^2}<10^2\sqrt{14}<\sqrt{375^2}$

$\frac{374}{100}<\sqrt{14}<\frac{375}{100}$

$\therefore 3.74<\sqrt{14}<3.75$

따라서 $\sqrt{1.4}$와 $\sqrt{14}$의 소수점 아래 둘째 자리의 숫자는 각각 8, 4이다. 답 $\sqrt{1.4}$: 8, $\sqrt{14}$: 4

19

[전략] 근호 안의 수를 1.25와 다른 수의 곱으로 표현해 본다.

① $\sqrt{12500}=\sqrt{1.25\times10^4}=100\sqrt{1.25}=100\times1.118=111.8$

② $\sqrt{20}=\sqrt{1.25\times4^2}=4\sqrt{1.25}=4\times1.118=4.472$

③ $\sqrt{500}=\sqrt{1.25\times20^2}=20\sqrt{1.25}=20\times1.118=22.36$

④ $\sqrt{11.25}=\sqrt{1.25\times3^2}=3\sqrt{1.25}=3\times1.118=3.354$

⑤ $\sqrt{0.000125}=\sqrt{\frac{1.25}{10^4}}=\frac{\sqrt{1.25}}{100}=\frac{1.118}{100}=0.01118$

따라서 옳지 않은 것은 ⑤이다. 답 ⑤

20

[전략] 무리수의 소수 부분을 구하려면 정수 부분을 알아야 한다.

$3\sqrt{2}=\sqrt{18}$이므로

$4<3\sqrt{2}<5$, $5<3\sqrt{2}+1<6$

$\therefore f(3\sqrt{2}+1)=5$, $g(3\sqrt{2}+1)=(3\sqrt{2}+1)-5=3\sqrt{2}-4$

$4\sqrt{2}=\sqrt{32}$이므로

$5<4\sqrt{2}<6$, $2<4\sqrt{2}-3<3$

$\therefore g(4\sqrt{2}-3)=(4\sqrt{2}-3)-2=4\sqrt{2}-5$

$$\therefore \frac{4g(3\sqrt{2}+1)}{f(3\sqrt{2}+1)+g(4\sqrt{2}-3)}$$
$$=\frac{4(3\sqrt{2}-4)}{5+(4\sqrt{2}-5)}=\frac{3\sqrt{2}-4}{\sqrt{2}}$$
$$=\frac{6-4\sqrt{2}}{2}=3-2\sqrt{2}$$

답 $3-2\sqrt{2}$

21

[전략] 길이가 같은 선분을 이용하여 점 P에 대응하는 수를 구한다.

직각삼각형 ABC에서

$\overline{AB}=\sqrt{1^2+3^2}=\sqrt{10}$이므로

$\overline{AP}=\overline{AB}=\sqrt{10}$

$\therefore a=5-\sqrt{10}$

$3<\sqrt{10}<4$이므로

$-4<-\sqrt{10}<-3$ $\quad\therefore 1<5-\sqrt{10}<2$

따라서 $x=1$, $y=(5-\sqrt{10})-1=4-\sqrt{10}$이므로

$$\frac{6x+y}{4-y}=\frac{6+(4-\sqrt{10})}{4-(4-\sqrt{10})}=\frac{10-\sqrt{10}}{\sqrt{10}}$$
$$=\frac{10\sqrt{10}-10}{10}=\sqrt{10}-1$$

답 $\sqrt{10}-1$

22

[전략] $[x]$는 x의 정수 부분이다.

$1<\sqrt{3}<2$이므로

$3<2+\sqrt{3}<4$ $\quad\therefore [x]=[2+\sqrt{3}]=3$

$x=2+\sqrt{3}$, $[x]=3$을 주어진 식에 대입하면

$$\left[\frac{x+[x]+1}{x-2}+\frac{x-[x]+1}{[x]}\right]$$
$$=\left[\frac{(2+\sqrt{3})+3+1}{(2+\sqrt{3})-2}+\frac{(2+\sqrt{3})-3+1}{3}\right]$$
$$=\left[\frac{6+\sqrt{3}}{\sqrt{3}}+\frac{\sqrt{3}}{3}\right]=\left[2\sqrt{3}+1+\frac{\sqrt{3}}{3}\right]$$
$$=\left[\frac{7\sqrt{3}}{3}+1\right]$$
$7\sqrt{3}=\sqrt{147}$이므로

$12<7\sqrt{3}<13,\ 5<\frac{7\sqrt{3}}{3}+1<\frac{16}{3}$

$\therefore \left[\frac{7\sqrt{3}}{3}+1\right]=5$ 답 5

23

[전략] 정삼각형의 한 변의 길이를 알 때, 넓이를 구하는 공식을 이용하여 세 정삼각형의 한 변의 길이를 각각 구한다.

$S_2=\frac{1}{2}S_1=\frac{1}{2}\times 2\sqrt{3}=\sqrt{3},\ S_3=\frac{1}{3}S_2=\frac{\sqrt{3}}{3}$

△ABC의 한 변의 길이를 a_1이라 하면

$\frac{\sqrt{3}}{4}a_1^{\ 2}=2\sqrt{3},\ a_1^{\ 2}=8$

이때 $a_1>0$이므로 $a_1=\sqrt{8}=2\sqrt{2}$

△DEF의 한 변의 길이를 a_2라 하면

$\frac{\sqrt{3}}{4}a_2^{\ 2}=\sqrt{3},\ a_2^{\ 2}=4$

이때 $a_2>0$이므로 $a_2=2$

△GHI의 한 변의 길이를 a_3이라 하면

$\frac{\sqrt{3}}{4}a_3^{\ 2}=\frac{\sqrt{3}}{3},\ a_3^{\ 2}=\frac{4}{3}$

이때 $a_3>0$이므로 $a_3=\sqrt{\frac{4}{3}}=\frac{2\sqrt{3}}{3}$

따라서 세 정삼각형의 둘레의 길이의 합은

$3a_1+3a_2+3a_3$

$=3\times 2\sqrt{2}+3\times 2+3\times\frac{2\sqrt{3}}{3}$

$=6+6\sqrt{2}+2\sqrt{3}$ 답 $6+6\sqrt{2}+2\sqrt{3}$

다른 풀이

정삼각형은 서로 닮은 도형이고

$S_1:S_2:S_3=2\sqrt{3}:\sqrt{3}:\frac{\sqrt{3}}{3}$

$=6:3:1$

이때 정삼각형 ABC, DEF, GHI의 한 변의 길이를 각각 a_1, a_2, a_3이라 할 때

$a_1:a_2:a_3=\sqrt{6}:\sqrt{3}:1$

$\frac{\sqrt{3}}{4}a_1^{\ 2}=2\sqrt{3},\ a_1^{\ 2}=8,\ a_1=2\sqrt{2}$

즉, $\sqrt{6}:\sqrt{3}=2\sqrt{2}:a_2$이므로 $a_2=2$

$\sqrt{3}:1=2:a_3$이므로 $a_3=\frac{2}{\sqrt{3}}=\frac{2\sqrt{3}}{3}$

따라서 세 정삼각형의 둘레의 길이의 합은

$3a_1+3a_2+3a_3=6+6\sqrt{2}+2\sqrt{3}$

쌤의 만점 특강

한 변의 길이가 a인 정삼각형의 넓이는 $\frac{\sqrt{3}}{4}a^2$이다.

직각삼각형 ABH에서

$\overline{AH}=\sqrt{a^2-\left(\frac{a}{2}\right)^2}=\sqrt{\frac{3a^2}{4}}=\frac{\sqrt{3}}{2}a$

∴ (정삼각형 ABC의 넓이)

$=\frac{1}{2}\times a\times\frac{\sqrt{3}}{2}a=\frac{\sqrt{3}}{4}a^2$

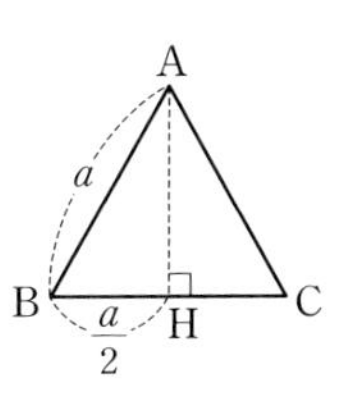

LEVEL 3 최고난도 문제

→ 29쪽

01 $720\sqrt{70}$ **02** $-2+\sqrt{5}$ **03** $\frac{52}{5}$ **04** $\frac{11}{190}$

01 solution 미리 보기

step ❶	$f(a)$의 분모를 유리화하여 정리하기
step ❷	$f(a)$에 $a=1, 2, 3, \cdots, 9$를 대입하여 $f(1)\times f(2)\times f(3)\times\cdots\times f(9)$의 값 구하기

$f(a)=\sqrt{a}+\frac{1}{\sqrt{a}}=\sqrt{a}+\frac{\sqrt{a}}{a}=\frac{(a+1)\sqrt{a}}{a}$ ……❶

$\therefore f(1)\times f(2)\times f(3)\times\cdots\times f(9)$

$=\frac{2\sqrt{1}}{1}\times\frac{3\sqrt{2}}{2}\times\frac{4\sqrt{3}}{3}\times\cdots\times\frac{10\sqrt{9}}{9}$

$=\left(\frac{2}{1}\times\frac{3}{2}\times\frac{4}{3}\times\cdots\times\frac{10}{9}\right)\times(\sqrt{1}\times\sqrt{2}\times\sqrt{3}\times\cdots\times\sqrt{9})$

$=10\times\sqrt{2^7\times 3^4\times 5\times 7}$

$=10\times\sqrt{(2^3\times 3^2)^2\times 2\times 5\times 7}$

$=10\times 72\sqrt{70}=720\sqrt{70}$ ……❷

답 $720\sqrt{70}$

02 solution 미리 보기

step ❶	주어진 식을 만족시키기 위한 a, b의 조건 구하기
step ❷	조건을 만족시키는 a, b의 값 각각 구하기
step ❸	x, y의 값 각각 구하기
step ❹	$\sqrt{(x-1)^2}-\sqrt{(1-y)^2}$의 값 구하기

자연수 a, b가 $\sqrt{2a}+\sqrt{3b}=7$을 만족시키려면

$a=2k^2$, $b=3l^2$(k, l은 자연수)의 꼴이어야 한다. ❶

즉, $\sqrt{2^2k^2}+\sqrt{3^2l^2}=7$에서 $2k+3l=7$이므로

이를 만족시키는 자연수 k, l의 값은 $k=2$, $l=1$이다.

$\therefore a=8, b=3$ ❷

이때 $\sqrt{a-b}=\sqrt{5}$이고 $2<\sqrt{5}<3$이므로

$x=\sqrt{5}-2$

$\sqrt{a+4b}=\sqrt{20}=2\sqrt{5}$이고 $4<2\sqrt{5}<5$이므로

$y=2\sqrt{5}-4$ ❸

$\therefore \sqrt{(x-1)^2}-\sqrt{(1-y)^2}$

$=\sqrt{\{(\sqrt{5}-2)-1\}^2}-\sqrt{\{1-(2\sqrt{5}-4)\}^2}$

$=\sqrt{(\sqrt{5}-3)^2}-\sqrt{(5-2\sqrt{5})^2}$

$=-(\sqrt{5}-3)-(5-2\sqrt{5})$

$=-\sqrt{5}+3-5+2\sqrt{5}$

$=-2+\sqrt{5}$ ❹

답 $-2+\sqrt{5}$

03 solution 미리 보기

step ❶	네 사분원의 반지름의 길이 각각 구하기
step ❷	네 사분원의 호의 길이 각각 구하기
step ❸	도형의 둘레의 길이 구하기
step ❹	$a+b+c+d$의 값 구하기

넓이가 각각 $\frac{\pi}{25}$, $\frac{\pi}{5}$, π, 5π인 사분원의 반지름의 길이를 각각

r_1, r_2, r_3, r_4($r_1>0$, $r_2>0$, $r_3>0$, $r_4>0$)라 하면

$\frac{1}{4}\times\pi r_1^2=\frac{\pi}{25}$에서 $r_1^2=\frac{4}{25}$, $r_1=\sqrt{\frac{4}{25}}=\frac{2}{5}$

$\frac{1}{4}\times\pi r_2^2=\frac{\pi}{5}$에서 $r_2^2=\frac{4}{5}$, $r_2=\sqrt{\frac{4}{5}}=\frac{2\sqrt{5}}{5}$

$\frac{1}{4}\times\pi r_3^2=\pi$에서 $r_3^2=4$, $r_3=2$

$\frac{1}{4}\times\pi r_4^2=5\pi$에서 $r_4^2=20$, $r_4=\sqrt{20}=2\sqrt{5}$ ❶

이때 각 사분원의 호의 길이는

$\frac{1}{4}\times2\pi r_1=\frac{1}{4}\times2\pi\times\frac{2}{5}=\frac{\pi}{5}$

$\frac{1}{4}\times2\pi r_2=\frac{1}{4}\times2\pi\times\frac{2\sqrt{5}}{5}=\frac{\sqrt{5}\pi}{5}$

$\frac{1}{4}\times2\pi r_3=\frac{1}{4}\times2\pi\times2=\pi$

$\frac{1}{4}\times2\pi r_4=\frac{1}{4}\times2\pi\times2\sqrt{5}=\sqrt{5}\pi$ ❷

오른쪽 그림에서

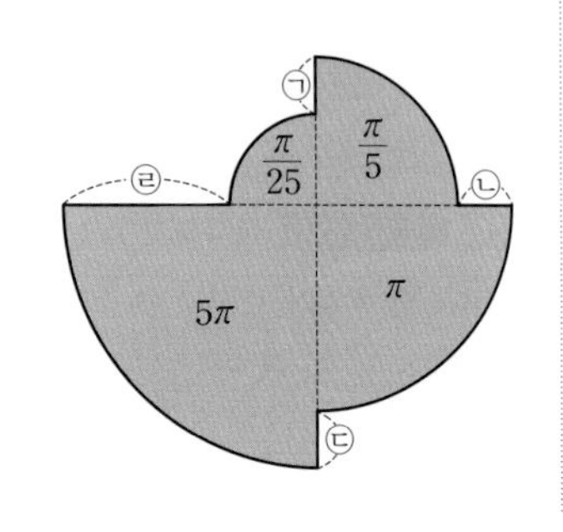

㉠의 길이는 $\frac{2\sqrt{5}}{5}-\frac{2}{5}$

㉡의 길이는 $2-\frac{2\sqrt{5}}{5}$

㉢의 길이는 $2\sqrt{5}-2$

㉣의 길이는 $2\sqrt{5}-\frac{2}{5}$

즉, 구하는 도형의 둘레의 길이는

$$\frac{\pi}{5}+\frac{\sqrt{5}\pi}{5}+\pi+\sqrt{5}\pi+\left(\frac{2\sqrt{5}}{5}-\frac{2}{5}\right)+\left(2-\frac{2\sqrt{5}}{5}\right)+(2\sqrt{5}-2)+\left(2\sqrt{5}-\frac{2}{5}\right)$$

$$=\left(\frac{6}{5}+\frac{6\sqrt{5}}{5}\right)\pi+4\sqrt{5}-\frac{4}{5}$$ ❸

따라서 $a=\frac{6}{5}$, $b=6$, $c=4$, $d=-\frac{4}{5}$이므로

$a+b+c+d=\frac{6}{5}+6+4-\frac{4}{5}=\frac{52}{5}$ ❹

답 $\frac{52}{5}$

04 solution 미리 보기

step ❶	$\sqrt{x}+\sqrt{y}=\sqrt{k}$를 만족시키는 x, y의 조건 구하기
step ❷	1부터 20까지의 자연수 중에서 $\sqrt{x}+\sqrt{y}=\sqrt{k}$를 만족시키는 수 찾기
step ❸	$\sqrt{x}+\sqrt{y}=\sqrt{k}$일 확률 구하기

세 자연수 x, y, k에 대하여

$\sqrt{x}+\sqrt{y}=\sqrt{k}$이려면 x, y가 제곱수이거나 $\sqrt{x}$, $\sqrt{y}$의 근호 안의 제곱인 인수를 근호 밖으로 꺼냈을 때, 남아 있는 근호 안의 수가 같아야 한다. ❶

1부터 20까지의 자연수는 다음과 같이 분류할 수 있다.

(ⅰ) (자연수)^{2}의 꼴

: 1, 4, 9, 16 ➡ $\sqrt{x}$, $\sqrt{y}$가 자연수

(ⅱ) (자연수)$^2\times2$의 꼴

: 2, 8, 18 ➡ $\sqrt{x}$, $\sqrt{y}$가 $\square\sqrt{2}$의 꼴

(ⅲ) (자연수)$^2\times3$의 꼴

: 3, 12 ➡ $\sqrt{x}$, $\sqrt{y}$가 $\square\sqrt{3}$의 꼴

(ⅳ) (자연수)$^2\times5$의 꼴

: 5, 20 ➡ $\sqrt{x}$, $\sqrt{y}$가 $\square\sqrt{5}$의 꼴

(ⅴ) (ⅰ)~(ⅳ)를 제외한 나머지 수

: 6, 7, 10, 11, 13, 14, 15, 17, 19

➡ $\sqrt{x}+\sqrt{y}=\sqrt{k}$를 만족시키지 않는다. ❷

1부터 20까지의 자연수가 각각 적힌 20장의 카드 중에서 두 장을 차례로 뽑을 때, 전체 경우의 수는 $20\times19=380$

(ⅰ)의 수가 적힌 카드 중에서 2장을 뽑는 경우의 수는 $4\times3=12$

(ⅱ)의 수가 적힌 카드 중에서 2장을 뽑는 경우의 수는 $3\times2=6$

(ⅲ)의 수가 적힌 카드 중에서 2장을 뽑는 경우의 수는 $2\times1=2$

(ⅳ)의 수가 적힌 카드 중에서 2장을 뽑는 경우의 수는 $2\times1=2$

따라서 $\sqrt{x}+\sqrt{y}=k$를 만족시키는 경우의 수는

$12+6+2+2=22$이므로

구하는 확률은 $\frac{22}{380}=\frac{11}{190}$ ❸

답 $\frac{11}{190}$

Ⅱ. 다항식의 곱셈과 인수분해

03. 다항식의 곱셈과 곱셈 공식

LEVEL 1 시험에 꼭 내는 문제

→33쪽~35쪽

01 36 **02** ④ **03** ① **04** 5 **05** ④ **06** 43 **07** 731
08 25.02 **09** $27-8\sqrt{6}$ **10** $2\sqrt{2}+\sqrt{3}$ **11** 7 **12** ⑤
13 ④ **14** 12 **15** 51 **16** -4 **17** ③ **18** $-a^2+5ab-6b^2$

01

$(2x+3y-1)^2$
$=(2x+3y-1)(2x+3y-1)$
$=4x^2+6xy-2x+6xy+9y^2-3y-2x-3y+1$
$=4x^2+9y^2+12xy-4x-6y+1$
따라서 $A=12$, $B=-6$이므로
$A-4B=12-4\times(-6)=12+24=36$ 　답 36

다른 풀이

$2x+3y=X$라 하면
$(2x+3y-1)^2$
$=(X-1)^2$
$=X^2-2X+1$
$=(2x+3y)^2-2(2x+3y)+1$
$=4x^2+12xy+9y^2-4x-6y+1$
따라서 $A=12$, $B=-6$이므로
$A-4B=12-4\times(-6)=12+24=36$

쌤의 특강

(다항식)×(다항식)의 계산에서 특정한 항의 계수를 구할 때에는 필요한 항이 나오는 부분만 전개해도 된다.
➡ xy항 : $2x\times3y+3y\times2x=12xy$
　y항 : $3y\times(-1)-1\times3y=-6y$
　즉, xy의 계수는 12, y의 계수는 -6

02

$(x+a)(x+b)$
$=x^2+(a+b)x+ab$
$=x^2+Ax+24$
$\therefore a+b=A$, $ab=24$
이때 a, b는 정수이므로 $ab=24$를 만족시키는 순서쌍 (a, b) 또는 (b, a)는 $(-1, -24)$, $(-2, -12)$, $(-3, -8)$, $(-4, -6)$, $(1, 24)$, $(2, 12)$, $(3, 8)$, $(4, 6)$
따라서 가능한 A의 값은 -25, -14, -11, -10, 25, 14, 11, 10이므로 A의 값이 될 수 없는 것은 ④이다. 　답 ④

쌤의 오답 피하기 특강

a, b가 자연수일 때 $ab=24$를 만족시키는 순서쌍 (a, b)는 $(1, 24)$, $(24, 1)$, …의 8개이지만 두 정수 a, b에 대하여 $ab=24$를 만족시키는 순서쌍 (a, b)는 $(-1, -24)$, $(-24, -1)$, $(1, 24)$, $(24, 1)$, …과 같은 방식으로 나열하면 모두 16개이다.
즉, a, b의 수의 범위에 따라 구하는 답이 달라짐에 주의한다.

03

$(2x+5)(3x-2)+(x+1)(x-1)$
$=6x^2+11x-10+x^2-1$
$=7x^2+11x-11$
따라서 $a=7$, $b=11$, $c=-11$이므로
$2a-b+c=2\times7-11-11=-8$ 　답 ①

04

(직사각형의 넓이)
$=(x+3)(x-5a)$
$=x^2+(3-5a)x-15a$
$=x^2+bx-15$
$\therefore 3-5a=b$, $-15a=-15$
따라서 $a=1$, $b=-2$이므로
$a-2b=1-2\times(-2)=5$ 　답 5

05

$x-2z=A$라 하면
$(x+y-2z)(x-y-2z)$
$=(A+y)(A-y)$
$=A^2-y^2$
$=(x-2z)^2-y^2$
$=x^2-4xz+4z^2-y^2$ 　답 ④

06

$(x-1)(x-2)(x+4)(x+5)$
$=(x-1)(x+4)(x-2)(x+5)$
$=(x^2+3x-4)(x^2+3x-10)$
$x^2+3x=A$라 하면
$(x^2+3x-4)(x^2+3x-10)$
$=(A-4)(A-10)$
$=A^2-14A+40$
$=(x^2+3x)^2-14(x^2+3x)+40$
$=x^4+6x^3+9x^2-14x^2-42x+40$
$=x^4+6x^3-5x^2-42x+40$
따라서 $a=6$, $b=-5$, $c=-42$이므로
$a+b-c=6+(-5)-(-42)=43$ 　답 43

07

$365\times367-364\times366$
$=365\times(365+2)-(365-1)\times(365+1)$
$=365^2+2\times365-(365^2-1)$
$=365^2+2\times365-365^2+1$
$=2\times365+1=731$

답 731

08

$5.1^2+4.9^2-5^2$
$=(5+0.1)^2+(5-0.1)^2-5^2$
$=5^2+2\times5\times0.1+(0.1)^2+5^2-2\times5\times0.1+(0.1)^2-5^2$
$=5^2+2\times(0.1)^2$
$=25+0.02=25.02$

답 25.02

09

$\sqrt{4}<\sqrt{6}<\sqrt{9}$에서 $2<\sqrt{6}<3$이므로
$\sqrt{6}$의 소수 부분은 $\sqrt{6}-2$
$\sqrt{16}<\sqrt{24}<\sqrt{25}$에서 $4<\sqrt{24}<5$이므로
$\sqrt{24}$의 소수 부분은 $\sqrt{24}-4=2\sqrt{6}-4$
따라서 $a=\sqrt{6}-2$, $b=2\sqrt{6}-4$이므로
$(2a+1)(b+3)$
$=\{2(\sqrt{6}-2)+1\}(2\sqrt{6}-4+3)$
$=(2\sqrt{6}-3)(2\sqrt{6}-1)$
$=(2\sqrt{6})^2-4\times2\sqrt{6}+3$
$=24-8\sqrt{6}+3$
$=27-8\sqrt{6}$

답 $27-8\sqrt{6}$

10

$\frac{2}{\sqrt{2}+1}+\frac{1}{2-\sqrt{3}}$
$=\frac{2(\sqrt{2}-1)}{(\sqrt{2}+1)(\sqrt{2}-1)}+\frac{2+\sqrt{3}}{(2-\sqrt{3})(2+\sqrt{3})}$
$=\frac{2\sqrt{2}-2}{2-1}+\frac{2+\sqrt{3}}{4-3}$
$=2\sqrt{2}-2+2+\sqrt{3}$
$=2\sqrt{2}+\sqrt{3}$

답 $2\sqrt{2}+\sqrt{3}$

11

$\frac{1}{3+2\sqrt{2}}+\frac{2}{3-2\sqrt{2}}$
$=\frac{3-2\sqrt{2}}{(3+2\sqrt{2})(3-2\sqrt{2})}+\frac{2(3+2\sqrt{2})}{(3-2\sqrt{2})(3+2\sqrt{2})}$
$=\frac{3-2\sqrt{2}}{9-8}+\frac{6+4\sqrt{2}}{9-8}$
$=3-2\sqrt{2}+6+4\sqrt{2}=9+2\sqrt{2}$
따라서 $a=9$, $b=2$이므로 $a-b=7$

답 7

쌤의 오답 피하기 특강

분자, 분모에 같은 수를 곱하며 $(3+2\sqrt{2})(3-2\sqrt{2})=3^2-2(\sqrt{2})^2$으로 계산하지 않도록 주의한다.

12

$x=\frac{\sqrt{5}+2}{\sqrt{5}-2}=\frac{(\sqrt{5}+2)^2}{(\sqrt{5}-2)(\sqrt{5}+2)}$
$=\frac{5+4\sqrt{5}+4}{5-4}=9+4\sqrt{5}$
$x-9=4\sqrt{5}$이므로 양변을 제곱하면
$(x-9)^2=(4\sqrt{5})^2$
$x^2-18x+81=80$, $x^2-18x=-1$
$\therefore x^2-18x+13=-1+13=12$

답 ⑤

쌤의 특강

x의 값을 직접 대입하여 식의 값을 구하기보다는 $x=a+\sqrt{b}$를 $x-a=\sqrt{b}$로 변형하여 양변을 제곱하여 정리한다.

13

$(2+a)(2-b)=20$에서 $4-2b+2a-ab=20$
$ab=-6$이므로
$4-2b+2a-(-6)=20$, $a-b=5$
$\therefore a^2+ab+b^2=a^2+b^2+ab$
$=(a-b)^2+2ab+ab$
$=(a-b)^2+3ab$
$=5^2+3\times(-6)$
$=7$

답 ④

14

$x^2+y^2=(x+y)^2-2xy$이므로
$12=4^2-2xy$ $\quad\therefore xy=2$
$\therefore \frac{2y}{x}+\frac{2x}{y}=\frac{2x^2+2y^2}{xy}=\frac{2(x^2+y^2)}{xy}$
$=\frac{2\times12}{2}=12$

답 12

15

$\left(x-\frac{1}{x}\right)^2=\left(x+\frac{1}{x}\right)^2-4=4^2-4=12$
$\left(y+\frac{1}{y}\right)^2=\left(y-\frac{1}{y}\right)^2+4=\left(\frac{1}{2}\right)^2+4=\frac{17}{4}$
$\therefore \left(x-\frac{1}{x}\right)^2\left(y+\frac{1}{y}\right)^2=12\times\frac{17}{4}=51$

답 51

쌤의 오답 피하기 특강

$\left(x+\frac{1}{x}\right)^2=x^2+2+\frac{1}{x^2}$
$\left(x-\frac{1}{x}\right)^2=x^2-2+\frac{1}{x^2}$ 차는 4이다.

$\Rightarrow \left(x+\frac{1}{x}\right)^2=\left(x-\frac{1}{x}\right)^2+4$

$\left(x-\frac{1}{x}\right)^2=\left(x+\frac{1}{x}\right)^2-4$

16

환승이는 $(3x-2)(2x+5)$에서 5를 A로 잘못 보았으므로

$(3x-2)(2x+A)=6x^2+2x+B$

$6x^2+(3A-4)x-2A=6x^2+2x+B$

즉, $3A-4=2$, $-2A=B$이므로

$A=2$, $B=-4$

민혁이는 $(3x-2)(2x+5)$에서 3을 A로 잘못 보았으므로

$(Ax-2)(2x+5)=Cx^2+6x-10$

이때 $A=2$이므로

$(2x-2)(2x+5)=Cx^2+6x-10$

$4x^2+6x-10=Cx^2+6x-10$

즉, $C=4$

$\therefore 2A+B-C=2\times2+(-4)-4=-4$ 답 -4

17

$(2+\sqrt{3})^2+(3-\sqrt{5})(3+\sqrt{5})$

$=2^2+2\times2\times\sqrt{3}+(\sqrt{3})^2+3^2-(\sqrt{5})^2$

$=4+4\sqrt{3}+3+9-5$

$=11+4\sqrt{3}$ 답 ③

쌤의 특강

제곱근을 문자로 생각하고 곱셈 공식을 이용한다.

18

$\overline{AE}=\overline{EH}=\overline{AB}=b$이므로

$\overline{HD}=a-2b$

$\therefore \overline{IJ}=\overline{HD}=a-2b$

즉, $\overline{DJ}=\overline{HD}=a-2b$이므로

$\overline{JC}=b-(a-2b)=3b-a$

$\therefore$ (사각형 IGCJ의 넓이)

$=\overline{IJ}\times\overline{JC}$

$=(a-2b)(3b-a)$

$=-a^2+5ab-6b^2$ 답 $-a^2+5ab-6b^2$

LEVEL 2 필수 기출 문제

→ 36쪽~40쪽

01 4 **02** 50 **03** 11 **04** ② **05** 2 **06** -1 **07** $-2x^2-4$
08 $-2a^2+7ab-6b^2$ **09** x^8-7x^4+1 **10** $24+24\sqrt{3}$
11 $a=4, b=8$ **12** 16 **13** 17 **14** ④ **15** 1 **16** $22+4\sqrt{30}$
17 29 **18** -22 **19** 424 **20** $4\sqrt{6}$

01

[전략] 특정한 항의 계수를 구할 때에는 필요한 항이 나오는 부분만 전개한다.

주어진 식의 전개식에서

x^3항은 $x\times2x^2-x^2\times ax=(2-a)x^3$

상수항은 $-2\times a-(-1)\times2=-2a+2$

이때 x^3의 계수가 3이므로

$2-a=3$, $a=-1$

따라서 상수항은 $-2a+2=-2\times(-1)+2=4$ 답 4

02

[전략] n이 홀수일 때와 짝수일 때로 나누어 $f(n)$의 값을 구해 본다.

(i) n이 짝수일 때

$n=2k$(k는 자연수)의 꼴이므로

$n^2=(2k)^2=4k^2$ $\therefore f(n)=0$

(ii) n이 홀수일 때

$n=2k-1$(k는 자연수)의 꼴이므로

$n^2=(2k-1)^2=4k^2-4k+1=4(k^2-k)+1$

$\therefore f(n)=1$

(i), (ii)에서

$f(1)+f(2)+f(3)+f(4)+f(5)+\cdots+f(99)+f(100)$

$=1+0+1+0+1+\cdots+1+0=1\times50=50$ 답 50

03

[전략] $(a+b)(a-b)=a^2-b^2$을 이용하여 좌변을 간단히 정리한다.

$y=-x+2$에서 $x+y=2$이므로

$(x-y)(x^2+y^2)(x^4+y^4)$

$=\frac{1}{2}\times2\times(x-y)(x^2+y^2)(x^4+y^4)$

$=\frac{1}{2}(x+y)(x-y)(x^2+y^2)(x^4+y^4)$

$=\frac{1}{2}(x^2-y^2)(x^2+y^2)(x^4+y^4)$

$=\frac{1}{2}(x^4-y^4)(x^4+y^4)$

$=\frac{1}{2}(x^8-y^8)$

$=\frac{1}{2}x^8-\frac{1}{2}y^8$

따라서 $a=\frac{1}{2}$, $b=\frac{1}{2}$, $c=8$이므로

$4a+2b+c=4\times\frac{1}{2}+2\times\frac{1}{2}+8=11$ 답 11

쌤의 만점 특강

$x^2\pm y^2, x^4\pm y^4, x^8\pm y^8, \cdots$과 같이 지수가 2의 거듭제곱의 꼴인 식이 있으면 $(x+y)(x-y)=x^2-y^2$을 이용할 수 있는지 확인한다.

04

[전략] $(a+b)(c+d)$의 전개식을 이용한다.

$a+b=2$이고 $cd=1$이므로

$$(a+b+c)(a+b+d)=(2+c)(2+d)=4+2(c+d)+cd=5+2(c+d)$$

즉, $5+2(c+d)=9$에서 $c+d=2$이므로

$(a+b)(c+d)=2\times2=4$

또, $ac=bd=1$이므로

$$(a+b)(c+d)=ac+ad+bc+bd=1+ad+bc+1=ad+bc+2$$

따라서 $ad+bc+2=4$이므로 $ad+bc=2$ 답 ②

05

[전략] 0.5를 $0.\dot{5}$로 놓고 전개하여 상수항을 구한다.

0.5를 $0.\dot{5}$로 잘못 보고 전개한 식은

$$(x-0.\dot{5})(x+a)=\left(x-\frac{5}{9}\right)(x+a)=x^2+\left(a-\frac{5}{9}\right)x-\frac{5}{9}a$$

바르게 보고 전개한 식은

$$(x-0.5)(x+a)=\left(x-\frac{1}{2}\right)(x+a)=x^2+\left(a-\frac{1}{2}\right)x-\frac{1}{2}a$$

이때 $-\frac{5}{9}a$가 $-\frac{1}{2}a$보다 $\frac{1}{9}$만큼 작으므로

$-\frac{1}{2}a-\left(-\frac{5}{9}a\right)=\frac{1}{9}$, $-\frac{9}{18}a+\frac{10}{18}a=\frac{1}{9}$, $\frac{1}{18}a=\frac{1}{9}$

$\therefore a=2$ 답 2

쌤의 복합 개념 특강

순환소수를 분수로 나타내기

$0.\dot{a}=\frac{a}{9}$, $0.\dot{a}\dot{b}=\frac{ab}{99}$, $0.\dot{a}b\dot{c}=\frac{abc}{999}$

$0.0\dot{a}\dot{b}=\frac{ab}{990}$, $a.\dot{b}c\dot{d}=\frac{abcd-ab}{990}$

06

[전략] $a+b\sqrt{2}$와 $c+d\sqrt{2}$의 곱이 유리수임을 이용하여 a, b, c, d 사이의 관계식을 구한다.

$$(a+b\sqrt{2})(c+d\sqrt{2})=ac+ad\sqrt{2}+bc\sqrt{2}+2bd=(ac+2bd)+(ad+bc)\sqrt{2}$$

유리수이므로 $ad+bc=0$ $\quad\therefore ad=-bc$ ……㉠

$y=\frac{a}{b}x-\frac{c}{d}$에 $y=0$을 대입하면

$0=\frac{a}{b}x-\frac{c}{d}$, $\frac{a}{b}x=\frac{c}{d}$ $\quad\therefore x=\frac{c}{d}\times\frac{b}{a}=\frac{bc}{ad}$

따라서 $y=\frac{a}{b}x-\frac{c}{d}$의 x절편은 $\frac{bc}{ad}$이고,

㉠을 대입하면 $\frac{bc}{ad}=-\frac{bc}{bc}=-1$ 답 -1

쌤의 복합 개념 특강

일차함수의 그래프의 x절편

함수의 그래프가 x축과 만나는 점의 x좌표

즉, $y=0$일 때의 x의 값

예 일차함수 $y=\frac{2}{3}x-2$의 그래프의 x절편

$y=0$일 때, $0=\frac{2}{3}x-2$이므로 $x=3$

07

[전략] 정육면체를 만들었을 때 마주 보는 두 면을 찾아 식을 세운다.

주어진 전개도로 정육면체를 만들면 $3x+1$과 $x-1$, $3x-2$와 $x+2$, $2x+1$과 $-4x+1$이 적힌 면이 서로 마주 보게 된다.

$\therefore A+B+C$

$$=(3x+1)(x-1)+(3x-2)(x+2)+(2x+1)(-4x+1)$$
$$=3x^2-2x-1+3x^2+4x-4-8x^2-2x+1$$
$$=-2x^2-4$$

답 $-2x^2-4$

08

[전략] □HFIJ의 가로의 길이, 세로의 길이를 각각 구한다.

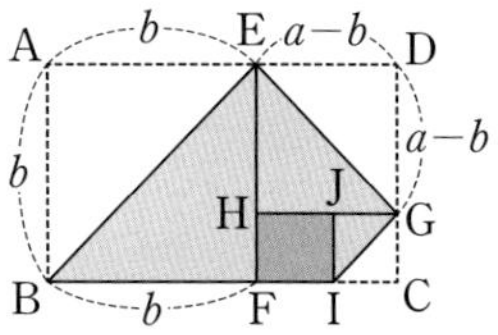

오른쪽 그림에서 $\overline{AE}=\overline{AB}=b$이므로

$\overline{ED}=\overline{AD}-\overline{AE}=a-b$

$\therefore \overline{DG}=\overline{ED}=a-b$

즉, $\overline{GC}=\overline{DC}-\overline{DG}=b-(a-b)=2b-a$

이므로 $\overline{JI}=\overline{GC}=2b-a$

한편, $\overline{ED}=\overline{FC}=a-b$, $\overline{IC}=\overline{GC}=2b-a$이므로

$\overline{FI}=(a-b)-(2b-a)=2a-3b$

$\therefore$ (사각형 HFIJ의 넓이)

$$=\overline{FI}\times\overline{JI}=(2a-3b)(2b-a)=-2a^2+7ab-6b^2$$

답 $-2a^2+7ab-6b^2$

09

[전략] $(x^2-x-1)(x^2+x-1)$에서 공통 부분을 한 문자로 치환한 후 곱셈 공식을 이용하여 전개한다.

$x^2-1=A$라 하면

$(x^2-x-1)(x^2+x-1)$

$=(A-x)(A+x)$

$=A^2-x^2=(x^2-1)^2-x^2$

$=x^4-2x^2+1-x^2$

$=x^4-3x^2+1$

즉, 주어진 식은 $(x^4-3x^2+1)(x^4+3x^2+1)$이므로

$x^4+1=B$라 하면

$$\begin{aligned}(\text{주어진 식})&=(B-3x^2)(B+3x^2)\\&=B^2-9x^4=(x^4+1)^2-9x^4\\&=x^8+2x^4+1-9x^4\\&=x^8-7x^4+1\end{aligned}$$

답 x^8-7x^4+1

10

[전략] 주어진 식을 곱셈 공식을 이용하여 간단히 한 후, x, y의 값을 각각 대입한다.

$x+3=A$라 하면

$$\begin{aligned}&(x+y+3)(x-y+3)+(x+3)^2\\&=(A+y)(A-y)+A^2\\&=A^2-y^2+A^2\\&=2A^2-y^2\\&=2(x+3)^2-y^2\\&=2(x^2+6x+9)-y^2\\&=2x^2+12x+18-y^2\end{aligned}$$

이때 $x=2\sqrt{3}$, $y=3\sqrt{2}$이므로

$$\begin{aligned}&2x^2+12x+18-y^2\\&=2\times(2\sqrt{3})^2+12\times2\sqrt{3}+18-(3\sqrt{2})^2\\&=24+24\sqrt{3}+18-18\\&=24+24\sqrt{3}\end{aligned}$$

답 $24+24\sqrt{3}$

11

[전략] 주어진 식의 좌변을 전개한 후, 우변의 동류항의 계수와 상수항을 각각 비교한다.

$$\begin{aligned}&(x+4+\sqrt{3})(x+a-\sqrt{3})+3\\&=\{x+(4+\sqrt{3})\}\{x+(a-\sqrt{3})\}+3\\&=x^2+\{(a-\sqrt{3})+(4+\sqrt{3})\}x+(4+\sqrt{3})(a-\sqrt{3})+3\\&=x^2+(a-\sqrt{3}+4+\sqrt{3})x+4a-4\sqrt{3}+a\sqrt{3}-3+3\\&=x^2+(a+4)x+4a+(a-4)\sqrt{3}\\&=x^2+bx+16\end{aligned}$$

즉, $4a+(a-4)\sqrt{3}=16$에서 a가 유리수이므로

$4a=16$, $a-4=0$ $\quad\therefore a=4$

$\therefore b=a+4=8$

답 $a=4$, $b=8$

쌤의 만점 특강

$(x+4+\sqrt{3})(x+a-\sqrt{3})+3$을 바로 전개하는 것이 어려우면 $4+\sqrt{3}=A$, $a-\sqrt{3}=B$로 치환하고 전개한 다음 양변을 비교해도 된다.

12

[전략] 주어진 식의 좌변에 적당한 수를 곱하여 곱셈 공식을 이용할 수 있는 꼴로 바꾼다.

$$\begin{aligned}&(7+1)(7^2+1)(7^4+1)(7^8+1)\\&=\frac{1}{6}(7-1)(7+1)(7^2+1)(7^4+1)(7^8+1)\\&=\frac{1}{6}(7^2-1)(7^2+1)(7^4+1)(7^8+1)\\&=\frac{1}{6}(7^4-1)(7^4+1)(7^8+1)\\&=\frac{1}{6}(7^8-1)(7^8+1)\\&=\frac{1}{6}(7^{16}-1)\end{aligned}$$

$\therefore n=16$

답 16

13

[전략] 곱셈 공식을 이용할 수 있도록 주어진 수를 거듭제곱을 이용하여 나타낸다.

$$\begin{aligned}&19\times21\times401\times160001\times25600000001\\&=(20-1)(20+1)(20^2+1)(20^4+1)(20^8+1)\\&=(20^2-1)(20^2+1)(20^4+1)(20^8+1)\\&=(20^4-1)(20^4+1)(20^8+1)\\&=(20^8-1)(20^8+1)\\&=20^{16}-1=20^a-b\end{aligned}$$

따라서 $a=16$, $b=1$이므로

$a+b=16+1=17$

답 17

14

[전략] $\frac{1}{N(x)}$의 분모를 유리화한 후, $x=1, 2, 3, \cdots$을 각각 대입한다.

$$\begin{aligned}\frac{1}{N(x)}&=\frac{1}{\sqrt{x}+\sqrt{x-1}}\\&=\frac{\sqrt{x}-\sqrt{x-1}}{(\sqrt{x}+\sqrt{x-1})(\sqrt{x}-\sqrt{x-1})}\\&=\frac{\sqrt{x}-\sqrt{x-1}}{x-(x-1)}=\sqrt{x}-\sqrt{x-1}\end{aligned}$$

$$\begin{aligned}\therefore\ &\frac{1}{N(1)}+\frac{1}{N(2)}+\frac{1}{N(3)}+\cdots+\frac{1}{N(50)}\\&=(\sqrt{1}-\sqrt{0})+(\sqrt{2}-\sqrt{1})+(\sqrt{3}-\sqrt{2})+\cdots+(\sqrt{50}-\sqrt{49})\\&=-\sqrt{0}+\sqrt{50}=5\sqrt{2}\end{aligned}$$

답 ④

15

[전략] 주어진 식의 분모를 유리화한 후, 유리수가 되는 조건을 생각한다.

$$\begin{aligned}\frac{a\sqrt{10}+b}{\sqrt{10}+1}&=\frac{(a\sqrt{10}+b)(\sqrt{10}-1)}{(\sqrt{10}+1)(\sqrt{10}-1)}\\&=\frac{10a-a\sqrt{10}+b\sqrt{10}-b}{10-1}\\&=\frac{(10a-b)+(b-a)\sqrt{10}}{9}\end{aligned}$$

유리수가 되려면 $b-a=0$이어야 하므로 $a=b$

$$\therefore \frac{2ab}{a^2+b^2}=\frac{2a^2}{a^2+a^2}=\frac{2a^2}{2a^2}=1$$

답 1

쌤의 복합 개념 특강

유리수가 되는 조건

a, b가 유리수이고 $\sqrt{m}$이 무리수일 때

$a+b\sqrt{m}$이 유리수가 되는 조건 ➡ $b=0$

16

[전략] x의 값과 주어진 식의 분모를 각각 유리화하여 간단히 나타낸 후 x의 값을 대입한다.

$$x=\frac{\sqrt{6}+\sqrt{5}}{\sqrt{6}-\sqrt{5}}=\frac{(\sqrt{6}+\sqrt{5})^2}{(\sqrt{6}-\sqrt{5})(\sqrt{6}+\sqrt{5})}$$
$$=6+2\sqrt{30}+5=11+2\sqrt{30}$$

이때 $x>1$이므로

$$\frac{\sqrt{x+1}-\sqrt{x-1}}{\sqrt{x+1}+\sqrt{x-1}}+\frac{\sqrt{x+1}+\sqrt{x-1}}{\sqrt{x+1}-\sqrt{x-1}}$$
$$=\frac{(\sqrt{x+1}-\sqrt{x-1})^2+(\sqrt{x+1}+\sqrt{x-1})^2}{(\sqrt{x+1}+\sqrt{x-1})(\sqrt{x+1}-\sqrt{x-1})}$$
$$=\frac{2(x+1)+2(x-1)}{x+1-(x-1)}=\frac{4x}{2}$$
$$=2x=2(11+2\sqrt{30})$$
$$=22+4\sqrt{30}$$

답 $22+4\sqrt{30}$

쌤의 만점 특강

$a>0$, $b>0$일 때

$$\frac{\sqrt{a}-\sqrt{b}}{\sqrt{a}+\sqrt{b}}+\frac{\sqrt{a}+\sqrt{b}}{\sqrt{a}-\sqrt{b}}=\frac{(\sqrt{a}-\sqrt{b})^2+(\sqrt{a}+\sqrt{b})^2}{(\sqrt{a}+\sqrt{b})(\sqrt{a}-\sqrt{b})}$$
$$=\frac{2a+2b}{a-b}$$

17

[전략] 주어진 등식의 양변을 각각 x, y로 나누어 본다.

$x^2-3x+2=0$의 양변을 x로 나누면

$x-3+\frac{2}{x}=0$ $\quad\therefore x+\frac{2}{x}=3$

$y^2+4y-3=0$의 양변을 y로 나누면

$y+4-\frac{3}{y}=0$ $\quad\therefore y-\frac{3}{y}=-4$

$$\left(x-\frac{2}{x}\right)^2=\left(x+\frac{2}{x}\right)^2-8=3^2-8=1$$
$$\left(y+\frac{3}{y}\right)^2=\left(y-\frac{3}{y}\right)^2+12=(-4)^2+12=28$$
$$\therefore \left(x-\frac{2}{x}\right)^2+\left(y+\frac{3}{y}\right)^2=1+28=29$$

답 29

쌤의 특강

$x=0$이면 $x^2-3x+2=2\neq0$

즉, $x^2-3x+2=0$에서 $x\neq0$이므로 양변을 x로 나눌 수 있다.

$y=0$이면 $y^2+4y-3=-3\neq0$

즉, $y^2+4y-3=0$에서 $y\neq0$이므로 양변을 y로 나눌 수 있다.

18

[전략] 주어진 두 식을 더하거나 빼서 $x+y$, xy의 값을 각각 구한다.

$x+xy+y=3$ $\quad\cdots\cdots$ ㉠

$x-xy+y=5$ $\quad\cdots\cdots$ ㉡

㉠+㉡을 하면

$2(x+y)=8$ $\quad\therefore x+y=4$

㉠−㉡을 하면

$2xy=-2$ $\quad\therefore xy=-1$

따라서

$x^2+y^2=(x+y)^2-2xy=4^2-2\times(-1)=18$

이므로

$$\frac{y+1}{x}+\frac{x+1}{y}=\frac{y(y+1)+x(x+1)}{xy}$$
$$=\frac{x^2+y^2+x+y}{xy}$$
$$=\frac{18+4}{-1}=-22$$

답 -22

19

[전략] 주어진 두 식에서 $x+y$, xy의 값을 각각 구한다.

$(x-y)^2-(x+y)^2=24$에서

$x^2-2xy+y^2-(x^2+2xy+y^2)=24$

$-4xy=24$ $\quad\therefore xy=-6$

$(3x+1)(3y+1)=7$에서

$9xy+3(x+y)+1=7$

이때 $xy=-6$이므로

$9\times(-6)+3(x+y)+1=7$, $3(x+y)=60$

$\therefore x+y=20$

$$\therefore (x-y)^2=(x+y)^2-4xy$$
$$=20^2-4\times(-6)$$
$$=424$$

답 424

쌤의 특강

$x+y=20$이므로

$(x-y)^2-(x+y)^2=24$에서

$(x-y)^2=24+(x+y)^2$

$=24+400=424$

로 풀 수도 있다.

20

[전략] 정사각형의 한 변의 길이와 직사각형의 가로의 길이, 세로의 길이를 각각 미지수로 놓고 식을 세운다.

정사각형의 한 변의 길이를 k, 직사각형의 가로의 길이와 세로의 길이를 각각 a, $b(a>b)$라 하면

정사각형과 직사각형의 둘레의 길이가 서로 같으므로

$4k=2(a+b)$ $\quad\therefore a+b=2k$

정사각형의 넓이와 직사각형의 넓이의 차가 24이므로

$k^2-ab=24$ $\quad\therefore ab=k^2-24$

이때 $(a-b)^2=(a+b)^2-4ab$에서

$$(a-b)^2=(2k)^2-4(k^2-24)$$
$$=4k^2-4k^2+96=96$$

이때 $a-b>0$이므로 $a-b=\sqrt{96}=4\sqrt{6}$

따라서 직사각형의 이웃하는 두 변의 길이의 차는 $4\sqrt{6}$이다.

답 $4\sqrt{6}$

LEVEL 3 최고난도 문제

→41쪽

01 $-1, 1$ **02** $31x^2-16x-92$ **03** $x^2+y^2+z^2$ **04** 9

01 solution 미리 보기

step ❶	x^2-y^2의 값 구하기
step ❷	주어진 식을 $(x+y)^n=A$, $(x-y)^n=B$로 치환하여 간단히 하기
step ❸	n이 홀수일 때와 짝수일 때로 나누어 답 구하기

$x^2-y^2+1=0$에서 $x^2-y^2=-1$ ❶

$(x+y)^n=A$, $(x-y)^n=B$라 하면

$\{(x+y)^n-(x-y)^n\}^2-\{(x+y)^n+(x-y)^n\}^2+3(x+y)^n(x-y)^n$

$=(A-B)^2-(A+B)^2+3AB$

$=A^2-2AB+B^2-(A^2+2AB+B^2)+3AB$

$=-AB$

$=-(x+y)^n(x-y)^n$

$=-(x^2-y^2)^n$

$=-(-1)^n$ ❷

(i) n이 홀수일 때, $-(-1)^n=-(-1)=1$

(ii) n이 짝수일 때, $-(-1)^n=-(+1)=-1$

(i), (ii)에서 구하는 값은 $-1, 1$이다. ❸

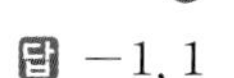

답 $-1, 1$

02 solution 미리 보기

step ❶	$\overline{ED}$의 길이 구하기
step ❷	전체 직사각형의 가로의 길이 구하기
step ❸	전체 직사각형의 넓이 구하기

겹치는 부분인 직사각형의 가로의 길이는

$\overline{ED}=(3x+4)-(2x+3)=x+1$ ❶

겹치는 직사각형은 14개이므로 전체 직사각형의 가로의 길이는

$15(3x+4)-14(x+1)$

$=45x+60-14x-14$

$=31x+46$ ❷

따라서 전체 직사각형의 넓이는

$(31x+46)(x-2)=31x^2-16x-92$ ❸

답 $31x^2-16x-92$

03 solution 미리 보기

step ❶	$\frac{x+y+z}{4}=A$로 치환하기
step ❷	치환한 식을 정리하기
step ❸	원래의 식을 대입하여 정리하기

$\frac{x+y+z}{4}=A$라 하면

$\left(x-\frac{x+y+z}{4}\right)^2+\left(y-\frac{x+y+z}{4}\right)^2+\left(z-\frac{x+y+z}{4}\right)^2$

$+\frac{5(x+y+z)^2}{16}$

$=(x-A)^2+(y-A)^2+(z-A)^2+5A^2$ ❶

$=x^2-2Ax+A^2+y^2-2Ay+A^2+z^2-2Az+A^2+5A^2$

$=x^2+y^2+z^2-2A(x+y+z)+8A^2$ ❷

이때 $\frac{x+y+z}{4}=A$에서 $x+y+z=4A$이므로

$x^2+y^2+z^2-2A(x+y+z)+8A^2$

$=x^2+y^2+z^2-2A\times4A+8A^2$

$=x^2+y^2+z^2-8A^2+8A^2$

$=x^2+y^2+z^2$ ❸

답 $x^2+y^2+z^2$

04 solution 미리 보기

step ❶	$\frac{1}{\sqrt{2}+\sqrt{5}+1}$의 분모를 유리화하기
step ❷	$\frac{1}{\sqrt{2}+\sqrt{5}+1}-\frac{1}{2}$을 간단히 하기
step ❸	$2a+b$의 값 구하기

$\frac{1}{\sqrt{2}+\sqrt{5}+1}=\frac{(\sqrt{2}+1)-\sqrt{5}}{\{(\sqrt{2}+1)+\sqrt{5}\}\{(\sqrt{2}+1)-\sqrt{5}\}}$

$=\frac{\sqrt{2}+1-\sqrt{5}}{(\sqrt{2}+1)^2-(\sqrt{5})^2}$

$=\frac{\sqrt{2}-\sqrt{5}+1}{2+2\sqrt{2}+1-5}$

$=\frac{\sqrt{2}-\sqrt{5}+1}{2\sqrt{2}-2}$

$=\frac{\sqrt{2}-\sqrt{5}+1}{2}\times\frac{1}{\sqrt{2}-1}$

$=\frac{\sqrt{2}-\sqrt{5}+1}{2}\times\frac{\sqrt{2}+1}{(\sqrt{2}-1)(\sqrt{2}+1)}$

$=\frac{\sqrt{2}-\sqrt{5}+1}{2}\times(\sqrt{2}+1)$

$=\frac{1}{2}(2+\sqrt{2}-\sqrt{10}-\sqrt{5}+\sqrt{2}+1)$

$=\frac{1}{2}(3+2\sqrt{2}-\sqrt{5}-\sqrt{10})$ ❶

$\therefore \frac{1}{\sqrt{2}+\sqrt{5}+1}-\frac{1}{2}=\frac{1}{2}(3+2\sqrt{2}-\sqrt{5}-\sqrt{10})-\frac{1}{2}$

$=\frac{3}{2}+\sqrt{2}-\frac{\sqrt{5}}{2}-\frac{\sqrt{10}}{2}-\frac{1}{2}$

$=1+\sqrt{2}-\frac{\sqrt{5}}{2}-\frac{\sqrt{10}}{2}$ ❷

따라서 $a=2$, $b=5$이므로 $2a+b=2\times2+5=9$ ❸

답 9

쌤의 특강

$\frac{1}{\sqrt{2}+\sqrt{5}+1}-\frac{1}{2}=1+\sqrt{a}-\frac{\sqrt{b}}{2}-\frac{\sqrt{ab}}{2}$에서

$\frac{1}{\sqrt{2}+\sqrt{5}+1}=\frac{3}{2}+\sqrt{a}-\frac{\sqrt{b}}{2}-\frac{\sqrt{ab}}{2}$이므로

$\frac{3+2\sqrt{2}-\sqrt{5}-\sqrt{10}}{2}=\frac{3+2\sqrt{a}-\sqrt{b}-\sqrt{ab}}{2}$

이 식의 양변의 분자를 비교하여 a, b의 값을 구할 수도 있다.

04. 인수분해

LEVEL 1 시험에 꼭 내는 문제

→ 44쪽~46쪽

01 ④ 02 ③ 03 -1 04 $(a^2+b^2)(a+b)(a-b)$
05 $2x-13$ 06 20, $5x-4y$ 07 $2x+3$ 08 $3a+5$
09 11 10 ④ 11 ② 12 2 13 $(x-y+1)(x+3y+2)$
14 2572 15 16 16 $4x+8$ 17 $(x-3)(2x+1)$
18 1

01

④ $3x^2y+12xy^2=3xy(x+4y)$이므로 $3x^2y+12xy^2$의 인수는 $3, x, y, x+4y, 3x, 3y, 3(x+4y), \cdots$의 여러 개이다.

답 ④

02

$3ab(x-y)-3b(y-x)=3ab(x-y)+3b(x-y)$
$=3b(x-y)(a+1)$

⑤ $3ab+3b=3b(a+1)$이므로 주어진 식의 인수이다.
따라서 주어진 식의 인수가 아닌 것은 ③이다. 답 ③

03

$4x^2+(2k+1)x+9=(2x\pm3)^2$이므로
$2k+1=\pm2\times2\times3=\pm12$
$\therefore k=-\frac{13}{2}$ 또는 $k=\frac{11}{2}$
따라서 모든 상수 k의 값의 합은
$-\frac{13}{2}+\frac{11}{2}=-1$ 답 -1

다른 풀이

$4x^2+(2k+1)x+9=4\left(x^2+\frac{2k+1}{4}x+\frac{9}{4}\right)$이므로
$\frac{2k+1}{4}=\pm2\sqrt{\frac{9}{4}}$, $2k+1=\pm12$
$\therefore k=-\frac{13}{2}$ 또는 $k=\frac{11}{2}$
따라서 구하는 합은 -1이다.

04

$a^4-b^4=(a^2)^2-(b^2)^2$
$=(a^2+b^2)(a^2-b^2)$
$=(a^2+b^2)(a+b)(a-b)$

답 $(a^2+b^2)(a+b)(a-b)$

05

$x^2-13x+22=(x-2)(x-11)$
따라서 구하는 두 일차식의 합은
$(x-2)+(x-11)=2x-13$ 답 $2x-13$

06

$ax^2-xy-12y^2=(4x+3y)(bx-4y)$라 하면
$ax^2-xy-12y^2=4bx^2+(3b-16)xy-12y^2$
$a=4b$, $-1=3b-16$
$\therefore b=5, a=20$
따라서 상수 a의 값은 20이고, 일차식인 다른 한 인수는 $5x-4y$이다. 답 20, $5x-4y$

쌤의 오답 피하기 특강

$ax^2-xy-12y^2$에서 $-12y^2=3y\times(-4y)$이므로 다른 한 인수의 y의 계수는 -4임을 알 수 있다. 이때 다른 한 인수의 x의 계수는 알 수 없으므로 미지수로 놓고 식을 세운다.

07

$10x^2+13x-3=(2x+3)(5x-1)$
$4x^2+8x+3=(2x+1)(2x+3)$
따라서 두 다항식의 1이 아닌 공통인 인수는 $2x+3$이다.

답 $2x+3$

08

사다리꼴의 윗변의 길이를 A라 하면
(사다리꼴의 넓이)$=\frac{1}{2}\times\{A+(A+4)\}\times(a-3)$
$=(A+2)(a-3)$
이때 사다리꼴의 넓이가
$3a^2-2a-21=(a-3)(3a+7)$이므로
$(A+2)(a-3)=(a-3)(3a+7)$
$a-3>0$이므로
$A+2=3a+7$ $\therefore A=3a+5$
따라서 사다리꼴의 윗변의 길이는 $3a+5$이다. 답 $3a+5$

09

$x-3=A$, $y+4=B$라 하면
$3(x-3)^2+5(x-3)(y+4)-12(y+4)^2$
$=3A^2+5AB-12B^2$
$=(A+3B)(3A-4B)$
$=\{(x-3)+3(y+4)\}\{3(x-3)-4(y+4)\}$
$=(x+3y+9)(3x-4y-25)$
따라서 $a=3, b=9, c=3, d=-4$이므로
$a+b+c+d=3+9+3-4=11$ 답 11

10

$x^2y^2+x^2y+xy^2+xy=xy(xy+x+y+1)$
$=xy\{x(y+1)+(y+1)\}$
$=xy(x+1)(y+1)$
② $xy+y=y(x+1)$이므로 주어진 식의 인수이다.
따라서 주어진 식의 인수가 아닌 것은 ④이다. 답 ④

쌤의 오답 피하기 특강

인수분해할 때는 먼저 공통인 인수를 묶어 내는 것이 편리하며 주어진 보기에서 인수분해가 가능한 식은 인수분해한 후 인수인지 아닌지를 파악한다.

11

$x^2-y^2+2xz+z^2=(x^2+2xz+z^2)-y^2$
$=(x+z)^2-y^2$
$=\{(x+z)+y\}\{(x+z)-y\}$
$=(x+y+z)(x-y+z)$

답 ②

12

주어진 식을 x에 대하여 내림차순으로 정리하면

$xy+y^2+x-2y-3=(y+1)x+y^2-2y-3$
$=(y+1)x+(y+1)(y-3)$
$=(y+1)(x+y-3)$

따라서 $a=1$, $b=1$, $c=1$이므로

$2a+b-c=2\times1+1-1=2$

답 2

쌤의 특강

차수가 낮은 문자는 x이지만 다음과 같이 y에 대하여 내림차순으로 정리한 후 인수분해할 수도 있다.

$xy+y^2+x-2y-3=y^2+(x-2)y+x-3$
$=(y+1)(y+x-3)$

13

주어진 식을 x에 대하여 내림차순으로 정리하면

$x^2+2xy-3y^2+3x+y+2$
$=x^2+(2y+3)x-3y^2+y+2$
$=x^2+(2y+3)x-(y-1)(3y+2)$
$=\{x-(y-1)\}\{x+(3y+2)\}$
$=(x-y+1)(x+3y+2)$

답 $(x-y+1)(x+3y+2)$

다른 풀이

주어진 식을 y에 대하여 내림차순으로 정리하면

$x^2+2xy-3y^2+3x+y+2$
$=-3y^2+(2x+1)y+(x^2+3x+2)$
$=-3y^2+(2x+1)y+(x+1)(x+2)$
$=(-y+x+1)(3y+x+2)$
$=(x-y+1)(x+3y+2)$

참고 x, y의 차수가 같으므로 x, y 중 어느 한 문자에 대하여 내림차순으로 정리해도 인수분해할 수 있다.

14

$A=53^2-106\times3+3^2$
$=53^2-2\times53\times3+3^2$
$=(53-3)^2$
$=50^2$
$=2500$

$B=11^2-9^2+7^2-5^2+3^2-1^2$
$=(11^2-9^2)+(7^2-5^2)+(3^2-1^2)$
$=(11+9)(11-9)+(7+5)(7-5)+(3+1)(3-1)$
$=20\times2+12\times2+4\times2$
$=2\times(20+12+4)$
$=2\times36=72$

$\therefore A+B=2500+72=2572$

답 2572

15

$a^3+2a^2b-4ab^2-8b^3=a^2(a+2b)-4b^2(a+2b)$
$=(a+2b)(a^2-4b^2)$
$=(a+2b)(a+2b)(a-2b)$
$=(a+2b)^2(a-2b)$
$=2^2\times4=16$

답 16

쌤의 특강

주어진 두 방정식을 연립하여 풀어 a, b의 값을 각각 구한 후, 다항식에 대입하여도 식의 값을 구할 수 있다. 하지만 다항식을 인수분해하면 주어진 두 식의 값을 바로 대입할 수 있으므로 계산이 더 간단해진다.

16

큰 직사각형의 넓이는 정사각형 4개와 직사각형 4개의 넓이의 합과 같으므로

$x^2+4x+3=(x+1)(x+3)$

따라서 큰 직사각형의 이웃하는 두 변의 길이가 각각 $x+1$, $x+3$이므로 둘레의 길이는

$2\{(x+1)+(x+3)\}=2(2x+4)=4x+8$

답 $4x+8$

쌤의 특강

정사각형 4개, 직사각형 4개를 모두 사용하여 만든 큰 직사각형의 넓이는

$x^2+4x+3=(x+1)(x+3)$이므로

오른쪽 그림과 같이 가로의 길이는 $x+1$, 세로의 길이는 $x+3$인 직사각형이 된다.

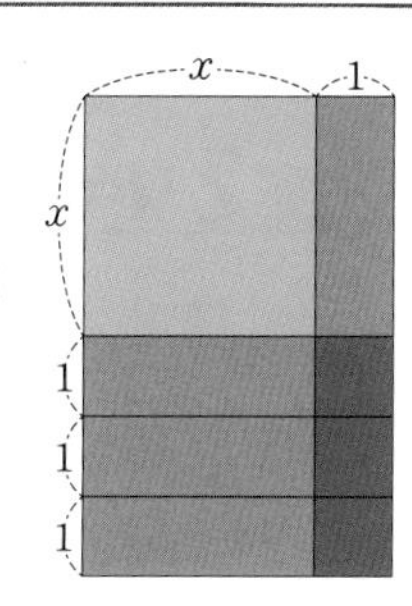

17

수현이가 인수분해한 식은

$(2x-1)(x+3)=2x^2+5x-3$

이때 수현이는 상수항을 바르게 보았으므로 처음 이차식의 상수항은 -3이다.

지현이가 인수분해한 식은

$(2x-1)(x-2)=2x^2-5x+2$

이때 지현이는 x의 계수를 바르게 보았으므로 처음 이차식의 x의 계수는 -5이다.

따라서 처음 이차식은 $2x^2-5x-3$이므로

$2x^2-5x-3=(x-3)(2x+1)$ 답 $(x-3)(2x+1)$

18

$2<x<3$에서 $x-2>0,\ x-3<0$

$$(x+1)^2-3(2x-1)=x^2+2x+1-6x+3 \\ =x^2-4x+4 \\ =(x-2)^2$$

$$(x-2)^2-2x+5=x^2-4x+4-2x+5 \\ =x^2-6x+9 \\ =(x-3)^2$$

$$\therefore \sqrt{(x+1)^2-3(2x-1)}+\sqrt{(x-2)^2-2x+5} \\ =\sqrt{(x-2)^2}+\sqrt{(x-3)^2} \\ =x-2-(x-3) \\ =1$$

답 1

쌤의 오답 피하기 특강

$a>0$일 때, $\sqrt{a^2}=a$이고 $a<0$일 때, $\sqrt{a^2}=-a$이다.
즉, 근호 안의 식을 전개한 후 인수분해하였을 때 부호에 주의하여 근호를 없앤다.

LEVEL 2 필수 기출 문제

→47쪽~52쪽

01 8	**02** 5	**03** $-\sqrt{5}$	**04** $20x-6$	**05** 수학
06 5	**07** 32	**08** 1	**09** $\frac{51}{100}$	**10** ③
11 (1) 40 (2) 1600	**12** 8	**13** 131	**14** 20	**15** 4
16 4	**17** $a+b$	**18** 28	**19** ④	**20** $3x+y+z+1$
21 12	**22** $2\pi(a-b)(a+5b)$			

01

[전략] $x,\ y$의 분모를 각각 유리화한 후, 주어진 식을 인수분해한 결과에 대입한다.

$$x=\frac{2}{\sqrt{5}+\sqrt{3}}=\frac{2(\sqrt{5}-\sqrt{3})}{(\sqrt{5}+\sqrt{3})(\sqrt{5}-\sqrt{3})} \\ =\frac{2(\sqrt{5}-\sqrt{3})}{2}=\sqrt{5}-\sqrt{3}$$

$$y=\frac{1}{\sqrt{5}-\sqrt{3}}=\frac{\sqrt{5}+\sqrt{3}}{(\sqrt{5}-\sqrt{3})(\sqrt{5}+\sqrt{3})}=\frac{\sqrt{5}+\sqrt{3}}{2}$$

$$x^2-4xy+4y^2-4x+8y+4 \\ =(x-2y)^2-4(x-2y)+4$$

$x-2y=A$라 하면

$$(\text{주어진 식})=A^2-4A+4 \\ =(A-2)^2 \\ =(x-2y-2)^2 \\ =\left(\sqrt{5}-\sqrt{3}-2\times\frac{\sqrt{5}+\sqrt{3}}{2}-2\right)^2 \\ =(-2\sqrt{3}-2)^2=12+8\sqrt{3}+4 \\ =16+8\sqrt{3}$$

따라서 $a=16,\ b=8$이므로

$a-b=8$ 답 8

쌤의 특강

$A=x-2y$에 $x,\ y$의 값을 각각 대입하여 $A=-2\sqrt{3}$을 구한 후 주어진 식을 정리한 식 $(A-2)^2$에 대입하여 풀 수도 있다.

02

[전략] 어떤 다항식이 완전제곱식이 될 조건을 생각한다.

$x^2-8ax+8b-(4ax+2b)=x^2-12ax+6b$

이 식이 완전제곱식이 되려면

$6b=\left(\frac{-12a}{2}\right)^2$, 즉 $6b=36a^2$이어야 하므로 $b=6a^2$

따라서 $b=6a^2$을 만족시키는 150 이하의 두 자연수 $a,\ b$의 순서쌍 $(a,\ b)$의 개수는 $(1,\ 6),\ (2,\ 24),\ (3,\ 54),\ (4,\ 96),\ (5,\ 150)$의 5이다. 답 5

03

[전략] 두 수의 곱이 1인 식의 변형과 $a^2-b^2=(a+b)(a-b)$를 이용한다.

$$\left(x-\frac{1}{x}\right)^2=\left(x+\frac{1}{x}\right)^2-4 \\ =3^2-4 \\ =5$$

이때 $x>1$이므로 $x-\frac{1}{x}>0$

$\therefore x-\frac{1}{x}=\sqrt{5}$

$$\therefore x^2-4x+\frac{4}{x}-\frac{1}{x^2}=\left(x^2-\frac{1}{x^2}\right)-4\left(x-\frac{1}{x}\right) \\ =\left(x+\frac{1}{x}\right)\left(x-\frac{1}{x}\right)-4\left(x-\frac{1}{x}\right) \\ =\left(x-\frac{1}{x}\right)\left(x+\frac{1}{x}-4\right) \\ =\sqrt{5}(3-4) \\ =-\sqrt{5}$$

답 $-\sqrt{5}$

쌤의 만점 특강

$x^4-\frac{1}{x^4}$을 포함하고 있는 식도 인수분해 공식을 이용하여 문제를 해결할 수 있다.

예를 들어 $x+\frac{1}{x}=3(x>1)$일 때, $x^4-x^2+x-\frac{1}{x}+\frac{1}{x^2}-\frac{1}{x^4}$의 값을 구해 보자.

$x-\frac{1}{x}=\sqrt{5}$, $x^2+\frac{1}{x^2}=\left(x+\frac{1}{x}\right)^2-2=3^2-2=7$

$\therefore$ (주어진 식)

$$=\left(x^4-\frac{1}{x^4}\right)-\left(x^2-\frac{1}{x^2}\right)+\left(x-\frac{1}{x}\right)$$
$$=\left(x^2+\frac{1}{x^2}\right)\left(x^2-\frac{1}{x^2}\right)-\left(x+\frac{1}{x}\right)\left(x-\frac{1}{x}\right)+\left(x-\frac{1}{x}\right)$$
$$=\left(x^2+\frac{1}{x^2}\right)\left(x+\frac{1}{x}\right)\left(x-\frac{1}{x}\right)-\left(x+\frac{1}{x}\right)\left(x-\frac{1}{x}\right)+\left(x-\frac{1}{x}\right)$$
$$=\left(x-\frac{1}{x}\right)\left\{\left(x^2+\frac{1}{x^2}\right)\left(x+\frac{1}{x}\right)-\left(x+\frac{1}{x}\right)+1\right\}$$
$$=\sqrt{5}(7\times3-3+1)=19\sqrt{5}$$

04

[전략] 도형 (가)의 넓이를 구하여 인수분해한다.

도형 (가)의 넓이는

$(4x)^2-4\times1^2=16x^2-4=4(4x^2-1)$

$=4(2x+1)(2x-1)$

도형 (나)의 가로의 길이를 A라 하면

두 도형 (가), (나)의 넓이가 서로 같으므로

$A(2x+1)=4(2x+1)(2x-1)$

이때 $2x+1>0$이므로

$A=4(2x-1)=8x-4$

따라서 도형 (나)의 둘레의 길이는

$2\{(8x-4)+(2x+1)\}=2(10x-3)$

$=20x-6$

답 $20x-6$

05

[전략] 주어진 과정을 통하여 ⟨ ⟩ 안의 수를 부호화된 순서쌍으로 각각 바꾸어 본다.

$\langle -1, -2\rangle \to x^2-x-2 \to (x-2)(x+1) \to (-2, 1)$

주어진 부호표에서 $a=-2$, $b=1$일 때 'ㅅ'

$\langle 0, -9\rangle \to x^2-9 \to (x-3)(x+3) \to (-3, 3)$

주어진 부호표에서 $a=-3$, $b=3$일 때 'ㅜ'

$\langle -3, 2\rangle \to x^2-3x+2 \to (x-2)(x-1) \to (-2, -1)$

주어진 부호표에서 $a=-2$, $b=-1$일 때 'ㅎ'

$\langle 2, -3\rangle \to x^2+2x-3 \to (x-1)(x+3) \to (-1, 3)$

주어진 부호표에서 $a=-1$, $b=3$일 때 'ㅏ'

$\langle 1, -2\rangle \to x^2+x-2 \to (x-1)(x+2) \to (-1, 2)$

주어진 부호표에서 $a=-1$, $b=2$일 때 'ㄱ'

따라서 만들어지는 단어는 '수학'이다.

답 수학

주의 $\langle -1, -2\rangle$는 $a=-1$, $b=-2$가 아니라 $a+b=-1$, $ab=-2$임에 주의한다.

06

[전략] 공통인 인수가 아닌 일차식의 상수항을 미지수로 놓고 식을 세워 본다.

$3x^2-5x+a=(x-3)(3x+m)$이라 하면

$3x^2-5x+a=3x^2+(m-9)x-3m$

즉, $-5=m-9$, $a=-3m$이므로

$m=4$, $a=-12$

$5x^2+bx+6=(x-3)(5x+n)$이라 하면

$5x^2+bx+6=5x^2+(n-15)x-3n$

즉, $b=n-15$, $6=-3n$이므로

$n=-2$, $b=-17$

$\therefore a-b=-12-(-17)=5$

답 5

07

[전략] 조건을 만족시키는 식을 세운 후, 양변의 x의 계수와 상수항을 비교한다.

$x^2+3x-p=(x+a)(x+b)(a>b)$라 하면

$x^2+3x-p=x^2+(a+b)x+ab$에서

$a+b=3$, $ab=-p$

$1<p<30$이므로 $1<-ab<30$ $\therefore -30<ab<-1$

즉, $a>0$, $b<0$이므로 정수 a, b의 순서쌍 (a, b)는

$(4, -1)$, $(5, -2)$, $(6, -3)$, $(7, -4)$이다.

$\therefore p=4, 10, 18, 28$

따라서 $M=28$, $m=4$이므로 $M+m=32$

답 32

08

[전략] 공통 부분이 2개가 있는 경우에는 각각을 서로 다른 문자로 치환한 후 인수분해한다.

$2x+1=A$, $3-2y=B$라 하면

$$\frac{3(2x+1)(3-2y)}{(2x+1)^2+(3-2y)^2}=\frac{3AB}{A^2+B^2}=\frac{3}{2}$$

$3(A^2+B^2)=6AB$, $A^2-2AB+B^2=0$

$(A-B)^2=0$, $A-B=0$ $\therefore A=B$

즉, $2x+1=3-2y$이므로 $2x+2y=2$

$\therefore x+y=1$

답 1

09

[전략] $a^2-b^2=(a+b)(a-b)$를 이용한다.

$$\frac{2^2-1}{2^2}\times\frac{3^2-1}{3^2}\times\frac{4^2-1}{4^2}\times\cdots\times\frac{50^2-1}{50^2}$$
$$=\frac{(2-1)(2+1)}{2^2}\times\frac{(3-1)(3+1)}{3^2}\times\frac{(4-1)(4+1)}{4^2}\times\cdots\times\frac{(50-1)(50+1)}{50^2}$$
$$=\frac{1}{2}\times\frac{3}{2}\times\frac{2}{3}\times\frac{4}{3}\times\frac{3}{4}\times\frac{5}{4}\times\cdots\times\frac{49}{50}\times\frac{51}{50}$$
$$=\frac{1}{2}\times\frac{51}{50}=\frac{51}{100}$$

답 $\frac{51}{100}$

다른 풀이

$\frac{2^2-1}{2^2}\times\frac{3^2-1}{3^2}\times\frac{4^2-1}{4^2}\times\cdots\times\frac{50^2-1}{50^2}$

$=\left(1-\frac{1}{2^2}\right)\left(1-\frac{1}{3^2}\right)\left(1-\frac{1}{4^2}\right)\cdots\left(1-\frac{1}{50^2}\right)$

$=\left(1-\frac{1}{2}\right)\left(1+\frac{1}{2}\right)\left(1-\frac{1}{3}\right)\left(1+\frac{1}{3}\right)\left(1-\frac{1}{4}\right)\left(1+\frac{1}{4}\right)\cdots\left(1-\frac{1}{50}\right)\left(1+\frac{1}{50}\right)$

$=\frac{1}{2}\times\frac{3}{2}\times\frac{2}{3}\times\frac{4}{3}\times\frac{3}{4}\times\frac{5}{4}\times\cdots\times\frac{49}{50}\times\frac{51}{50}$

$=\frac{1}{2}\times\frac{51}{50}=\frac{51}{100}$

10

[전략] 먼저 $(x+y)^2-(x-1)^2$을 인수분해하여 정리한 후 공통 부분을 찾는다.

$(x+y)^2-(x-1)^2$
$=\{(x+y)+(x-1)\}\{(x+y)-(x-1)\}$
$=(2x+y-1)(y+1)$

$\therefore$ (주어진 식)
$=(2x+y-1)(y+1)-(y+1)^2$
$=(y+1)\{2x+y-1-(y+1)\}$
$=(y+1)(2x-2)$
$=2(x-1)(y+1)$
$=2(4\sqrt{2}-1)(\sqrt{2}+1)$
$=2(8+4\sqrt{2}-\sqrt{2}-1)$
$=2(7+3\sqrt{2})$
$=14+6\sqrt{2}$

답 ③

쌤의 특강

$x=4\sqrt{2}$, $y=\sqrt{2}$를 대입하여 $\sqrt{2}$를 문자로 생각하고 인수분해하여 풀 수도 있다.

$(4\sqrt{2}+\sqrt{2})^2-(4\sqrt{2}-1)^2-(\sqrt{2}+1)^2$
$=\{(5\sqrt{2})^2-(4\sqrt{2}-1)^2\}-(\sqrt{2}+1)^2$
$=(9\sqrt{2}-1)(\sqrt{2}+1)-(\sqrt{2}+1)^2$
$=(\sqrt{2}+1)(8\sqrt{2}-2)=14+6\sqrt{2}$

11

[전략] $a^2-b^2=(a+b)(a-b)$를 이용하여 주어진 수를 소인수분해한다.

(1) $11^4-1=(11^2)^2-1^2$
$=(11^2+1)(11^2-1)$
$=(11^2+1)(11+1)(11-1)$
$=122\times12\times10$
$=2\times61\times2^2\times3\times2\times5$
$=2^4\times3\times5\times61$

따라서 11^4-1의 약수의 개수는
$(4+1)\times(1+1)\times(1+1)\times(1+1)=40$

(2) $x=61$이므로
$x^2-42x+441=(x-21)^2$
$=(61-21)^2=1600$

답 (1) 40 (2) 1600

쌤의 복합 개념 특강

소인수분해를 이용하여 약수의 개수 구하기

자연수 N이 $N=a^m\times b^n$(a, b는 서로 다른 소수, m, n은 자연수)으로 소인수분해될 때,

① N의 약수의 개수 ➡ $(m+1)\times(n+1)$
② N의 약수의 총합 ➡ $(1+a+a^2+\cdots+a^m)\times(1+b+b^2+\cdots+b^n)$

12

[전략] 주어진 식을 인수분해한 후 소수는 1보다 큰 자연수 중에서 1과 자기 자신만을 약수로 갖는 수임을 이용한다.

$x^2+2xy-4x+y^2-4y-32$
$=x^2+2xy+y^2-4x-4y-32$
$=(x+y)^2-4(x+y)-32$

$x+y=A$라 하면
(주어진 식)$=A^2-4A-32$
$=(A+4)(A-8)$
$=(x+y+4)(x+y-8)$

이 식의 값이 소수이려면
$x+y+4=1$ 또는 $x+y-8=1$이어야 한다.

(i) $x+y+4=1$이면 $x+y=-3$이므로 이를 만족시키는 자연수 x, y는 없다.

(ii) $x+y-8=1$이면 $x+y=9$이므로
$(x+y+4)(x+y-8)=13\times1=13$
즉, 주어진 식의 값이 소수가 된다.

따라서 이를 만족시키는 순서쌍 (x, y)의 개수는 $(1, 8)$, $(2, 7)$, $(3, 6)$, $(4, 5)$, $(5, 4)$, $(6, 3)$, $(7, 2)$, $(8, 1)$의 8이다.

답 8

쌤의 특강

주어진 식을 x에 대한 내림차순으로 정리한 후 인수분해할 수도 있다.

$x^2+2xy-4x+y^2-4y-32=x^2+(2y-4)x+y^2-4y-32$
$=x^2+(2y-4)x+(y+4)(y-8)$
$=(x+y+4)(x+y-8)$

13

[전략] 인수분해 공식을 이용할 수 있도록 한 숫자를 문자로 놓는다.

$(N+2)(N-2)=N^2-4$이므로
$10\times11\times12\times13-3=N^2-4$
$10\times11\times12\times13+1=N^2$

$10=x$라 하면
$10\times11\times12\times13+1$
$=x(x+1)(x+2)(x+3)+1$
$=\{x(x+3)\}\{(x+1)(x+2)\}+1$
$=(x^2+3x)(x^2+3x+2)+1$

$x^2+3x=A$라 하면

$(x^2+3x)(x^2+3x+2)+1=A(A+2)+1$
$=A^2+2A+1$
$=(A+1)^2$
$=(x^2+3x+1)^2$
$=(10^2+3\times10+1)^2$
$=131^2=N^2$

$\therefore N=131$ 답 131

14

[전략] 치환하여 주어진 식을 전개한 후, k가 한 자리 자연수임을 이용하여 인수분해한다.

$(x+1)(x+3)(x+5)(x+7)+kx^2+8kx+135$
$=\{(x+1)(x+7)\}\{(x+3)(x+5)\}+kx^2+8kx+135$
$=(x^2+8x+7)(x^2+8x+15)+k(x^2+8x)+135$

$x^2+8x=A$라 하면

(주어진 식)$=(A+7)(A+15)+kA+135$
$=A^2+(k+22)A+240$

이때 $A^2+(k+22)A+240=(A+m)(A+n)$($m$, n은 $m<n$인 자연수)이라 하면

$A^2+(k+22)A+240=A^2+(m+n)A+mn$에서

$k+22=m+n$, $240=mn$

k가 한 자리의 자연수이므로 $1\le k\le 9$, $23\le k+22\le 31$

$\therefore 23\le m+n\le 31$ ……㉠

즉, $mn=240$을 만족시키는 자연수 m, n의 값 중에서 ㉠을 만족시키는 수는 $m=15$, $n=16$이므로

$k+22=15+16$ $\therefore k=9$

(주어진 식)$=(A+15)(A+16)$
$=(x^2+8x+15)(x^2+8x+16)$
$=(x+3)(x+5)(x+4)^2$

따라서 $a=3$, $b=5$, $c=4$이므로 $abc=3\times5\times4=60$

$\therefore \frac{3abc}{k}=\frac{3\times60}{9}=20$ 답 20

15

[전략] 양변에 적당한 수를 더하거나 빼서 좌변이 인수분해가 되도록 식을 변형한다.

주어진 식의 양변에서 3을 빼면

$xy-2x+2y-4=-3$

$x(y-2)+2(y-2)=-3$

$\therefore (x+2)(y-2)=-3$

x, y가 정수이므로 $x+2$, $y-2$도 정수이고, 정수 x, y를 구하면 다음 표와 같다.

$x+2$	1	-1	3	-3
$y-2$	-3	3	-1	1

➡

x	-1	-3	1	-5
y	-1	5	1	3

따라서 정수 x, y의 순서쌍 (x, y)의 개수는 $(-1, -1)$, $(-3, 5)$, $(1, 1)$, $(-5, 3)$의 4이다. 답 4

16

[전략] 공통 부분을 치환하여 이차식으로 만든 후 주어진 식을 변형하여 $(\quad)^2-(\quad)^2$의 꼴로 바꾼다.

$x^2=A$, $y^2=B$라 하면

$x^4-6x^2y^2+y^4=(x^2)^2-6x^2y^2+(y^2)^2$
$=A^2-6AB+B^2$
$=A^2-2AB+B^2-4AB$
$=(A-B)^2-4AB$
$=(x^2-y^2)^2-4x^2y^2$
$=(x^2-y^2)^2-(2xy)^2$
$=(x^2+2xy-y^2)(x^2-2xy-y^2)$

따라서 두 이차식의 합은

$x^2+2xy-y^2+x^2-2xy-y^2=2x^2-2y^2$이므로

$a=2$, $b=-2$

$\therefore a-b=2-(-2)=4$ 답 4

쌤의 만점 특강

짝수 차수의 항으로만 이루어진 다항식의 인수분해

ax^4+bx^2+c와 같이 짝수 차수의 항으로만 이루어진 다항식은 $x^2=A$로 치환하여 이차식으로 만든 후 인수분해한다.

[방법 1] $x^2=A$로 치환하여 이차식으로 만든 후 인수분해한다.

예 x^4+5x^2-6을 인수분해하기

$x^2=A$라 하면

$x^4+5x^2-6=A^2+5A-6$
$=(A-1)(A+6)$
$=(x^2-1)(x^2+6)$
$=(x+1)(x-1)(x^2+6)$

[방법 2] $x^2=A$로 치환하여 이차식으로 만든 후 $(\quad)^2-(\quad)^2$의 꼴로 만든다.

예 x^4+3x^2+4를 인수분해하기

$x^4+3x^2+4=A^2+3A+4$
$=A^2+4A+4-A$
$=(A+2)^2-A$
$=(x^2+2)^2-x^2$
$=(x^2+x+2)(x^2-x+2)$

17

[전략] 한 문자에 대하여 내림차순으로 정리하거나, 공통인 인수로 묶어 내어 인수분해한다.

$A=a^2b-b^3-a^2c+b^2c$
$=a^2(b-c)-b^2(b-c)$
$=(b-c)(a^2-b^2)$
$=(b-c)(a+b)(a-b)$

$B=a^2(a+b^2-c)-b^2(a^2+a-c)$
$=a^3+a^2b^2-a^2c-a^2b^2-ab^2+b^2c$
$=a^3-a^2c-ab^2+b^2c$
$=a^2(a-c)-b^2(a-c)$
$=(a-c)(a^2-b^2)$
$=(a-c)(a+b)(a-b)$

다항식 C는 주어진 식을 전개한 후 a에 대하여 내림차순으로 정리하여 인수분해한다.

$C=a^2b+a^2c+2abc+b^2(a+c)+c^2(a+b)$
$=a^2b+a^2c+2abc+ab^2+b^2c+ac^2+bc^2$
$=(b+c)a^2+(b^2+2bc+c^2)a+bc(b+c)$
$=(b+c)a^2+(b+c)^2a+bc(b+c)$
$=(b+c)\{a^2+(b+c)a+bc\}$
$=(b+c)(a+b)(a+c)$

따라서 세 다항식 A, B, C의 1이 아닌 공통인 인수는 $a+b$이다.

답 $a+b$

18

[전략] 주어진 식의 좌변을 전개한 후 한 문자에 대하여 내림차순으로 정리한다.

주어진 식의 좌변을 전개한 후 a에 대하여 내림차순으로 정리하면

$a(1+b)+b(1+c)+c(1+a)+1+abc$
$=a+ab+b+bc+c+ac+1+abc$
$=(bc+b+c+1)a+bc+b+c+1$
$=(bc+b+c+1)(a+1)$
$=\{b(c+1)+c+1\}(a+1)$
$=(b+1)(c+1)(a+1)$

이때 $561=3\times11\times17$이므로

$(a+1)(b+1)(c+1)=3\times11\times17$

$a>b>c$이므로 $a+1=17$, $b+1=11$, $c+1=3$

따라서 $a=16$, $b=10$, $c=2$이므로

$a+b+c=16+10+2=28$

답 28

쌤의 특강

b 또는 c에 대하여 내림차순으로 정리하여도 문제를 해결할 수 있다.

$(ac+a+c+1)b+ac+a+c+1=(ac+a+c+1)(b+1)$
$=(a+1)(c+1)(b+1)$

$(ab+a+b+1)c+ab+a+b+1=(ab+a+b+1)(c+1)$
$=(a+1)(b+1)(c+1)$

19

[전략] 주어진 식의 좌변을 한 문자에 대하여 내림차순으로 정리한다.

주어진 식의 좌변을 x에 대하여 내림차순으로 정리하면

$10x^2+6y^2-16xy-13x+7y-3$
$=10x^2+(-16y-13)x+6y^2+7y-3$
$=10x^2+(-16y-13)x+(3y-1)(2y+3)$
$=\{5x-(3y-1)\}\{2x-(2y+3)\}$
$=(5x-3y+1)(2x-2y-3)$

따라서 $a=5$, $b=-3$, $c=2$, $d=-2$이므로

$$\frac{b+d}{\sqrt{a}+c}=\frac{-3-2}{\sqrt{5}+2}$$
$$=\frac{-5(\sqrt{5}-2)}{(\sqrt{5}+2)(\sqrt{5}-2)}$$
$$=10-5\sqrt{5}$$

답 ④

쌤의 특강

y에 대하여 내림차순으로 정리하여도 문제를 해결할 수 있다.

$6y^2+(-16x+7)y+10x^2-13x-3$
$=6y^2+(-16x+7)y+(5x+1)(2x-3)$
$=\{3y-(5x+1)\}\{2y-(2x-3)\}$
$=(5x-3y+1)(2x-2y-3)$

20

[전략] 차수가 낮은 문자에 대하여 내림차순으로 정리한 후 인수분해한다.

y에 대하여 내림차순으로 정리하면

$x^3+x^2y+xy+x^2z+x^2+xz+yz+xyz$
$=(x^2+x+z+xz)y+(x^3+x^2z+x^2+xz)$
$=(x^2+x+z+xz)y+(x^2+xz+x+z)x$
$=(x^2+x+z+xz)(x+y)$
$=\{x(x+1)+z(x+1)\}(x+y)$
$=(x+1)(x+z)(x+y)$

따라서 세 일차식은 $x+1$, $x+y$, $x+z$이므로 구하는 합은

$x+1+x+y+x+z=3x+y+z+1$

답 $3x+y+z+1$

쌤의 특강

z에 대하여 내림차순으로 정리하여도 문제를 해결할 수 있다.

$(x^2+x+y+xy)z+(x^2+xy+y+x)x$
$=(x^2+x+y+xy)(x+z)$
$=\{x(x+1)+y(x+1)\}(x+z)$
$=(x+1)(x+y)(x+z)$

또, 공통 인수가 있는 항은 4개씩 묶어 생각할 수도 있다.

$x(x^2+xy+x+y)+z(x^2+xy+x+y)$
$=(x^2+xy+x+y)(x+z)$
$=\{x^2+(y+1)x+y\}(x+z)$
$=(x+1)(x+y)(x+z)$

21

[전략] 근호 안의 식을 a에 대한 완전제곱식으로 나타낸다.

$-2<a<4$이므로 $a-4<0$, $a+2>0$

$\sqrt{x}=a+3$의 양변을 제곱하면

$x=(a+3)^2=a^2+6a+9$

$\sqrt{x-14a+7}=\sqrt{(a^2+6a+9)-14a+7}$
$=\sqrt{a^2-8a+16}$
$=\sqrt{(a-4)^2}$
$=-(a-4)$
$=-a+4$

$\sqrt{4x-8a-20}=\sqrt{4(a^2+6a+9)-8a-20}$
$=\sqrt{4a^2+16a+16}$
$=\sqrt{4(a^2+4a+4)}$
$=2\sqrt{(a+2)^2}$
$=2(a+2)$
$=2a+4$

$\therefore 2\sqrt{x-14a+7}+\sqrt{4x-8a-20}$
$=2(-a+4)+(2a+4)$
$=-2a+8+2a+4$
$=12$

답 12

22

[전략] $\overline{\text{AB}}$, $\overline{\text{AC}}$의 길이를 각각 a, b에 대한 식으로 나타낸 후 S_1, S_2를 각각 구해 본다.

점 B가 $\overline{\text{OO'}}$의 중점이므로

$\overline{\text{OB}}=\overline{\text{O'B}}=\frac{a+b}{2}$

$\overline{\text{AB}}=\overline{\text{OA}}-\overline{\text{OB}}$
$=a-\frac{a+b}{2}$
$=\frac{a-b}{2}$

$\therefore S_1=\pi a^2-\pi\left(\frac{a-b}{2}\right)^2$
$=\pi\left\{a^2-\left(\frac{a-b}{2}\right)^2\right\}$
$=\pi\left(a^2-\frac{a^2-2ab+b^2}{4}\right)$
$=\frac{\pi}{4}(3a^2+2ab-b^2)$

점 C가 $\overline{\text{O'B}}$의 중점이므로

$\overline{\text{O'C}}=\overline{\text{BC}}=\frac{1}{2}\overline{\text{O'B}}$
$=\frac{1}{2}\times\frac{a+b}{2}$
$=\frac{a+b}{4}$

$\overline{\text{AC}}=\overline{\text{O'A}}-\overline{\text{O'C}}$
$=b-\frac{a+b}{4}$
$=\frac{3b-a}{4}$

$\therefore S_2=\pi\left(\frac{3b-a}{4}\right)^2$
$=\frac{\pi}{16}(3b-a)^2$
$=\frac{\pi}{16}(9b^2-6ab+a^2)$

$\therefore 4S_1-16S_2$
$=4\times\frac{\pi}{4}(3a^2+2ab-b^2)-16\times\frac{\pi}{16}(9b^2-6ab+a^2)$
$=\pi(3a^2+2ab-b^2)-\pi(9b^2-6ab+a^2)$
$=\pi\{(3a^2+2ab-b^2)-(9b^2-6ab+a^2)\}$
$=\pi(2a^2+8ab-10b^2)$
$=2\pi(a^2+4ab-5b^2)$
$=2\pi(a-b)(a+5b)$

답 $2\pi(a-b)(a+5b)$

쌤의 만점 특강

다음과 같이 $\overline{\text{OO'}}$ 위에 각 선분의 길이를 나타내어 본다.

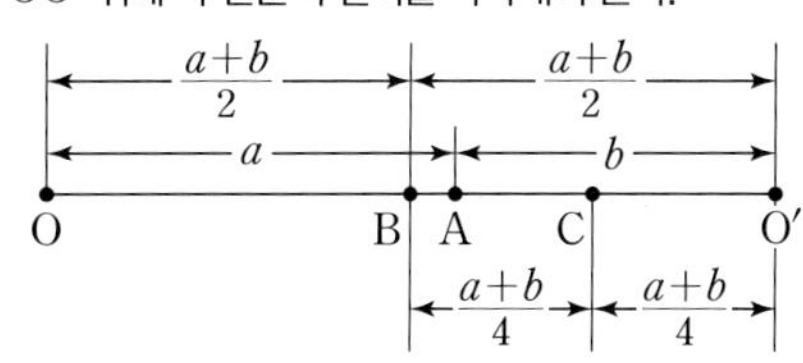

$\overline{\text{AB}}=\overline{\text{OA}}-\overline{\text{OB}}=a-\frac{a+b}{2}$

$\overline{\text{AC}}=\overline{\text{O'A}}-\overline{\text{O'C}}=b-\frac{a+b}{4}$

LEVEL 3 최고난도 문제

→53쪽

01 $\frac{531}{380}$ **02** 23 **03** $(x+2)(x+5)$ **04** $-63+27\sqrt{7}$

01 solution 미리 보기

step ❶	주어진 등식을 이용하여 $f(n)=\frac{2}{n^2-1}$를 변형하기
step ❷	변형한 $f(n)$의 식에 $n=2, 3, 4, \cdots, 19$를 각각 대입하여 덧셈식 세우기
step ❸	답 구하기

$\frac{1}{AB}=\frac{1}{B-A}\left(\frac{1}{A}-\frac{1}{B}\right)$이므로

$f(n)=\frac{2}{n^2-1}=\frac{2}{(n-1)(n+1)}$
$=\frac{2}{(n+1)-(n-1)}\left(\frac{1}{n-1}-\frac{1}{n+1}\right)$
$=\frac{2}{2}\left(\frac{1}{n-1}-\frac{1}{n+1}\right)$
$=\frac{1}{n-1}-\frac{1}{n+1}$ ……❶

$\therefore f(2)+f(3)+f(4)+\cdots+f(18)+f(19)$
$=\left(\frac{1}{1}-\frac{1}{3}\right)+\left(\frac{1}{2}-\frac{1}{4}\right)+\left(\frac{1}{3}-\frac{1}{5}\right)+\cdots$
$+\left(\frac{1}{17}-\frac{1}{19}\right)+\left(\frac{1}{18}-\frac{1}{20}\right)$ ……❷
$=1+\frac{1}{2}-\frac{1}{19}-\frac{1}{20}$
$=\frac{380+190-20-19}{380}$
$=\frac{531}{380}$ ……❸

답 $\frac{531}{380}$

02 solution 미리 보기

step ❶	$f(x)$가 어떤 이차식의 제곱으로 인수분해됨을 이용하여 a의 값 구하기
step ❷	$f(x)-g(x)$가 $(x+2)(x+10)(x^2+cx+d)$로 인수분해됨을 이용하여 b, c, d의 값 구하기
step ❸	$\frac{a+4b}{c}+d$의 값 구하기

$f(x)=(x+2)(x+4)(x+6)(x+8)+a$
$=(x+2)(x+8)(x+4)(x+6)+a$
$=(x^2+10x+16)(x^2+10x+24)+a$

$x^2+10x=A$라 하면

$f(x)=(A+16)(A+24)+a$
$=A^2+40A+384+a$

$f(x)$가 어떤 이차식의 제곱으로 인수분해되므로

$384+a=\left(\frac{40}{2}\right)^2=400 \quad \therefore a=16$ ······ ❶

$\therefore f(x)=A^2+40A+400$
$=(A+20)^2$
$=(x^2+10x+20)^2$

한편,

$(x+2)(x+10)(x^2+cx+d)$
$=(x^2+12x+20)(x^2+cx+d)$

$\therefore f(x)-g(x)$
$=(x^2+10x+20)^2-b^2x^2$
$=(x^2+10x+20)^2-(bx)^2$
$=(x^2+10x+20+bx)(x^2+10x+20-bx)$
$=\{x^2+(10+b)x+20\}\{x^2+(10-b)x+20\}$
$=(x^2+12x+20)(x^2+cx+d)$

b가 자연수이므로

$10+b=12,\ 10-b=c,\ 20=d$

$\therefore b=2,\ c=8,\ d=20$ ······ ❷

$\therefore \frac{a+4b}{c}+d=\frac{16+4\times2}{8}+20=23$ ······ ❸

답 23

03 solution 미리 보기

step ❶	삼각형 ABC의 넓이를 이용하여 a, k의 값 각각 구하기
step ❷	삼각형 ABC의 내접원의 넓이 S 구하기
step ❸	$x+k+\frac{S}{\pi}+a+7$을 두 일차식의 곱으로 나타내기

삼각형의 내접원의 반지름의 길이와 둘레의 길이를 이용하여 넓이를 구하면

$(\triangle ABC의\ 넓이)=\frac{1}{2}(x+k)(14x-6)$
$=(x+k)(7x-3)$
$=7x^2+(7k-3)x-3k$
$=7x^2+18x+a$

$\therefore 18=7k-3,\ a=-3k$

$18=7k-3$에서 $k=3$

$\therefore a=-3k=-3\times3=-9$ ······ ❶

이때 삼각형 ABC의 내접원의 반지름의 길이가 $x+3$이므로

$S=\pi(x+3)^2$ ······ ❷

따라서 주어진 식에 $a=-9,\ k=3,\ S=\pi(x+3)^2$을 대입하면

$x+k+\frac{S}{\pi}+a+7=x+3+\frac{\pi(x+3)^2}{\pi}+(-9)+7$
$=x+3+(x^2+6x+9)-2$
$=x^2+7x+10$
$=(x+2)(x+5)$ ······ ❸

답 $(x+2)(x+5)$

쌤의 만점 특강

세 변의 길이가 각각 a, b, c인 $\triangle ABC$의 내접원의 반지름의 길이가 r일 때,

$(\triangle ABC의\ 넓이)=\frac{r}{2}(a+b+c)$

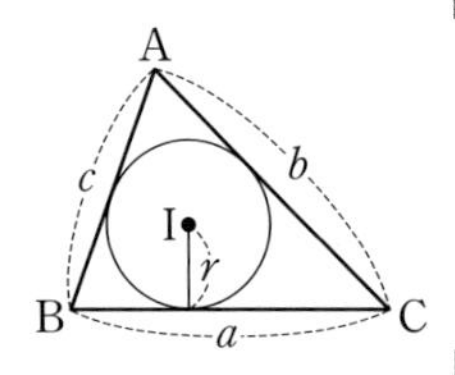

04 solution 미리 보기

step ❶	a, b의 값 각각 구하기
step ❷	분모를 인수분해하기
step ❸	분자를 인수분해하기
step ❹	a, b를 대입하여 주어진 식을 간단히 하기

$2\sqrt{3}=\sqrt{12}$이고 $3<\sqrt{12}<4$이므로 $2\sqrt{3}$의 정수 부분은 3

$2<\sqrt{7}<3$이므로 $\sqrt{7}$의 정수 부분은 2이고, 소수 부분은 $\sqrt{7}-2$

$\therefore a=3,\ b=\sqrt{7}-2$ ······ ❶

$(분모)=a^2-2ab-3b^2=(a+b)(a-3b)$ ······ ❷

$a^2=A,\ b^2=B$라 하면

$(분자)=a^4-a^3b-11a^2b^2+9ab^3+18b^4$
$=A^2-abA-11AB+9abB+18B^2$
$=-ab(A-9B)+A^2-11AB+18B^2$
$=-ab(A-9B)+(A-2B)(A-9B)$
$=(A-9B)(A-2B-ab)$
$=(a^2-9b^2)(a^2-ab-2b^2)$
$=(a+3b)(a-3b)(a+b)(a-2b)$ ······ ❸

$\therefore$ (주어진 식)

$=\frac{(a+3b)(a-3b)(a+b)(a-2b)}{(a+b)(a-3b)}$
$=(a-2b)(a+3b)\ (\because a+b\neq0,\ a-3b\neq0)$
$=\{3-2(\sqrt{7}-2)\}\{3+3(\sqrt{7}-2)\}$
$=(7-2\sqrt{7})(3\sqrt{7}-3)$
$=21\sqrt{7}-21-42+6\sqrt{7}$
$=-63+27\sqrt{7}$ ······ ❹

답 $-63+27\sqrt{7}$

쌤의 특강

분자에서 $-11a^2b^2$을 두 개의 항으로 나누어 3개씩 항을 묶은 후 인수분해할 수도 있다.

$a^4-a^3b-11a^2b^2+9ab^3+18b^4$
$=a^4-a^3b-2a^2b^2-9a^2b^2+9ab^3+18b^4$
$=a^2(a^2-ab-2b^2)-9b^2(a^2-ab-2b^2)$
$=(a^2-9b^2)(a^2-ab-2b^2)$
$=(a+3b)(a-3b)(a+b)(a-2b)$

Ⅲ. 이차방정식

05. 이차방정식의 뜻과 풀이

LEVEL 1 시험에 꼭 내는 문제

→58쪽~60쪽

01 ③ 02 2 03 3 04 -5 05 3 06 ④ 07 5 08 ①
09 $\frac{7}{4}$ 10 24 11 21 12 -1 13 2 14 $x=-\frac{3}{7}$ 또는 $x=3$
15 ① 16 1 17 6 18 -3, 1
19 (1) $\left(x-\frac{1}{2}\right)^2=\frac{k-4}{4}$ (2) $k\ge4$

01

ㄱ. 이차식
ㄴ. $x(x-3)=2$에서 $x^2-3x-2=0$ ➡ 이차방정식
ㄷ. $2x-1=x(x+1)-x^2$에서
$x-1=0$ ➡ 일차방정식
ㄹ. $2x^3-x^2+3=x(2x^2+3)-x$에서
$-x^2-2x+3=0$ ➡ 이차방정식
ㅁ. $x(x^2-x)-2x^2+4x=x^3-3x^2+5$에서
$4x-5=0$ ➡ 일차방정식
따라서 x에 대한 이차방정식인 것은 ㄴ, ㄹ이다. 답 ③

02

$x=2$를 $4x^2-(2a+1)x-3a=0$에 대입하면
$16-4a-2-3a=0$, $-7a+14=0$
$-7a=-14$ $\therefore a=2$ 답 2

03

$x=-1$을 $x^2+ax-4=0$에 대입하면
$1-a-4=0$, $-a=3$ $\therefore a=-3$
$x=-1$을 $3x^2-bx+2b=0$에 대입하면
$3+b+2b=0$, $3b=-3$ $\therefore b=-1$
$\therefore ab=(-3)\times(-1)=3$ 답 3

04

$x=a$를 $x^2-3x+1=0$에 대입하면 $a^2-3a+1=0$
$\therefore a^2-3a=-1$
$x=b$를 $2x^2-5x-3=0$에 대입하면 $2b^2-5b-3=0$
$\therefore 2b^2-5b=3$
$\therefore 2a^2-6a-2b^2+5b$
$=2(a^2-3a)-(2b^2-5b)$
$=2\times(-1)-3=-5$ 답 -5

05

$x^2-7x+12=0$에서 $(x-3)(x-4)=0$
$\therefore x=3$ 또는 $x=4$
두 근 중 큰 근이 4이므로
$x=4$를 $x^2-2ax+3a-1=0$에 대입하면
$16-8a+3a-1=0$, $-5a=-15$
$\therefore a=3$ 답 3

06

$x=\frac{2}{3}$를 $6x^2+kx+2=0$에 대입하면
$\frac{8}{3}+\frac{2}{3}k+2=0$, $8+2k+6=0$, $2k=-14$
$\therefore k=-7$
즉, $6x^2-7x+2=0$이므로
$(2x-1)(3x-2)=0$ $\therefore x=\frac{1}{2}$ 또는 $x=\frac{2}{3}$
따라서 다른 한 근은 $x=\frac{1}{2}$이다. 답 ④

07

$4x^2-4x-3=0$에서 $(2x+1)(2x-3)=0$
$\therefore x=-\frac{1}{2}$ 또는 $x=\frac{3}{2}$
이때 $\alpha>\beta$이므로 $\alpha=\frac{3}{2}$, $\beta=-\frac{1}{2}$
$x^2+2\alpha x+2\beta-3=0$, 즉 $x^2+3x-4=0$에서
$(x+4)(x-1)=0$ $\therefore x=-4$ 또는 $x=1$
따라서 두 근의 차는 $1-(-4)=5$ 답 5

08

$x^2-ax-a=0$이 중근을 가지려면
$-a=\left(-\frac{a}{2}\right)^2$, $-a=\frac{a^2}{4}$
$a^2+4a=0$, $a(a+4)=0$ $\therefore a=0$ 또는 $a=-4$
(i) $a=0$일 때, $x^2=0$ $\therefore x=0$
(ii) $a=-4$일 때, $x^2+4x+4=0$, $(x+2)^2=0$ $\therefore x=-2$
따라서 주어진 이차방정식이 0이 아닌 중근을 가지므로 중근은 $x=-2$이고 $a=-4$이다. 답 ①

쌤의 오답 피하기 특강

a의 값을 구한 후 주어진 이차방정식에 대입하여 이 이차방정식이 0이 아닌 중근을 갖는지 확인해야 한다.

09

$2x^2-6x+3k+1=0$에서
$x^2-3x+\frac{3k+1}{2}=0$이 중근을 가지려면

$\frac{3k+1}{2}=\left(-\frac{3}{2}\right)^2$, $\frac{3k+1}{2}=\frac{9}{4}$

$3k+1=\frac{9}{2}$, $3k=\frac{7}{2}$ $\quad\therefore k=\frac{7}{6}$

$2x^2-6x+3k+1=0$, 즉 $2x^2-6x+\frac{9}{2}=0$에서

$4x^2-12x+9=0$, $(2x-3)^2=0$ $\quad\therefore x=\frac{3}{2}$

따라서 $m=\frac{3}{2}$이므로 $km=\frac{7}{6}\times\frac{3}{2}=\frac{7}{4}$ 답 $\frac{7}{4}$

10

$9(x+a)^2=b$에서 $(x+a)^2=\frac{b}{9}$

$x+a=\pm\frac{\sqrt{b}}{3}$ $\quad\therefore x=-a\pm\frac{\sqrt{b}}{3}$

이때 이차방정식의 해가 $x=-4\pm\frac{2\sqrt{5}}{3}=-4\pm\frac{\sqrt{20}}{3}$이므로

$a=4$, $b=20$ $\quad\therefore a+b=24$ 답 24

11

$2x^2-3x-1=0$에서 $x^2-\frac{3}{2}x-\frac{1}{2}=0$

$x^2-\frac{3}{2}x+\frac{9}{16}=\frac{1}{2}+\frac{9}{16}$

$\left(x-\frac{3}{4}\right)^2=\frac{17}{16}$

$x-\frac{3}{4}=\pm\frac{\sqrt{17}}{4}$ $\quad\therefore x=\frac{3\pm\sqrt{17}}{4}$

따라서 $a=17$, $b=4$이므로 $a+b=21$ 답 21

12

$x^2+5x+2k=0$에서 $x^2+5x=-2k$

$x^2+5x+\frac{25}{4}=-2k+\frac{25}{4}$

$\left(x+\frac{5}{2}\right)^2=\frac{25-8k}{4}$

$x+\frac{5}{2}=\pm\frac{\sqrt{25-8k}}{2}$ $\quad\therefore x=\frac{-5\pm\sqrt{25-8k}}{2}$

따라서 $25-8k=33$이므로

$-8k=8$ $\quad\therefore k=-1$ 답 -1

13

주어진 이차방정식의 양변에 10을 곱하면

$20x^2-11x+2=10x(1-x)-5x$

$20x^2-11x+2=10x-10x^2-5x$

$30x^2-16x+2=0$, $15x^2-8x+1=0$에서

$(5x-1)(3x-1)=0$

$\therefore x=\frac{1}{5}$ 또는 $x=\frac{1}{3}$

따라서 $\alpha=\frac{1}{3}$, $\beta=\frac{1}{5}$이므로

$3\alpha+5\beta=1+1=2$ 답 2

14

주어진 이차방정식의 양변에 6을 곱하면

$3(3x+1)(x-3)+12x=2x(x+3)$

$3(3x^2-8x-3)+12x=2x^2+6x$

$9x^2-12x-9=2x^2+6x$

$7x^2-18x-9=0$, $(7x+3)(x-3)=0$

$\therefore x=-\frac{3}{7}$ 또는 $x=3$ 답 $x=-\frac{3}{7}$ 또는 $x=3$

15

$x-y=A$로 놓으면

$A(A+4)=5$, $A^2+4A-5=0$

$(A+5)(A-1)=0$

$\therefore A=-5$ 또는 $A=1$

즉, $x-y=-5$ 또는 $x-y=1$

이때 $x>y$에서 $x-y>0$이므로

$x-y=1$ 답 ①

16

$3x-1=A$로 놓으면

$18A^2-3A-1=0$

$(6A+1)(3A-1)=0$

$\therefore A=-\frac{1}{6}$ 또는 $A=\frac{1}{3}$

즉, $3x-1=-\frac{1}{6}$ 또는 $3x-1=\frac{1}{3}$이므로

$x=\frac{5}{18}$ 또는 $x=\frac{4}{9}$

$\therefore 6|\alpha-\beta|=6\left|\frac{5}{18}-\frac{4}{9}\right|$

$=6\times\frac{3}{18}=1$ 답 1

17

천 조각 전체의 넓이는 $2x^2+7x+3$이고 천 조각을 이어 붙인 식탁보의 넓이가 117 cm^2이므로

$2x^2+7x+3=117$

$2x^2+7x-114=0$, $(2x+19)(x-6)=0$

$\therefore x=-\frac{19}{2}$ 또는 $x=6$

이때 $x>0$이므로 $x=6$ 답 6

18

$3x^2-5x-2=0$에서 $(3x+1)(x-2)=0$

$\therefore x=-\frac{1}{3}$ 또는 $x=2$

두 근 중 양수인 근은 2이므로 $x=2$를 $x^2+kx+k^2-7=0$에 대입하면

$4+2k+k^2-7=0$

$k^2+2k-3=0$

$(k+3)(k-1)=0$

$\therefore k=-3$ 또는 $k=1$

답 $-3, 1$

19

(1) $4x^2-4x+5-k=0$에서

$x^2-x+\frac{5-k}{4}=0$

$x^2-x=\frac{k-5}{4}$

$x^2-x+\frac{1}{4}=\frac{k-5}{4}+\frac{1}{4}$

$\left(x-\frac{1}{2}\right)^2=\frac{k-4}{4}$

(2) $\left(x-\frac{1}{2}\right)^2=\frac{k-4}{4}$가 해를 가지려면

$\frac{k-4}{4}\geq 0$이어야 하므로 $k-4\geq 0$ $\quad\therefore k\geq 4$

답 (1) $\left(x-\frac{1}{2}\right)^2=\frac{k-4}{4}$ (2) $k\geq 4$

쌤의 특강

$\frac{k-4}{4}>0$이면 해는 $x=\frac{1\pm\sqrt{k-4}}{2}$이고 $\frac{k-4}{4}=0$이면 해는 $x=\frac{1}{2}$이다.

LEVEL 2 필수 기출 문제

→ 61쪽~66쪽

01 $m\neq 1$이고 $m\neq 4$ **02** 38 **03** ④ **04** $x=-2$ 또는 $x=\frac{3}{2}$
05 12 **06** ④ **07** $x=-\frac{5}{6}$ **08** $\frac{1}{2}$, 1 **09** -8
10 ③ **11** -1 **12** $\frac{1}{12}$ **13** 8 **14** $x=1$
15 $\frac{7\sqrt{5}}{5}$, $-\frac{7\sqrt{5}}{5}$ **16** ④ **17** $-7\leq k<7$ **18** ⑤ **19** 6
20 $\frac{9}{16}$ **21** $-\frac{1}{2}$, $\frac{5}{4}$ **22** $x=-5$ 또는 $x=2$ **23** -3, 4
24 $x=5$, $y=3$

01

[전략] $ax^2+bx+c=0$이 이차방정식이려면 $a\neq 0$이어야 한다.

$(m^2+4)x^2-2x=5m(x-2)^2$에서

$(m^2+4)x^2-2x=5m(x^2-4x+4)$

$(m^2+4)x^2-2x=5mx^2-20mx+20m$

$\therefore (m^2-5m+4)x^2-2(1-10m)x-20m=0$

이 식이 x에 대한 이차방정식이 되려면 $m^2-5m+4\neq 0$이어야 한다.

즉, $(m-1)(m-4)\neq 0$이므로

$m\neq 1$이고 $m\neq 4$

답 $m\neq 1$이고 $m\neq 4$

02

[전략] $x=\alpha$를 주어진 이차방정식에 대입한 후, 양변을 α로 나눈다.

$x=\alpha$를 $x^2-6x+2=0$에 대입하면

$\alpha^2-6\alpha+2=0$

$\alpha=0$이면 등식이 성립하지 않으므로 $\alpha\neq 0$이고, 양변을 α로 나누면

$\alpha-6+\frac{2}{\alpha}=0 \quad \therefore \alpha+\frac{2}{\alpha}=6$

$\left(\alpha+\frac{2}{\alpha}\right)^2=\alpha^2+4+\frac{4}{\alpha^2}=36$이므로 $\alpha^2+\frac{4}{\alpha^2}=32$

$\therefore \alpha+\alpha^2+\frac{2}{\alpha}+\frac{4}{\alpha^2}=\left(\alpha+\frac{2}{\alpha}\right)+\left(\alpha^2+\frac{4}{\alpha^2}\right)$

$=6+32$

$=38$

답 38

쌤의 특강

곱셈 공식의 변형

$a^2+b^2=(a+b)^2-2ab=(a-b)^2+2ab$

$(a+b)^2=(a-b)^2+4ab$, $(a-b)^2=(a+b)^2-4ab$

$a^2+\frac{1}{a^2}=\left(a+\frac{1}{a}\right)^2-2=\left(a-\frac{1}{a}\right)^2+2$

$\left(a+\frac{1}{a}\right)^2=\left(a-\frac{1}{a}\right)^2+4$, $\left(a-\frac{1}{a}\right)^2=\left(a+\frac{1}{a}\right)^2-4$

03

[전략] 먼저 $x=\alpha$, $x=\beta$를 주어진 이차방정식에 대입한다.

$x=\alpha$, $x=\beta$를 $x^2+2x-4=0$에 각각 대입하면

$\alpha^2+2\alpha-4=0$, $\beta^2+2\beta-4=0$

$\therefore \alpha^2+2\alpha=4$, $\beta^2+2\beta=4$ ……㉠

$f(n+2)+2f(n+1)=\alpha^{n+2}+\beta^{n+2}+2(\alpha^{n+1}+\beta^{n+1})$

$=\alpha^{n+2}+2\alpha^{n+1}+\beta^{n+2}+2\beta^{n+1}$

$=(\alpha^2+2\alpha)\alpha^n+(\beta^2+2\beta)\beta^n$

$=4\alpha^n+4\beta^n$ ($\because$ ㉠)

$=4(\alpha^n+\beta^n)$

$=4f(n)$

답 ④

04

[전략] $a \circ b$에 대한 약속에 따라 주어진 방정식을 간단히 정리한다.

$a \circ b = ab + a - b - 1$에서

$(2x+4) \circ (x-3)$

$= (2x+4)(x-3) + (2x+4) - (x-3) - 1$

$= 2x^2 - 2x - 12 + 2x + 4 - x + 3 - 1$

$= 2x^2 - x - 6$

$3 \circ x$

$= 3x + 3 - x - 1$

$= 2x + 2$

$(2x+4) \circ (x-3) + 3 \circ x = 2$에서

$(2x^2 - x - 6) + (2x + 2) = 2$

$2x^2 + x - 6 = 0$

$(x+2)(2x-3) = 0$

$\therefore x = -2$ 또는 $x = \frac{3}{2}$

답 $x = -2$ 또는 $x = \frac{3}{2}$

쌤의 특강

$ab + a - b - 1$

$= (ab + a) - (b + 1)$

$= a(b+1) - (b+1)$

$= (a-1)(b+1)$

이므로 $a \circ b = (a-1)(b+1)$에서

$(2x+4) \circ (x-3) = (2x+3)(x-2) = 2x^2 - x - 6$

$3 \circ x = (3-1)(x+1) = 2(x+1) = 2x + 2$

임을 이용해도 된다.

05

[전략] 1부터 16까지의 자연수 중에서 □ 안에 들어갈 수 있는 수를 모두 찾는다.

$x^2 - x - \square = (x+a)(x+b)$를 만족시키는, 즉 $a + b = -1$, $ab = -\square$를 만족시키는 두 정수 a, b가 존재한다고 하자.

$\square = -ab = -a(-a-1) = a(a+1)$

즉, 1부터 16까지의 자연수 중에서 □ 안에 들어갈 수 있는 수는

$\square = 2, 6, 12$

(i) $\square = 2$일 때

$x^2 - x - 2 = 0$

$(x+1)(x-2) = 0$

$\therefore x = -1$ 또는 $x = 2$ ➡ $|-1| + |2| = 3$

(ii) $\square = 6$일 때

$x^2 - x - 6 = 0$

$(x+2)(x-3) = 0$

$\therefore x = -2$ 또는 $x = 3$ ➡ $|-2| + |3| = 5$

(iii) $\square = 12$일 때

$x^2 - x - 12 = 0$

$(x+3)(x-4) = 0$

$\therefore x = -3$ 또는 $x = 4$ ➡ $|-3| + |4| = 7$

(i), (ii), (iii)에서 가장 큰 점수를 받으려면 원판의 12를 맞혀야 한다.

답 12

06

[전략] 이차방정식의 좌변을 인수분해한다.

$x^2 - 3xy - 4y^2 = 0$에서 $(x+y)(x-4y) = 0$

$\therefore x = -y$ 또는 $x = 4y$

이때 $xy < 0$이므로 $x = -y$

$$\therefore \frac{x^2 + xy + y^2}{x^2 - xy + y^2} = \frac{(-y)^2 + (-y) \times y + y^2}{(-y)^2 - (-y) \times y + y^2} = \frac{y^2}{3y^2} = \frac{1}{3} \ (\because y \neq 0)$$

답 ④

07

[전략] $x = 1$을 주어진 이차방정식에 대입한다.

$x = 1$을 $2(k-1)x^2 - (k+1)x + k^2 + 1 = 0$에 대입하면

$2(k-1) - (k+1) + k^2 + 1 = 0$, $k^2 + k - 2 = 0$

$(k+2)(k-1) = 0$

$\therefore k = -2$ 또는 $k = 1$

이때 $k = 1$이면 주어진 방정식은 $-2x + 2 = 0$이 되어 이차방정식이 아니므로 $k = -2$

$k = -2$를 주어진 이차방정식에 대입하면

$-6x^2 + x + 5 = 0$, $6x^2 - x - 5 = 0$

$(6x+5)(x-1) = 0$

$\therefore x = -\frac{5}{6}$ 또는 $x = 1$

따라서 다른 한 근은 $x = -\frac{5}{6}$이다.

답 $x = -\frac{5}{6}$

08

[전략] x의 값의 범위를 나누어 $[x]$의 값을 각각 구한다.

x의 값의 범위를 $0 < x < 1$과 $1 \le x < 2$로 나누면

(i) $0 < x < 1$일 때, $[x] = 0$이므로

$2x^2 = x$, $2x^2 - x = 0$

$x(2x-1) = 0$

$\therefore x = 0$ 또는 $x = \frac{1}{2}$

이때 $0 < x < 1$이므로 $x = \frac{1}{2}$

(ii) $1 \le x < 2$일 때, $[x] = 1$이므로

$2x^2 = x + 1$

$2x^2 - x - 1 = 0$, $(2x+1)(x-1) = 0$

$\therefore x = -\frac{1}{2}$ 또는 $x = 1$

이때 $1 \le x < 2$이므로 $x = 1$

(i), (ii)에서 $x = \frac{1}{2}$ 또는 $x = 1$

답 $\frac{1}{2}$, 1

09

[전략] 그래프가 지나는 점의 x좌표와 y좌표를 일차함수의 식에 대입한 후 인수분해한다.

$y=kx+3k-6$에

$x=k+2$, $y=-2k+2$를 대입하면

$-2k+2=k(k+2)+3k-6$

$k^2+7k-8=0$, $(k+8)(k-1)=0$ $\therefore k=-8$ 또는 $k=1$

(i) $k=-8$일 때, 직선 $y=-8x-30$은 제1사분면을 지나지 않는다.

(ii) $k=1$일 때, 직선 $y=x-3$은 제2사분면을 지나지 않는다.

(i), (ii)에서 $k=-8$ 답 -8

쌤의 복합 개념 특강

일차함수의 그래프와 사분면

일차함수 $y=ax+b$의 그래프에서

① $a>0$, $b>0$ ➡ 제4사분면을 지나지 않는다.

② $a>0$, $b<0$ ➡ 제2사분면을 지나지 않는다.

③ $a<0$, $b>0$ ➡ 제3사분면을 지나지 않는다.

④ $a<0$, $b<0$ ➡ 제1사분면을 지나지 않는다.

10

[전략] $3x^2-x-10=0$의 두 근 중 어떤 근이 공통인 근인지 구해 본다.

$3x^2-x-10=0$에서 $(3x+5)(x-2)=0$

$\therefore x=-\frac{5}{3}$ 또는 $x=2$

(i) 공통인 근이 $x=-\frac{5}{3}$일 때

$x=-\frac{5}{3}$를 $x^2+3x+a=0$에 대입하면

$\frac{25}{9}-5+a=0$ $\therefore a=\frac{20}{9}$

(ii) 공통인 근이 $x=2$일 때

$x=2$를 $x^2+3x+a=0$에 대입하면

$4+6+a=0$ $\therefore a=-10$

(i), (ii)에서 $a>0$이므로 $a=\frac{20}{9}$ 답 ③

11

[전략] 근호 안의 식을 완전제곱식으로 나타내면 근호를 벗길 수 있다.

$\sqrt{x}=1-a$이므로 $x=(1-a)^2=1-2a+a^2$

$x-2a+3=1-2a+a^2-2a+3$

$=a^2-4a+4=(a-2)^2$

$x+12a+24=1-2a+a^2+12a+24$

$=a^2+10a+25=(a+5)^2$

이때 $-5<a<1$이므로 $a-2<0$, $a+5>0$

$\therefore \sqrt{x-2a+3}-\sqrt{x+12a+24}$

$=\sqrt{(a-2)^2}-\sqrt{(a+5)^2}$

$=-(a-2)-(a+5)$

$=-2a-3$

즉, $-2a-3=a^2-8a-10$에서

$a^2-6a-7=0$, $(a+1)(a-7)=0$

$\therefore a=-1$ 또는 $a=7$

이때 $-5<a<1$이므로 $a=-1$ 답 -1

쌤의 복합 개념 특강

제곱근의 성질

① $a\geq b$일 때, $\sqrt{(a-b)^2}=a-b$

② $a<b$일 때, $\sqrt{(a-b)^2}=-(a-b)=-a+b$

12

[전략] 이차방정식이 중근을 갖도록 하는 a, b의 순서쌍의 개수를 구한다.

$x^2+2ax+2b-a=0$이 중근을 가지려면

$2b-a=\left(\frac{2a}{2}\right)^2$, $2b-a=a^2$

즉, $2b=a(a+1)$이어야 한다.

이를 만족시키는 a, b의 순서쌍 (a, b)는 $(1, 1)$, $(2, 3)$, $(3, 6)$의 3개이다.

한 개의 주사위를 두 번 던질 때 일어나는 모든 경우의 수는 $6\times6=36$이므로 구하는 확률은

$\frac{3}{36}=\frac{1}{12}$ 답 $\frac{1}{12}$

13

[전략] 이차방정식이 중근을 가질 조건을 생각한다.

$a\neq0$이므로 $ax^2-16x+ab=0$의 양변을 a로 나누면

$x^2-\frac{16}{a}x+b=0$

이 이차방정식이 중근을 가지려면

$b=\left(-\frac{16}{2a}\right)^2$, 즉 $b=\frac{64}{a^2}$이어야 한다.

a, b는 모두 정수이므로 a^2은 64의 약수이면서 제곱수이다.

$\therefore a^2=1, 4, 16, 64$

따라서 정수 a, b의 순서쌍 (a, b)는 $(1, 64)$, $(-1, 64)$, $(2, 16)$, $(-2, 16)$, $(4, 4)$, $(-4, 4)$, $(8, 1)$, $(-8, 1)$의 8개이다.

답 8

쌤의 특강

① $x^2+ax+b=0$이 중근을 가질 조건

➡ $\left(\frac{a}{2}\right)^2=b$

② $ax^2+bx+c=0$이 중근을 가질 조건

➡ $x^2+\frac{b}{a}x+\frac{c}{a}=0$이 중근을 가질 조건

➡ $\left(\frac{b}{2a}\right)^2=\frac{c}{a}$

14

[전략] $f(x)$를 이차식의 일반적인 형태로 나타낸다.

$f(x)=ax^2+bx+c\ (a\neq0)$로 놓으면

조건 (가)에서 $c=2$

조건 (나)에서

$a(x+1)^2+b(x+1)+2-(ax^2+bx+2)=4x-2$

$2ax+a+b=4x-2$

이 식이 항상 성립하려면 $2a=4$, $a+b=-2$이므로

$a=2$이고 $b=-4$

$\therefore f(x)=2x^2-4x+2$

$f(x)=0$에서 $2x^2-4x+2=0$

$x^2-2x+1=0$, $(x-1)^2=0$

$\therefore x=1$ 　　답 $x=1$

쌤의 특강

① 항등식이 될 조건

$ax+b=cx+d$가 x에 대한 항등식 ➡ $a=c$, $b=d$

② 'x에 대한 항등식'과 같은 표현

'모든 x에 대하여', 'x의 값에 관계없이 성립할 때', 'x의 값에 어떤 수를 대입해도 성립할 때'

15

[전략] 두 이차방정식의 일차항의 계수가 같으므로 두 식을 변끼리 빼면 공통인 근을 구할 수 있다.

두 이차방정식의 공통인 근을 α라 하면

$\alpha^2-k\alpha+2=0$ ……㉠

$4\alpha^2-k\alpha-13=0$ ……㉡

㉡$-$㉠을 하면 $3\alpha^2-15=0$, $\alpha^2=5$

$\therefore \alpha=\pm\sqrt{5}$

(i) $\alpha=\sqrt{5}$를 ㉠에 대입하면

$5-\sqrt{5}k+2=0$, $k=\frac{7}{\sqrt{5}}=\frac{7\sqrt{5}}{5}$

(ii) $\alpha=-\sqrt{5}$를 ㉠에 대입하면

$5+\sqrt{5}k+2=0$, $k=-\frac{7}{\sqrt{5}}=-\frac{7\sqrt{5}}{5}$

(i), (ii)에서 k의 값은 $\frac{7\sqrt{5}}{5}$, $-\frac{7\sqrt{5}}{5}$ 　　답 $\frac{7\sqrt{5}}{5}$, $-\frac{7\sqrt{5}}{5}$

16

[전략] 완전제곱식을 이용하여 해를 구한 후, α의 소수 부분을 구한다.

$x^2-2x-11=0$에서

$x^2-2x=11$, $x^2-2x+1=11+1$

$(x-1)^2=12$, $x-1=\pm\sqrt{12}=\pm2\sqrt{3}$

$\therefore x=1\pm2\sqrt{3}$

즉, $\alpha=1+2\sqrt{3}$이고 $3<2\sqrt{3}<4$이므로

$4<1+2\sqrt{3}<5$

따라서 $1+2\sqrt{3}$의 정수 부분은 4이고, 소수 부분은 $2\sqrt{3}-3$이다.

$\therefore k=2\sqrt{3}-3$

$\therefore \frac{3}{k}=\frac{3}{2\sqrt{3}-3}=\frac{3(2\sqrt{3}+3)}{(2\sqrt{3}-3)(2\sqrt{3}+3)}$

$=\frac{3(2\sqrt{3}+3)}{12-9}=2\sqrt{3}+3$ 　　답 ④

쌤의 복합 개념 특강

무리수 $\sqrt{a}$의 정수 부분, 소수 부분

① $n\le\sqrt{a}<n+1$을 만족시키는 정수 n을 구한다.

② $\sqrt{a}$의 정수 부분 : n

③ $\sqrt{a}$의 소수 부분 : $\sqrt{a}-n$

17

[전략] 부등식의 해에 이차방정식의 두 근 중 $x=5$는 포함되고, 다른 근은 포함되지 않아야 한다.

$2(x-1)(x+5)=x(x+11)$에서

$2(x^2+4x-5)=x^2+11x$

$2x^2+8x-10=x^2+11x$

$x^2-3x-10=0$, $(x+2)(x-5)=0$

$\therefore x=-2$ 또는 $x=5$

$3(x-1)>x+k$에서

$3x-3>x+k$, $2x>k+3$

$\therefore x>\frac{k+3}{2}$

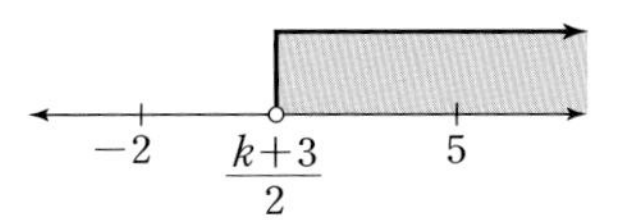

따라서 두 식을 동시에 만족시키는 x의 값이 $x=5$뿐이려면 위의 그림에서 $-2\le\frac{k+3}{2}<5$이어야 한다.

$-4\le k+3<10$

$\therefore -7\le k<7$ 　　답 $-7\le k<7$

쌤의 특강

$\frac{k+3}{2}<-2$이면 두 식을 동시에 만족시키는 x의 값은 $x=-2$, 5 두 개이지만

$\frac{k+3}{2}=-2$이면 부등식의 x의 값의 범위에 $x=-2$가 포함되지 않으므로 두 식을 동시에 만족시키는 x의 값은 $x=5$ 한 개이다.

18

[전략] 완전제곱식을 이용하여 해를 구한 후, $\sqrt{(\text{제곱수})}$는 유리수임을 이용한다.

$x^2-3x+a-3=0$에서

$x^2-3x=3-a$

$x^2-3x+\frac{9}{4}=3-a+\frac{9}{4}$

$\left(x-\frac{3}{2}\right)^2=\frac{21-4a}{4}$

$x-\frac{3}{2}=\pm\frac{\sqrt{21-4a}}{2}$

$\therefore x=\frac{3\pm\sqrt{21-4a}}{2}$

이때 해가 모두 유리수가 되려면 $21-4a=k^2$ (k는 정수)의 꼴이어야 한다.

즉, $21-4a=0, 1, 4, 9, 16$이므로 $4a=5, 12, 17, 20, 21$

이때 자연수 a는 3, 5이다.

따라서 모든 자연수 a의 값의 합은

$3+5=8$ 답 ⑤

19

[전략] 주어진 이차방정식을 완전제곱식을 이용하여 나타낸 후, $(x-2b)^2=b+5$와 비교한다.

$2x^2-4ax+a^2=b^2-3b$에서

$x^2-2ax+\frac{a^2}{2}=\frac{b^2}{2}-\frac{3b}{2}$

$x^2-2ax=\frac{b^2}{2}-\frac{3b}{2}-\frac{a^2}{2}$

$x^2-2ax+a^2=\frac{b^2}{2}-\frac{3b}{2}-\frac{a^2}{2}+a^2$

$\therefore (x-a)^2=\frac{b^2}{2}-\frac{3b}{2}+\frac{a^2}{2}$

이 식이 $(x-2b)^2=b+5$와 같으므로

$a=2b$ ……㉠

$\frac{b^2}{2}-\frac{3b}{2}+\frac{a^2}{2}=b+5$ ……㉡

㉠을 ㉡에 대입하면

$\frac{b^2}{2}-\frac{3b}{2}+\frac{4b^2}{2}=b+5$, $5b^2-5b-10=0$

$b^2-b-2=0$, $(b+1)(b-2)=0$

$\therefore b=-1$ 또는 $b=2$

이때 a, b는 양수이므로 $b=2$이고, $a=4$

$\therefore a+b=4+2=6$ 답 6

20

[전략] 괄호를 풀고, 식을 정리한 후 완전제곱식을 이용하여 나타낸다.

$2x^2-1.5x-\frac{1}{4}=x(x-1)$에서

$2x^2-\frac{3}{2}x-\frac{1}{4}=x^2-x$

$x^2-\frac{1}{2}x-\frac{1}{4}=0$, $x^2-\frac{1}{2}x=\frac{1}{4}$

$x^2-\frac{1}{2}x+\frac{1}{16}=\frac{1}{4}+\frac{1}{16}$

$\left(x-\frac{1}{4}\right)^2=\frac{5}{16}$

따라서 $p=\frac{1}{4}$, $q=\frac{5}{16}$이므로

$p+q=\frac{1}{4}+\frac{5}{16}=\frac{9}{16}$ 답 $\frac{9}{16}$

21

[전략] 공통 부분을 한 문자로 치환한다.

$2\left(\frac{x}{4}-2\right)^2+2\left(2-\frac{x}{4}\right)=9-\left(2-\frac{x}{4}\right)$에서

$\frac{x}{4}-2=A$로 놓으면

$2A^2-2A=9+A$

$2A^2-3A-9=0$

$(2A+3)(A-3)=0$

$\therefore A=-\frac{3}{2}$ 또는 $A=3$

즉, $\frac{x}{4}-2=-\frac{3}{2}$ 또는 $\frac{x}{4}-2=3$이므로

$x=2$ 또는 $x=20$

두 근 중 작은 근인 $x=2$를 $x^2+4a^2x-9=3ax$에 대입하면

$4+8a^2-9=6a$

$8a^2-6a-5=0$

$(2a+1)(4a-5)=0$

$\therefore a=-\frac{1}{2}$ 또는 $a=\frac{5}{4}$ 답 $-\frac{1}{2}$, $\frac{5}{4}$

22

[전략] 공통 부분이 생기도록 괄호 안의 일차식을 2개씩 적당히 묶어 본다.

$(x-3)(x-1)(x+4)(x+6)+48=0$에서

$\{(x-3)(x+6)\}\{(x-1)(x+4)\}+48=0$

$(x^2+3x-18)(x^2+3x-4)+48=0$

$x^2+3x=A$로 놓으면

$(A-18)(A-4)+48=0$

$A^2-22A+120=0$

$(A-10)(A-12)=0$

$\therefore A=10$ 또는 $A=12$

즉, $x^2+3x=10$ 또는 $x^2+3x=12$

(i) $x^2+3x=10$에서

$x^2+3x-10=0$

$(x+5)(x-2)=0$

$\therefore x=-5$ 또는 $x=2$

(ii) $x^2+3x=12$에서

$x^2+3x+\frac{9}{4}=12+\frac{9}{4}$

$\left(x+\frac{3}{2}\right)^2=\frac{57}{4}$

$x+\frac{3}{2}=\pm\frac{\sqrt{57}}{2}$

$\therefore x=\frac{-3\pm\sqrt{57}}{2}$

(i), (ii)에서 구하는 방정식의 정수인 해는

$x=-5$ 또는 $x=2$ 답 $x=-5$ 또는 $x=2$

23

[전략] 주어진 방정식에 $x=\alpha$를 대입한 후, $\alpha+\frac{1}{\alpha}$이 있는 식이 되도록 적당히 변형한다.

주어진 방정식에 $x=\alpha$를 대입하면

$\alpha^4-\alpha^3-10\alpha^2-\alpha+1=0$

$\alpha\neq0$이므로 양변을 α^2으로 나누면

$\alpha^2-\alpha-10-\frac{1}{\alpha}+\frac{1}{\alpha^2}=0$

$\left(\alpha^2+\frac{1}{\alpha^2}\right)-\left(\alpha+\frac{1}{\alpha}\right)-10=0$

$\left\{\left(\alpha+\frac{1}{\alpha}\right)^2-2\right\}-\left(\alpha+\frac{1}{\alpha}\right)-10=0$

$\left(\alpha+\frac{1}{\alpha}\right)^2-\left(\alpha+\frac{1}{\alpha}\right)-12=0$

$\alpha+\frac{1}{\alpha}=A$로 놓으면

$A^2-A-12=0$

$(A+3)(A-4)=0$

$\therefore A=-3$ 또는 $A=4$

$\therefore \alpha+\frac{1}{\alpha}=-3$ 또는 $\alpha+\frac{1}{\alpha}=4$ 답 $-3,\ 4$

24

[전략] 두 이차방정식을 이용하여 $x+y,\ x-y$의 값을 각각 구한다.

$(x+y)^2-3(x+y)-40=0$에서

$x+y=A$로 놓으면

$A^2-3A-40=0$

$(A+5)(A-8)=0$

$\therefore A=-5$ 또는 $A=8$

즉, $x+y=-5$ 또는 $x+y=8$

이때 $x,\ y$는 자연수이므로 $x+y=8$ ······㉠

$(x-y)^2+5(x-y)-14=0$에서

$x-y=B$로 놓으면

$B^2+5B-14=0$

$(B+7)(B-2)=0$

$\therefore B=-7$ 또는 $B=2$

즉, $x-y=-7$ 또는 $x-y=2$

(i) $x-y=-7$일 때

㉠과 연립하여 풀면

$x=\frac{1}{2},\ y=\frac{15}{2}$

이 값은 $x,\ y$는 자연수라는 조건을 만족시키지 않는다.

(ii) $x-y=2$일 때

㉠과 연립하여 풀면

$x=5,\ y=3$

(i), (ii)에서 $x=5,\ y=3$ 답 $x=5,\ y=3$

쌤의 만점 특강

이차방정식의 해를 구할 때, 제한된 범위에 주의해야 한다.
예를 들면 다음과 같다.

① $(x^2+2x+1)^2-2(x^2+2x+1)-3=0$의 해 구하기

$x^2+2x+1=A$로 놓으면

$A^2-2A-3=0,\ (A-3)(A+1)=0 \quad \therefore A=3$ 또는 $A=-1$

이때 $x^2+2x+1=(x+1)^2\geq0$이므로 $A=-1$이 될 수 없다.

② $[x]$는 x보다 크지 않은 최대의 정수일 때, $2[x]^2+[x]-1=0$의 해 구하기

$([x]+1)(2[x]-1)=0$에서

$[x]=-1$ 또는 $[x]=\frac{1}{2}$

이때 $[x]$는 정수이므로 $[x]=\frac{1}{2}$이 될 수 없다.

LEVEL 3 최고난도 문제

→67쪽

01 2 **02** 60 **03** $p=\frac{3}{2},\ q=\frac{1}{2}$ 또는 $p=-1,\ q=-\frac{3}{4}$

04 $x=-3$ 또는 $x=\frac{1+\sqrt{33}}{2}$

01 solution 미리 보기

step ❶	α에 대한 이차방정식 세우기
step ❷	식의 값을 구할 수 있도록 이차방정식 변형하기
step ❸	식의 값 구하기

$x=\alpha$를 $4x^2-5x-1=0$에 대입하면

$4\alpha^2-5\alpha-1=0$ ······❶

$4\alpha^2-1=5\alpha$에서 $(2\alpha+1)(2\alpha-1)=5\alpha$

$x=\frac{1}{2}$이면 $4x^2-5x-1\neq0$이므로 $\alpha\neq\frac{1}{2}$이고

$2\alpha+1=\frac{5\alpha}{2\alpha-1}$ ······❷

$\therefore -2\alpha+\frac{7\alpha-1}{2\alpha-1}=-2\alpha+\frac{5\alpha+2\alpha-1}{2\alpha-1}$

$=-2\alpha+\frac{5\alpha}{2\alpha-1}+1$

$=-2\alpha+(2\alpha+1)+1=2$ ······❸

답 2

다른 풀이

$x=\alpha$를 $4x^2-5x-1=0$에 대입하면

$4\alpha^2-5\alpha-1=0$

$4\alpha^2=5\alpha+1$

$\therefore -2\alpha+\frac{7\alpha-1}{2\alpha-1}=\frac{-2\alpha(2\alpha-1)+7\alpha-1}{2\alpha-1}$

$=\frac{-4\alpha^2+2\alpha+7\alpha-1}{2\alpha-1}$

$=\frac{-(5\alpha+1)+9\alpha-1}{2\alpha-1}$

$=\frac{4\alpha-2}{2\alpha-1}$

$=\frac{2(2\alpha-1)}{2\alpha-1}=2$

02 solution 미리 보기

step ❶	$\langle x\rangle$의 값 구하기
step ❷	x의 값으로 가능한 경우를 소인수의 개수로 나누어 각각 구하기
step ❸	가장 작은 자연수 x의 값 구하기

$\langle x\rangle^2+9\langle x\rangle-252=0$

$(\langle x\rangle+21)(\langle x\rangle-12)=0$

$\therefore \langle x\rangle=-21$ 또는 $\langle x\rangle=12$

이때 $\langle x\rangle$는 양의 정수이므로 $\langle x\rangle=12$

즉, 자연수 x의 약수의 개수는 12이다. ❶

$12=2\times6=3\times4=2\times2\times3$이므로

(i) $x=a^p$의 꼴로 소인수분해되면

$x=2^{11}, 3^{11}, \cdots$

(ii) $x=a^pb^q$의 꼴로 소인수분해되면

$x=2\times3^5, 2^5\times3, 2^2\times3^3, 2^3\times3^2, \cdots$

(iii) $x=a^pb^qc^r$의 꼴로 소인수분해되면

$x=2\times3\times5^2, 2\times3^2\times5, 2^2\times3\times5, \cdots$ ❷

(i), (ii), (iii)에서 가장 작은 자연수 x의 값은

$x=2^2\times3\times5=60$ ❸

답 60

쌤의 만점 특강

자연수 N이 $N=a^p\times b^q\times c^r$ (a, b, c는 서로 다른 소수)로 소인수분해될 때

➡ N의 약수의 개수는 $(p+1)(q+1)(r+1)$

03 solution 미리 보기

step ❶	$2x^2-x-3=0$의 두 근 a, b 구하기
step ❷	공통인 근이 a일 때, p, q의 값 각각 구하기
step ❸	공통인 근이 b일 때, p, q의 값 각각 구하기
step ❹	1개의 공통인 근을 갖게 하는 p, q의 값 찾기

$2x^2-x-3=0$에서

$(x+1)(2x-3)=0 \quad \therefore x=-1$ 또는 $x=\frac{3}{2}$ ❶

(i) 공통인 근이 $x=-1$일 때

$x=-1$을 $x^2+px+q=0$에 대입하면

$1-p+q=0, q=p-1$

$q=p-1$을 $pq=\frac{3}{4}$에 대입하면 $p(p-1)=\frac{3}{4}$

$4p^2-4p-3=0, (2p+1)(2p-3)=0$

$\therefore p=-\frac{1}{2}$ 또는 $p=\frac{3}{2}$

$p=-\frac{1}{2}$이면 $q=-\frac{1}{2}-1=-\frac{3}{2}$ ······㉠

$p=\frac{3}{2}$이면 $q=\frac{3}{2}-1=\frac{1}{2}$

이때 ㉠을 $x^2+px+q=0$에 대입하면

$x^2-\frac{1}{2}x-\frac{3}{2}=0, 2x^2-x-3=0$

이 식은 1개의 공통인 근을 갖는다는 조건에 어긋난다. ❷

(ii) 공통인 근이 $x=\frac{3}{2}$일 때

$x=\frac{3}{2}$을 $x^2+px+q=0$에 대입하면

$\frac{9}{4}+\frac{3}{2}p+q=0, q=-\frac{3}{2}p-\frac{9}{4}$

$q=-\frac{3}{2}p-\frac{9}{4}$를 $pq=\frac{3}{4}$에 대입하면

$p\left(-\frac{3}{2}p-\frac{9}{4}\right)=\frac{3}{4}$

$2p^2+3p+1=0, (2p+1)(p+1)=0$

$\therefore p=-\frac{1}{2}$ 또는 $p=-1$

$p=-\frac{1}{2}$이면 $q=-\frac{3}{2}\times\left(-\frac{1}{2}\right)-\frac{9}{4}=-\frac{3}{2}$ ······㉡

$p=-1$이면 $q=-\frac{3}{2}\times(-1)-\frac{9}{4}=-\frac{3}{4}$

이때 ㉡을 $x^2+px+q=0$에 대입하면

$x^2-\frac{1}{2}x-\frac{3}{2}=0, 2x^2-x-3=0$

이 식은 1개의 공통인 근을 갖는다는 조건에 어긋난다. ❸

(i), (ii)에서 $p=\frac{3}{2}, q=\frac{1}{2}$ 또는 $p=-1, q=-\frac{3}{4}$ ❹

답 $p=\frac{3}{2}, q=\frac{1}{2}$ 또는 $p=-1, q=-\frac{3}{4}$

쌤의 만점 특강

① $p=\frac{3}{2}, q=\frac{1}{2}$이면 $x^2+\frac{3}{2}x+\frac{1}{2}=0$

$2x^2+3x+1=0, (2x+1)(x+1)=0$

$\therefore x=-\frac{1}{2}$ 또는 $x=-1$

따라서 공통인 근은 $x=-1$이다.

② $p=-1, q=-\frac{3}{4}$이면 $x^2-x-\frac{3}{4}=0$

$4x^2-4x-3=0, (2x+1)(2x-3)=0$

$\therefore x=-\frac{1}{2}$ 또는 $x=\frac{3}{2}$

따라서 공통인 근은 $x=\frac{3}{2}$이다.

04 solution 미리 보기

step ❶	$x<\frac{1}{2}$일 때, 방정식의 해 구하기
step ❷	$\frac{1}{2}\le x<2$일 때, 방정식의 해 구하기
step ❸	$x\ge 2$일 때, 방정식의 해 구하기
step ❹	주어진 방정식의 해 구하기

(i) $x<\frac{1}{2}$일 때

$x-2<0,\ 2x-1<0$이므로

$x^2-(x-2)=-(2x-1)+7$

$x^2-x+2=-2x+8$

$x^2+x-6=0,\ (x+3)(x-2)=0$

$\therefore x=-3$ 또는 $x=2$

이때 $x<\frac{1}{2}$이므로 $x=-3$ ❶

(ii) $\frac{1}{2}\le x<2$일 때

$x-2<0,\ 2x-1\ge 0$이므로

$x^2-(x-2)=(2x-1)+7$

$x^2-x+2=2x+6$

$x^2-3x-4=0,\ (x+1)(x-4)=0$

$\therefore x=-1$ 또는 $x=4$

이때 $\frac{1}{2}\le x<2$이므로 방정식의 해는 없다. ❷

(iii) $x\ge 2$일 때

$x-2\ge 0,\ 2x-1>0$이므로

$x^2+(x-2)=(2x-1)+7,\ x^2-x-8=0$

$x^2-x+\frac{1}{4}=8+\frac{1}{4},\ \left(x-\frac{1}{2}\right)^2=\frac{33}{4}$

$x-\frac{1}{2}=\pm\sqrt{\frac{33}{4}}=\pm\frac{\sqrt{33}}{2}$

$\therefore x=\frac{1\pm\sqrt{33}}{2}$

이때 $x\ge 2$이므로 $x=\frac{1+\sqrt{33}}{2}$ ❸

(i), (ii), (iii)에서 $x=-3$ 또는 $x=\frac{1+\sqrt{33}}{2}$ ❹

답 $x=-3$ 또는 $x=\frac{1+\sqrt{33}}{2}$

쌤의 만점 특강

① $x-2=0$에서 $x=2$, $2x-1=0$에서 $x=\frac{1}{2}$이므로

x의 값의 범위를 $x<\frac{1}{2}$, $\frac{1}{2}\le x<2$, $x\ge 2$인 범위로 나누어 절댓값 기호 또는 근호를 없앤다.

② $5<\sqrt{33}<6$이므로 $3<\frac{1+\sqrt{33}}{2}<\frac{7}{2}$

$-6<-\sqrt{33}<-5$에서 $-\frac{5}{2}<\frac{1-\sqrt{33}}{2}<-2$

즉, $x\ge 2$인 범위를 만족시키는 해는 $x=\frac{1+\sqrt{33}}{2}$이다.

06. 근의 공식과 이차방정식의 활용

LEVEL 1 시험에 꼭 내는 문제

→ 70쪽~72쪽

01 ④ **02** -4 **03** 20 **04** $k\ge-\frac{25}{8}$ **05** ④

06 3 **07** ④ **08** $x=\frac{2\pm\sqrt{22}}{3}$ **09** 54 **10** 16 **11** ④

12 -13 **13** 4년 **14** 7, 9, 11 **15** ② **16** 6초

17 $x=\frac{-3\pm\sqrt{21}}{4}$ **18** $x^2+6x-12=0$

19 가로의 길이 : 10 cm, 세로의 길이 : 6 cm

01

$x^2+3x-7=0$에서

$x=\frac{-3\pm\sqrt{3^2-4\times1\times(-7)}}{2\times1}=\frac{-3\pm\sqrt{37}}{2}$

따라서 $A=-3,\ B=37$이므로

$A+B=-3+37=34$

답 ④

02

$3x^2-8x+2=0$에서

$x=\frac{-(-4)\pm\sqrt{(-4)^2-3\times2}}{3}=\frac{4\pm\sqrt{10}}{3}$

두 근 중 큰 근은 $x=\frac{4+\sqrt{10}}{3}$이므로 $a=\frac{4+\sqrt{10}}{3}$

$\therefore \sqrt{10}-3a=\sqrt{10}-3\times\frac{4+\sqrt{10}}{3}$

$=\sqrt{10}-(4+\sqrt{10})$

$=-4$

답 -4

03

$\frac{1}{3}(x-1)^2+\frac{4}{5}x=x^2+0.2$에서

$\frac{1}{3}(x^2-2x+1)+\frac{4}{5}x=x^2+\frac{1}{5}$

양변에 15를 곱하면

$5(x^2-2x+1)+12x=15x^2+3$

$5x^2-10x+5+12x=15x^2+3$

$10x^2-2x-2=0,\ 5x^2-x-1=0$

$\therefore x=\frac{-(-1)\pm\sqrt{(-1)^2-4\times5\times(-1)}}{2\times5}=\frac{1\pm\sqrt{21}}{10}$

따라서 $a=1,\ b=21$이므로

$b-a=21-1=20$

답 20

04

$(2x-1)(x+2)=k$에서 $2x^2+3x-2-k=0$

이 이차방정식이 근을 가지려면

$3^2-4\times2\times(-2-k)\ge0,\ 8k+25\ge0$

$8k\ge-25\quad \therefore k\ge-\frac{25}{8}$

답 $k\ge-\frac{25}{8}$

쌤의 오답 피하기 특강

> 이차방정식 $ax^2+bx+c=0$에서
> 서로 다른 두 근을 가질 조건 ➡ $b^2-4ac>0$
> 근을 가질 조건 ➡ $b^2-4ac\geq 0$
> 따라서 근의 개수에 주의하여 문제를 해결한다.

05

$(k+1)x^2+(2k-1)x+2=0$이 중근을 가지려면

$(2k-1)^2-4\times(k+1)\times 2=0$

$4k^2-4k+1-8k-8=0$, $4k^2-12k-7=0$

$(2k+1)(2k-7)=0$

$\therefore k=-\frac{1}{2}$ 또는 $k=\frac{7}{2}$

따라서 양수 k의 값은 $\frac{7}{2}$이다. 답 ④

06

$kx^2-(k-3)x+1=0$에서

$\{-(k-3)\}^2-4\times k\times 1=k^2-6k+9-4k$

$=k^2-10k+9$

$=(k-1)(k-9)$

$k=1$이면 $(k-1)(k-9)=0\times(-8)=0$이므로 중근을 갖는다.

$k=5$이면 $(k-1)(k-9)=4\times(-4)=-16<0$이므로 근이 없다.

$k=10$이면 $(k-1)(k-9)=9\times 1=9>0$이므로 서로 다른 두 근을 갖는다.

따라서 $a=1$, $b=0$, $c=2$이므로

$a+b+c=1+0+2=3$ 답 3

다른 풀이

$kx^2-(k-3)x+1=0$에서

(i) $k=1$일 때, $x^2+2x+1=0$이고
$2^2-4\times 1\times 1=0$이므로 $a=1$

(ii) $k=5$일 때, $5x^2-2x+1=0$이고
$(-2)^2-4\times 5\times 1=-16<0$이므로 $b=0$

(iii) $k=10$일 때, $10x^2-7x+1=0$이고
$(-7)^2-4\times 10\times 1=9>0$이므로 $c=2$

(i)~(iii)에서 $a+b+c=1+0+2=3$

07

$x^2+3x-5=0$에서 두 근의 합은 -3, 두 근의 곱은 -5이므로

$x^2+mx+n=0$의 두 근은 -3, -5이다.

$(-3)+(-5)=-m$에서 $m=8$

$(-3)\times(-5)=n$에서 $n=15$

$\therefore m+n=8+15=23$ 답 ④

08

$x^2+ax+b=0$의 두 근이 -1, 4이므로

$-1+4=-a$에서 $a=-3$

$(-1)\times 4=b$에서 $b=-4$

$a=-3$, $b=-4$를 $ax^2-bx+6=0$에 대입하면

$-3x^2+4x+6=0$, $3x^2-4x-6=0$

$\therefore x=\frac{-(-2)\pm\sqrt{(-2)^2-3\times(-6)}}{3}$

$=\frac{2\pm\sqrt{22}}{3}$ 답 $x=\frac{2\pm\sqrt{22}}{3}$

09

$3x^2-27x+k=0$의 두 근을 α, 2α라 하면

$\alpha+2\alpha=-\frac{-27}{3}=9$

$3\alpha=9$ $\therefore \alpha=3$

따라서 두 근은 3, 6이고

$3\times 6=\frac{k}{3}$ $\therefore k=54$ 답 54

10

$x^2+mx+n=0$의 한 근이 $5+2\sqrt{3}$이므로 다른 한 근은 $5-2\sqrt{3}$이다.

$(5+2\sqrt{3})+(5-2\sqrt{3})=-m$에서 $m=-10$

$(5+2\sqrt{3})(5-2\sqrt{3})=n$에서 $n=25-12=13$

$\therefore m+2n=-10+2\times 13=16$ 답 16

11

$-\frac{1}{4}$, $\frac{2}{5}$를 두 근으로 하고 x^2의 계수가 20인 이차방정식은

$20\left(x+\frac{1}{4}\right)\left(x-\frac{2}{5}\right)=0$, $20\left(x^2-\frac{3}{20}x-\frac{1}{10}\right)=0$

$\therefore 20x^2-3x-2=0$ 답 ④

12

$2x^2+3kx+5-4m=0$이 중근 -3을 가지므로

$2(x+3)^2=0$, $2(x^2+6x+9)=0$

$2x^2+12x+18=0$

즉, $3k=12$에서 $k=4$

$5-4m=18$에서 $m=-\frac{13}{4}$

$\therefore km=4\times\left(-\frac{13}{4}\right)=-13$ 답 -13

13

x년 후에 형의 나이는 $(x+9)$살이고 동생의 나이는 $(x+5)$살이므로

$(x+9)(x+5)=9\times 5+72$

$x^2+14x-72=0$, $(x+18)(x-4)=0$

$\therefore x=-18$ 또는 $x=4$

이때 $x>0$이므로 $x=4$

따라서 형의 나이와 동생의 나이의 곱이 지금 나이의 곱보다 72만큼 많아지는 것은 지금부터 4년 후이다. 답 4년

14

연속하는 세 홀수를 $2x-1$, $2x+1$, $2x+3$(x는 자연수)이라 하면

$(2x+3)^2=(2x-1)^2+(2x+1)^2-9$

$4x^2-12x-16=0$, $x^2-3x-4=0$

$(x+1)(x-4)=0$

$\therefore x=-1$ 또는 $x=4$

이때 x는 자연수이므로 $x=4$이고, 연속하는 세 홀수는 7, 9, 11이다.

답 7, 9, 11

참고 연속하는 세 홀수를 x, $x+2$, $x+4$ (x는 홀수)로 놓아도 된다.

15

두 번째로 큰 반원의 반지름의 길이를 $x(4<x<8)$ cm라 하면 가장 작은 반원의 반지름의 길이는

$\frac{16-2x}{2}=8-x$ (cm)

색칠한 부분의 넓이가 15π cm^{2}이므로

$\frac{1}{2}\pi\times8^2-\frac{1}{2}\pi\times(8-x)^2-\frac{1}{2}\pi\times x^2=15\pi$

$8^2-(8-x)^2-x^2=30$, $-2x^2+16x=30$

$x^2-8x+15=0$, $(x-3)(x-5)=0$

$\therefore x=3$ 또는 $x=5$

이때 $4<x<8$이므로 $x=5$

따라서 두 번째로 큰 반원의 반지름의 길이는 5 cm이다.

답 ②

16

$-5t^2+80t+25=325$에서

$5t^2-80t+300=0$, $t^2-16t+60=0$

$(t-6)(t-10)=0$

$\therefore t=6$ 또는 $t=10$

따라서 폭죽이 올라가면서 높이가 325 m인 지점에서 터졌다면 쏘아 올린 지 6초 후이다.

답 6초

쌤의 특강

폭죽이 높이가 325 m인 지점을 지나는 것은 쏘아 올린 지 6초 후 또는 10초 후이지만 올라가면서 터졌으므로 처음으로 325 m에 도달한 6초 후가 답이 된다.

17

$kx^2-4x+3=0$이 중근을 가지려면

$(-4)^2-4\times k\times3=0$, $12k=16$ $\therefore k=\frac{4}{3}$

$k=\frac{4}{3}$를 $kx^2+(3k-2)x-1=0$에 대입하면

$\frac{4}{3}x^2+2x-1=0$, $4x^2+6x-3=0$

$\therefore x=\frac{-3\pm\sqrt{3^2-4\times(-3)}}{4}$

$=\frac{-3\pm\sqrt{21}}{4}$

답 $x=\frac{-3\pm\sqrt{21}}{4}$

18

x^2의 계수가 1이고, 두 근이 -2, 6인 이차방정식은

$(x+2)(x-6)=0$, $x^2-4x-12=0$

이때 하윤이는 상수항을 바르게 보았으므로

(상수항)$=-12$

x^2의 계수가 1이고 두 근이 $-3\pm\sqrt{2}$인 이차방정식은

$\{x-(-3+\sqrt{2})\}\{x-(-3-\sqrt{2})\}=0$

$x^2+6x+7=0$

이때 준서는 x의 계수를 바르게 보았으므로

(x의 계수)$=6$

따라서 처음에 주어진 이차방정식은

$x^2+6x-12=0$

답 $x^2+6x-12=0$

참고 이차방정식의 근과 계수의 관계를 이용하여 이차방정식을 세울 수도 있다.

하윤 : (두 근의 합)$=-2+6=4$

(두 근의 곱)$=-2\times6=-12$

하윤이가 푼 이차방정식은 $x^2-4x-12=0$

준서 : (두 근의 합)$=(-3+\sqrt{2})+(-3-\sqrt{2})=-6$

(두 근의 곱)$=(-3+\sqrt{2})(-3-\sqrt{2})=9-2=7$

준서가 푼 이차방정식은 $x^2+6x+7=0$

19

처음 직사각형의 가로의 길이를 $5x$ cm, 세로의 길이를 $3x$ cm라 하면

$(5x+8)(3x-2)=2(5x\times3x)-48$

$15x^2+14x-16=30x^2-48$

$15x^2-14x-32=0$

$(15x+16)(x-2)=0$

$\therefore x=-\frac{16}{15}$ 또는 $x=2$

이때 $x>0$이므로 $x=2$

따라서 처음 직사각형의 가로의 길이는 10 cm, 세로의 길이는 6 cm이다.

답 가로의 길이 : 10 cm, 세로의 길이 : 6 cm

LEVEL 2 필수 기출 문제

→ 73쪽~78쪽

01 $\frac{1+\sqrt{5}}{2}$ **02** ⑤ **03** $3+\sqrt{33}$ **04** 18 **05** ③

06 $x=\frac{1\pm\sqrt{3}}{2}$ **07** 6 **08** 39 **09** ②, ⑤ **10** $\frac{\sqrt{57}}{6}$

11 $-\frac{16}{3}$ **12** 8, 9 **13** $k=4$, $x=\pm1$ **14** ②

15 $6x^2-7x-1=0$ **16** 24 **17** 560 cm^3 **18** 20 %

19 (1) $(-1+\sqrt{5})$ cm (2) $a=-20$, $b=80$ **20** 41

21 10초 **22** 4 **23** (1) $n(n+2)$ (2) 21단계

24 $10-\sqrt{70}$

01

[전략] 근호 안의 식을 완전제곱식으로 바꾼 후, 제곱근의 성질을 이용하여 근호를 없앤다.

$\sqrt{(p-1)^2+4p}=\sqrt{p^2-2p+1+4p}$

$=\sqrt{p^2+2p+1}$

$=\sqrt{(p+1)^2}$

이때 $p>0$이므로 $\sqrt{(p+1)^2}=p+1$

즉, $\sqrt{(p-1)^2+4p}=p^2$에서

$p+1=p^2$, $p^2-p-1=0$

$\therefore p=\frac{-(-1)\pm\sqrt{(-1)^2-4\times1\times(-1)}}{2\times1}=\frac{1\pm\sqrt{5}}{2}$

따라서 $p>0$을 만족시키는 p의 값은 $\frac{1+\sqrt{5}}{2}$이다.

답 $\frac{1+\sqrt{5}}{2}$

02

[전략] 계수 또는 상수항이 무리수이면 근의 공식을 이용한다.

$x^2-2\sqrt{3}x-4=0$에서

$x=\frac{-(-2\sqrt{3})\pm\sqrt{(-2\sqrt{3})^2-4\times1\times(-4)}}{2\times1}$

$=\frac{2\sqrt{3}\pm\sqrt{28}}{2}=\frac{2\sqrt{3}\pm2\sqrt{7}}{2}$

$=\sqrt{3}\pm\sqrt{7}$

이때 두 근 중 큰 근은 $\sqrt{3}+\sqrt{7}$이므로

$\alpha=\sqrt{3}+\sqrt{7}$

$\therefore \alpha^2=(\sqrt{3}+\sqrt{7})^2$

$=3+2\sqrt{21}+7$

$=10+2\sqrt{21}$

답 ⑤

03

[전략] 잘못 구한 두 근의 합과 곱을 이용해 a, b, c 사이의 관계를 식으로 나타낸다.

근의 공식을 $x=\frac{b\pm\sqrt{b^2-ac}}{2a}$로 잘못 알고 구한 두 근이 -4, 2이므로

$\frac{b+\sqrt{b^2-ac}}{2a}+\frac{b-\sqrt{b^2-ac}}{2a}=-4+2$

$\frac{b}{a}=-2 \quad \therefore b=-2a \quad \cdots\cdots ㉠$

$\frac{b+\sqrt{b^2-ac}}{2a}\times\frac{b-\sqrt{b^2-ac}}{2a}=-4\times2$

$\frac{b^2-(b^2-ac)}{4a^2}=-8$, $\frac{c}{4a}=-8$

$\therefore c=-32a \quad \cdots\cdots ㉡$

$ax^2+bx+c=0$에 ㉠, ㉡을 대입하면

$ax^2-2ax-32a=0$

$a\neq0$이므로 $x^2-2x-32=0$

$\therefore x=-(-1)\pm\sqrt{(-1)^2-1\times(-32)}=1\pm\sqrt{33}$

따라서 $\alpha=1+\sqrt{33}$, $\beta=1-\sqrt{33}$이므로

$2\alpha+\beta=2(1+\sqrt{33})+1-\sqrt{33}=3+\sqrt{33}$

답 $3+\sqrt{33}$

04

[전략] 이차방정식을 적당히 변형하여 공통인 부분을 한 문자로 치환한다.

$2(x-1)^2+3-3x=(1-x)^2+1$에서

$2(x-1)^2-3(x-1)=(x-1)^2+1$

$x-1=A$로 놓으면

$2A^2-3A=A^2+1$, $A^2-3A-1=0$

$\therefore A=\frac{-(-3)\pm\sqrt{(-3)^2-4\times1\times(-1)}}{2\times1}=\frac{3\pm\sqrt{13}}{2}$

즉, $x-1=\frac{3\pm\sqrt{13}}{2}$이므로

$x=1+\frac{3\pm\sqrt{13}}{2}=\frac{5\pm\sqrt{13}}{2}$

따라서 $p=5$, $q=13$이므로

$p+q=5+13=18$

답 18

다른 풀이

$2(x-1)^2+3-3x=(1-x)^2+1$에서

$2(x^2-2x+1)+3-3x=(1-2x+x^2)+1$

$2x^2-7x+5=x^2-2x+2$

$x^2-5x+3=0$

$\therefore x=\frac{-(-5)\pm\sqrt{(-5)^2-4\times1\times3}}{2\times1}=\frac{5\pm\sqrt{13}}{2}$

따라서 $p=5$, $q=13$이므로

$p+q=5+13=18$

05

[전략] 근의 공식을 이용하여 해를 구한 후, 해가 모두 정수가 되기 위한 조건을 찾는다.

$x^2-8x+3a-6=0$에서

$x=-(-4)\pm\sqrt{(-4)^2-(3a-6)}$

$=4\pm\sqrt{22-3a}$

이때 해가 모두 정수가 되려면 $22-3a=k^2$(k는 정수)의 꼴이어야 한다.

즉, $22-3a=0, 1, 4, 9, 16$이므로

$a=\frac{22}{3}, 7, 6, \frac{13}{3}, 2$

따라서 자연수 a의 값은 7, 6, 2이므로 그 합은

$7+6+2=15$

답 ③

06

[전략] 주어진 기호의 약속에 따라 주어진 방정식을 이차방정식으로 변형한다.

$\{(2x+1)\cdot(x-1)\}*\{(3x-2)\cdot(x+3)\}=0$에서

$\{(2x+1)-(x-1)\}*\{(3x-2)-(x+3)\}=0$

$(x+2)*(2x-5)=0$

$(x+2)(2x-5)+(x+2)-(2x-5)+2=0$

$2x^2-x-10+x+2-2x+5+2=0$

$2x^2-2x-1=0$

$\therefore x=\frac{-(-1)\pm\sqrt{(-1)^2-2\times(-1)}}{2}$

$=\frac{1\pm\sqrt{3}}{2}$ 답 $x=\frac{1\pm\sqrt{3}}{2}$

07

[전략] $ax^2+bx+c=0$에서 근의 개수는 b^2-4ac의 부호에 의해 결정된다.

$x^2+4x-2k+3=0$이 서로 다른 두 근을 가지므로

$4^2-4\times1\times(-2k+3)>0$, $8k+4>0$

$\therefore k>-\frac{1}{2}$ ······ ㉠

$(k-7)x^2-(k-4)x-1=0$이 중근을 가지므로

$\{-(k-4)\}^2-4\times(k-7)\times(-1)=0$

$k^2-8k+16+4k-28=0$

$k^2-4k-12=0$, $(k+2)(k-6)=0$

$\therefore k=-2$ 또는 $k=6$

이때 ㉠을 만족시키는 k의 값은 6이다. 답 6

08

[전략] 이차방정식이 중근을 가질 조건을 이용하여 k의 값부터 구한다.

$2x^2+(k-5)x-k+5=0$이 중근을 가지므로

$(k-5)^2-4\times2\times(-k+5)=0$

$k^2-10k+25+8k-40=0$

$k^2-2k-15=0$, $(k+3)(k-5)=0$

$\therefore k=-3$ 또는 $k=5$

즉, -3, 5가 $3x^2+ax+b=0$의 두 근이므로

$-3+5=-\frac{a}{3}$ $\therefore a=-6$

$-3\times5=\frac{b}{3}$ $\therefore b=-45$

$\therefore a-b=-6-(-45)=39$ 답 39

쌤의 특강

-3, 5가 $3x^2+ax+b=0$의 두 근이므로 $x=-3$, $x=5$를 대입하면

$27-3a+b=0$ ······ ㉠

$75+5a+b=0$ ······ ㉡

㉠, ㉡을 연립하여 a, b의 값을 구해도 되지만 두 근이 주어졌으므로 근과 계수의 관계를 이용하면 간단하게 a, b의 값을 구할 수 있다.

09

[전략] 두 근을 $2k$, $3k$로 놓고 근과 계수의 관계를 이용하여 k의 값을 구한다.

$x^2-(2a+1)x+2a=0$의 두 근을 $2k$, $3k(k\neq0)$라 하면

$2k+3k=-\{-(2a+1)\}$에서 $5k=2a+1$ ······ ㉠

$2k\times3k=2a$에서 $6k^2=2a$, $a=3k^2$ ······ ㉡

㉡을 ㉠에 대입하면 $5k=6k^2+1$

$6k^2-5k+1=0$, $(3k-1)(2k-1)=0$

$\therefore k=\frac{1}{3}$ 또는 $k=\frac{1}{2}$

㉡에 k의 값을 대입하면

$k=\frac{1}{3}$일 때, $a=3\times\left(\frac{1}{3}\right)^2=\frac{1}{3}$

$k=\frac{1}{2}$일 때, $a=3\times\left(\frac{1}{2}\right)^2=\frac{3}{4}$

따라서 a의 값은 $\frac{1}{3}$, $\frac{3}{4}$이다. 답 ②, ⑤

10

[전략] 근과 계수의 관계와 곱셈 공식의 변형을 이용하여 $|\alpha-\beta|$, $\alpha\beta$의 값을 각각 구한다.

$2x^2-3x-6=0$의 두 근이 α, β이므로

$\alpha+\beta=-\frac{-3}{2}=\frac{3}{2}$

$\alpha\beta=\frac{-6}{2}=-3$

$(\alpha-\beta)^2=(\alpha+\beta)^2-4\alpha\beta$

$=\left(\frac{3}{2}\right)^2-4\times(-3)=\frac{57}{4}$

$\therefore |\alpha-\beta|=\sqrt{\frac{57}{4}}=\frac{\sqrt{57}}{2}$

$\therefore \left|\frac{1}{\alpha}-\frac{1}{\beta}\right|=\left|\frac{\beta-\alpha}{\alpha\beta}\right|=\frac{|\alpha-\beta|}{|\alpha\beta|}$

$=\frac{\frac{\sqrt{57}}{2}}{3}=\frac{\sqrt{57}}{6}$ 답 $\frac{\sqrt{57}}{6}$

쌤의 만점 특강

근과 계수의 관계를 이용하여 이차방정식 $ax^2+bx+c=0$의 두 근의 차 구하기

두 근이 α, β일 때 $\alpha+\beta=-\frac{b}{a}$, $\alpha\beta=\frac{c}{a}$이므로

$(\alpha-\beta)^2=(\alpha+\beta)^2-4\alpha\beta$

$=\left(-\frac{b}{a}\right)^2-4\times\frac{c}{a}$

$=\frac{b^2-4ac}{a^2}$

$\therefore |\alpha-\beta|=\sqrt{\frac{b^2-4ac}{a^2}}=\frac{\sqrt{b^2-4ac}}{|a|}$

11

[전략] m, n의 값을 각각 구한 후, 근과 계수의 관계를 이용한다.

$(x-6)(2x+3)=x-6$에서

$2x^2-9x-18=x-6$, $2x^2-10x-12=0$

$x^2-5x-6=0$, $(x+1)(x-6)=0$

$\therefore x=-1$ 또는 $x=6$

이때 $m>n$이므로 $m=6$, $n=-1$

즉, $x^2+6x-1=0$의 두 근이 α, β이므로

$\alpha+\beta=-6$, $\alpha\beta=-1$

$\therefore \dfrac{\beta}{\alpha+1}+\dfrac{\alpha}{\beta+1}=\dfrac{\beta(\beta+1)+\alpha(\alpha+1)}{(\alpha+1)(\beta+1)}$

$=\dfrac{\beta^2+\beta+\alpha^2+\alpha}{\alpha\beta+\alpha+\beta+1}$

$=\dfrac{(\alpha+\beta)^2-2\alpha\beta+(\alpha+\beta)}{\alpha\beta+(\alpha+\beta)+1}$

$=\dfrac{(-6)^2-2\times(-1)-6}{-1-6+1}$

$=-\dfrac{16}{3}$ 답 $-\dfrac{16}{3}$

쌤의 특강

$(x-6)(2x+3)=x-6$의 두 근을 다음과 같은 방법으로 구할 수도 있다.

(i) $x-6=0$일 때
등식이 성립하므로 $x=6$

(ii) $x-6\neq0$일 때
양변을 $x-6$으로 나누면
$2x+3=1$ $\therefore x=-1$

(i), (ii)에서 두 근은 -1 또는 6이다.

12

[전략] 이차방정식의 두 근을 α, β로 놓고, 근과 계수의 관계를 이용하여 정수 α, β의 값을 각각 찾는다.

$x^2-kx+2k=0$의 두 근을 α, β라 하면
$\alpha+\beta=k$, $\alpha\beta=2k$이므로
$\alpha\beta=2(\alpha+\beta)$, $\alpha\beta-2\alpha-2\beta=0$
$\therefore (\alpha-2)(\beta-2)=4$
오른쪽 표에서 정수 α, β의 순서쌍 (α, β)는 차례대로
$(3, 6)$, $(1, -2)$, $(6, 3)$, $(-2, 1)$, $(4, 4)$, $(0, 0)$이므로 가능한 $\alpha+\beta$의 값은 $-1, 0, 8, 9$
따라서 자연수 k의 값은 8, 9이다.

$\alpha-2$	$\beta-2$
1	4
-1	-4
4	1
-4	-1
2	2
-2	-2

답 8, 9

13

[전략] 두 근의 절댓값은 같고, 부호는 다르므로 두 근의 합은 0, 곱은 음수이다.

$x^2+(k^2+k-20)x-k+3=0$의 두 근을 α, $-\alpha$라 하면
$\alpha+(-\alpha)=-(k^2+k-20)$에서
$k^2+k-20=0$
$(k+5)(k-4)=0$
$\therefore k=-5$ 또는 $k=4$
또, $\alpha\times(-\alpha)=-k+3$에서
$-k+3<0$, $k>3$
따라서 $k=4$이고, 이 값을 주어진 이차방정식에 대입하면
$x^2-4+3=0$, $x^2=1$
$\therefore x=\pm1$ 답 $k=4$, $x=\pm1$

14

[전략] 주어진 그래프의 기울기와 y절편을 이용하여 a, b의 값을 각각 구한다.

$y=ax+b$의 그래프가 두 점 $(4, 0)$, $(0, 3)$을 지나므로
$(\text{기울기})=\dfrac{3-0}{0-4}=-\dfrac{3}{4}$, $(y\text{절편})=3$
즉, $y=-\dfrac{3}{4}x+3$이므로 $a=-\dfrac{3}{4}$, $b=3$
따라서 $-\dfrac{3}{4}$, 3을 두 근으로 하고 x^2의 계수가 4인 이차방정식은
$4\left(x+\dfrac{3}{4}\right)(x-3)=0$
$4\left(x^2-\dfrac{9}{4}x-\dfrac{9}{4}\right)=0$
$\therefore 4x^2-9x-9=0$ 답 ②

쌤의 복합 개념 특강

x절편이 a이고 y절편이 b인 직선의 방정식 구하기
직선이 지나는 두 점의 좌표가 $(a, 0)$, $(0, b)$이므로
$(\text{기울기})=-\dfrac{b}{a}$, $(y\text{절편})=b$
➡ $y=-\dfrac{b}{a}x+b$

15

[전략] 두 근의 합이 m, 곱이 n이고 x^2의 계수가 a인 이차방정식
➡ $a(x^2-mx+n)=0$

$2x^2-5x-6=0$에서
$\alpha+\beta=-\dfrac{-5}{2}=\dfrac{5}{2}$, $\alpha\beta=\dfrac{-6}{2}=-3$

$\left(\dfrac{1}{\alpha}+1\right)+\left(\dfrac{1}{\beta}+1\right)=\dfrac{1}{\alpha}+\dfrac{1}{\beta}+2$
$=\dfrac{\alpha+\beta}{\alpha\beta}+2$
$=\dfrac{\frac{5}{2}}{-3}+2$
$=-\dfrac{5}{6}+2=\dfrac{7}{6}$

$\left(\dfrac{1}{\alpha}+1\right)\left(\dfrac{1}{\beta}+1\right)=\dfrac{1}{\alpha\beta}+\dfrac{1}{\alpha}+\dfrac{1}{\beta}+1$
$=\dfrac{1}{\alpha\beta}+\dfrac{\alpha+\beta}{\alpha\beta}+1$
$=\dfrac{1}{-3}+\dfrac{\frac{5}{2}}{-3}+1$
$=-\dfrac{1}{3}-\dfrac{5}{6}+1=-\dfrac{1}{6}$

따라서 $\dfrac{1}{\alpha}+1$, $\dfrac{1}{\beta}+1$을 두 근으로 하고, x^2의 계수가 6인 이차방정식은 $6\left(x^2-\dfrac{7}{6}x-\dfrac{1}{6}\right)=0$
$\therefore 6x^2-7x-1=0$ 답 $6x^2-7x-1=0$

16

[전략] 연속하는 세 짝수를 미지수를 사용하여 나타내고 조건에 맞는 방정식을 세운다.

연속하는 세 짝수를 각각 x, $x+2$, $x+4$(x는 짝수)라 하면

$x^2+(x+2)^2+(x+4)^2=200$

$x^2+(x^2+4x+4)+(x^2+8x+16)=200$

$3x^2+12x+20=200$, $x^2+4x-60=0$

$(x+10)(x-6)=0$ $\therefore x=-10$ 또는 $x=6$

이때 x는 짝수이므로 $x=6$이고, 연속하는 세 짝수는 6, 8, 10이다.

따라서 $6^2+8^2=10^2$이므로 6, 8, 10을 세 변의 길이로 하는 삼각형은 빗변의 길이가 10인 직각삼각형이고, 그 넓이는

$\frac{1}{2}\times6\times8=24$ 답 24

쌤의 특강

세 변의 길이가 각각 a, b, c인 △ABC에서 가장 긴 변의 길이가 c일 때

① $a^2+b^2>c^2$ ➡ 예각삼각형

② $a^2+b^2=c^2$ ➡ 직각삼각형

③ $a^2+b^2<c^2$ ➡ 둔각삼각형

17

[전략] 잘라낸 정사각형의 한 변의 길이를 미지수로 놓고, 이차방정식을 세운다.

잘라낸 정사각형의 한 변의 길이를 x cm라 하면

$(22-2x)(18-2x)=140$

$396-80x+4x^2=140$

$4x^2-80x+256=0$

$x^2-20x+64=0$

$(x-4)(x-16)=0$

$\therefore x=4$ 또는 $x=16$

이때 $0<x<9$이므로 $x=4$

따라서 상자의 부피는

$(22-8)\times(18-8)\times4=14\times10\times4$

$=560\ (\text{cm}^3)$ 답 $560\ \text{cm}^3$

18

[전략] 박물관의 입장료와 입장객 수를 각각 미지수로 놓는다.

박물관의 입장료를 a원, 하루 동안의 입장객 수를 b명이라 하면 이 박물관의 하루 동안의 매출은 ab원이다.

입장료를 x % 인상하면 요금은 $a\left(1+\frac{x}{100}\right)$원,

입장객 수는 $b\left(1-\frac{2x}{300}\right)$명이므로 하루 동안의 매출은

$a\left(1+\frac{x}{100}\right)\times b\left(1-\frac{2x}{300}\right)$원이다.

이때 매출이 4 % 증가해야 하므로

$a\left(1+\frac{x}{100}\right)\times b\left(1-\frac{2x}{300}\right)=ab\left(1+\frac{4}{100}\right)$

$\frac{100+x}{100}\times\frac{300-2x}{300}=\frac{104}{100}$

$(100+x)(300-2x)=31200$

$30000+100x-2x^2=31200$

$x^2-50x+600=0$, $(x-20)(x-30)=0$

$\therefore x=20$ 또는 $x=30$

이때 $0<x<30$이므로 $x=20$

따라서 입장료는 20 % 인상해야 한다. 답 20 %

19

[전략] 두 직사각형이 서로 닮은 도형임을 이용하여 비례식을 세운다.

(1) □ABCD∽□DEFC이므로

$\overline{AB}:\overline{DE}=\overline{AD}:\overline{DC}$

$\overline{AB}=a$ cm라 하면

$a:(2-a)=2:a$

$a^2=2(2-a)$, $a^2+2a-4=0$

$\therefore a=-1\pm\sqrt{1^2-1\times(-4)}=-1\pm\sqrt{5}$

이때 $a>0$이므로 $a=-1+\sqrt{5}$

따라서 $\overline{AB}$의 길이는 $(-1+\sqrt{5})$ cm이다.

(2) 다음 그림의 직각삼각형 ABC에서

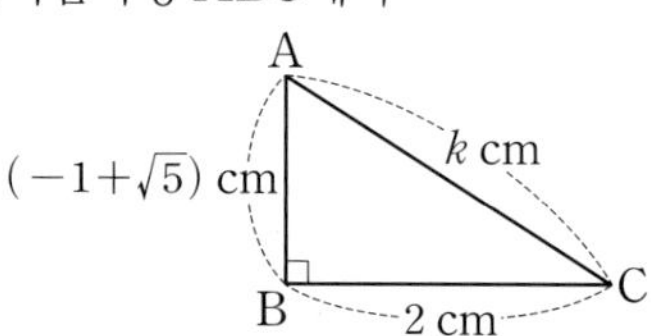

$k^2=(-1+\sqrt{5})^2+2^2$

$=1-2\sqrt{5}+5+4$

$=10-2\sqrt{5}$

즉, $x^2+ax+b=0$의 한 근이 $10-2\sqrt{5}$이고 a, b는 유리수이므로 다른 한 근은 $10+2\sqrt{5}$이다.

$(10-2\sqrt{5})+(10+2\sqrt{5})=-a$

$\therefore a=-20$

$(10-2\sqrt{5})(10+2\sqrt{5})=b$

$\therefore b=100-20=80$

답 (1) $(-1+\sqrt{5})$ cm (2) $a=-20$, $b=80$

20

[전략] 십의 자리의 숫자가 a, 일의 자리의 숫자가 b인 두 자리의 자연수는 $10a+b$이다.

X의 십의 자리의 숫자를 a, 일의 자리의 숫자를 b라 하면

$X=10a+b$, $Y=10b+a$

또, $a+b=5$이므로 $b=5-a$

$\therefore X=10a+(5-a)=9a+5$, $Y=10(5-a)+a=50-9a$

$XY+3X-2Y=669$에서

$(9a+5)(50-9a)+3(9a+5)-2(50-9a)=669$

$-81a^2+405a+250+27a+15-100+18a=669$

$9a^2-50a+56=0$, $(9a-14)(a-4)=0$

$\therefore a=\frac{14}{9}$ 또는 $a=4$

이때 a는 자연수이므로 $a=4$이고 $b=5-4=1$

따라서 X는 41이다. 답 41

21

[전략] 지면으로부터 높이가 120 m를 지날 때의 시간을 구한다.

물체를 쏘아 올린 지 t초 후의 높이가 120 m이면

$70t-5t^2=120$, $5t^2-70t+120=0$

$t^2-14t+24=0$, $(t-2)(t-12)=0$

$\therefore t=2$ 또는 $t=12$

따라서 물체가 120 m 이상인 지점을 지나는 시간은 2초부터 12초까지이므로 10초 동안이다. 답 10초

22

[전략] 큰 직사각형의 넓이를 이용하여 이차방정식을 세운다.

다음 그림에서 큰 직사각형의 긴 변의 길이가 $(2x+12)$ cm이므로

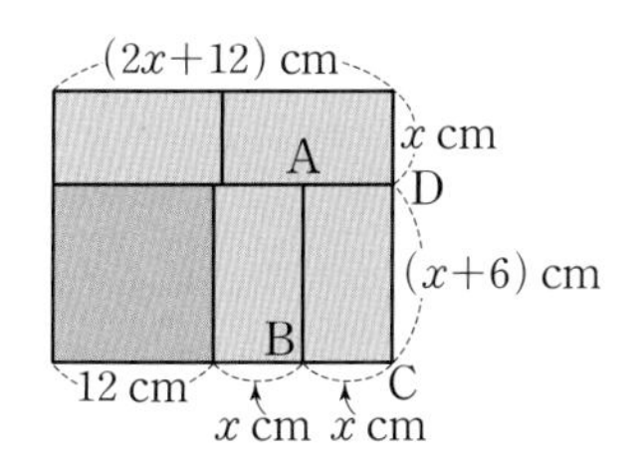

$\overline{DC}=\frac{2x+12}{2}=x+6\,(\text{cm})$

큰 직사각형의 넓이가 280 cm^{2}이므로

$(2x+12)\{x+(x+6)\}=280$

$(2x+12)(2x+6)=280$

$4x^2+36x-208=0$

$x^2+9x-52=0$

$(x+13)(x-4)=0$

$\therefore x=-13$ 또는 $x=4$

이때 $x>0$이므로 $x=4$ 답 4

23

[전략] 각 단계마다 나열되는 바둑돌의 개수의 규칙성을 찾는다.

(1) 각 단계마다 나열되는 바둑돌의 개수는

1단계 ➡ 1×3

2단계 ➡ 2×4

3단계 ➡ 3×5

4단계 ➡ 4×6

⋮

따라서 n단계에서 나열되는 바둑돌의 개수는 $n(n+2)$

(2) $n(n+2)=483$에서

$n^2+2n-483=0$

$(n+23)(n-21)=0$

$\therefore n=-23$ 또는 $n=21$

이때 n은 자연수이므로 $n=21$

따라서 바둑돌의 개수가 483인 것은 21단계이다.

답 (1) $n(n+2)$ (2) 21단계

24

[전략] 직각이등변삼각형의 밑변의 길이와 높이를 각각 구해 본다.

길의 폭이 일정하므로 직각이등변삼각형의 밑변의 길이와 높이는 다음 그림과 같다.

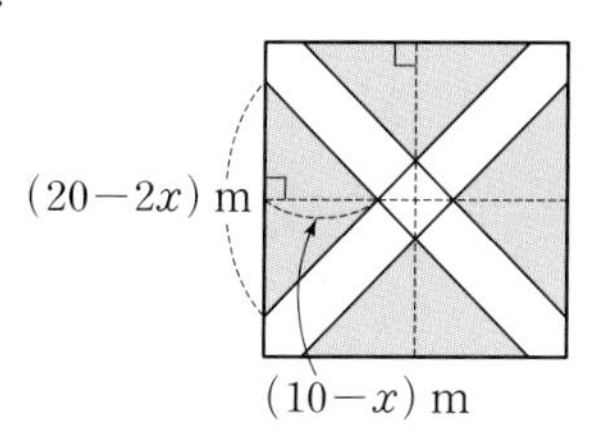

공원과 길의 넓이의 비는 7 : 3이므로

$\frac{1}{2}\times(20-2x)\times(10-x)\times4=20^2\times\frac{7}{7+3}$

$(10-x)^2=70$, $10-x=\pm\sqrt{70}$

$\therefore x=10\pm\sqrt{70}$

이때 $0<x<10$이므로 $x=10-\sqrt{70}$

답 $10-\sqrt{70}$

쌤의 특강

다음 그림과 같이 4개의 합동인 직각이등변삼각형 모양의 땅을 모아 붙이면 한 변의 길이가 $(20-2x)$ m인 정사각형이 된다.

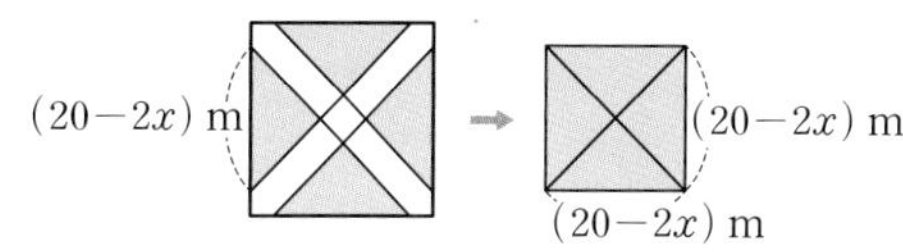

따라서 $(20-2x)^2=20^2\times\frac{7}{7+3}$을 이용하여 x의 값을 구할 수도 있다.

LEVEL 3 최고난도 문제

→ 79쪽

01 $\frac{5+\sqrt{41}}{4}$ **02** $\frac{4+3\sqrt{2}}{2}$ **03** 5 **04** 정삼각형

01 solution 미리 보기

step ❶	$x=m$을 주어진 이차방정식에 대입하기
step ❷	a에 대한 이차방정식 세우기
step ❸	근의 공식을 이용하여 양수 a의 값 구하기

$x=m$을 $2x^2-(5a+2)x-2=0$에 대입하면

$2m^2-(5a+2)m-2=0$ ❶

$2m^2-2=(5a+2)m$에서

$\frac{m^2-1}{m}=\frac{5a+2}{2}$ ······ ㉠

$m-\frac{1}{m}=a^2$에서

$\frac{m^2-1}{m}=a^2$ ……㉡

㉠, ㉡에서

$\frac{5a+2}{2}=a^2$이므로 $2a^2-5a-2=0$ ……❷

$\therefore a=\frac{-(-5)\pm\sqrt{(-5)^2-4\times2\times(-2)}}{2\times2}$

$=\frac{5\pm\sqrt{41}}{4}$

따라서 양수 a의 값은 $\frac{5+\sqrt{41}}{4}$이다. ……❸

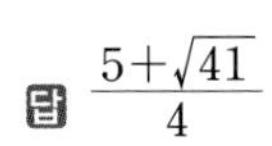
답 $\frac{5+\sqrt{41}}{4}$

02 solution 미리 보기

step	
step ❶	b가 소수임을 이용하여 a의 값의 범위 구하기
step ❷	a의 소수 부분인 b 구하기
step ❸	a에 대한 이차방정식을 세운 후, a의 값 구하기

$a^2+b^2=17$에서 $a^2=17-b^2$

$0\le b<1$이므로 $0\le b^2<1$, $-1<-b^2\le0$

$16<17-b^2\le17$, $16<a^2\le17$

$\therefore 4<a\le\sqrt{17}$ ……❶

따라서 양수 a의 정수 부분은 4이므로

소수 부분은 $b=a-4$ ……❷

$b=a-4$를 $a^2+b^2=17$에 대입하면

$a^2+(a-4)^2=17$

$a^2+a^2-8a+16=17$

$2a^2-8a-1=0$

$\therefore a=\frac{-(-4)\pm\sqrt{(-4)^2-2\times(-1)}}{2}$

$=\frac{4\pm3\sqrt{2}}{2}$

이때 $a>0$이므로 $a=\frac{4+3\sqrt{2}}{2}$ ……❸

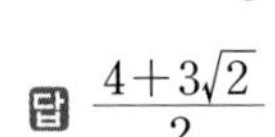
답 $\frac{4+3\sqrt{2}}{2}$

03 solution 미리 보기

step	
step ❶	△ADE와 △ABC가 닮음임을 이용하여 k와 l의 관계 나타내기
step ❷	$rx^2+qx+p=0$의 두 근 구하기
step ❸	$rx^2+qx+p=0$의 두 근의 차가 $\frac{1}{9}$보다 큼을 이용하여 k의 값의 범위 구하기
step ❹	k의 값 중 가장 큰 자연수 구하기

오른쪽 그림의 △ADE와 △ABC에서

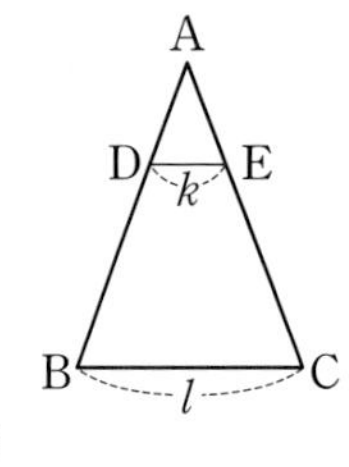

$\overline{AD}:\overline{AB}=\overline{AE}:\overline{AC}=1:3$,

∠A는 공통이므로

△ADE∽△ABC(SAS 닮음)

$\therefore \overline{DE}:\overline{BC}=1:3$

즉, $k:l=1:3$이므로 $l=3k$ ……❶

$px^2-qx+r=0$의 두 근이 k, l, 즉 k, $3k$이므로

$p(x-k)(x-3k)=0$

$p(x^2-4kx+3k^2)=0$

$px^2-4pkx+3pk^2=0$

$\therefore q=4pk,\ r=3pk^2$ ……㉠

$rx^2+qx+p=0$에 ㉠을 대입하면

$3pk^2x^2+4pkx+p=0$

$p\ne0$이므로 $3k^2x^2+4kx+1=0$

$(kx+1)(3kx+1)=0$

$\therefore x=-\frac{1}{k}$ 또는 $x=-\frac{1}{3k}$ ……❷

이때 $k>0$이므로 $k<3k$, $\frac{1}{k}>\frac{1}{3k}$

$\therefore -\frac{1}{k}<-\frac{1}{3k}$

즉, $-\frac{1}{3k}-\left(-\frac{1}{k}\right)>\frac{1}{9}$이므로 $\frac{2}{3k}>\frac{1}{9}$

$\therefore k<6$ ……❸

따라서 k의 값 중 가장 큰 자연수는 5이다. ……❹

답 5

04 solution 미리 보기

step	
step ❶	주어진 식의 좌변을 전개하여 간단히 정리하기
step ❷	이차방정식이 중근을 가질 조건을 이용하여 a, b, c의 관계식 세우기
step ❸	a, b, c 사이의 관계식을 이용하여 a, b, c를 세 변의 길이로 하는 삼각형은 어떤 삼각형인지 말하기

$(x-a)(x-b)+(x-b)(x-c)+(x-c)(x-a)=0$에서

$x^2-(a+b)x+ab+x^2-(b+c)x+bc+x^2-(c+a)x+ca=0$

$3x^2-2(a+b+c)x+ab+bc+ca=0$ ……❶

이 이차방정식이 중근을 가지므로

$\{-2(a+b+c)\}^2-4\times3\times(ab+bc+ca)=0$

$(a+b+c)^2-3(ab+bc+ca)=0$

$a^2+b^2+c^2+2ab+2bc+2ca-3ab-3bc-3ca=0$

$a^2+b^2+c^2-ab-bc-ca=0$ ……❷

$2a^2+2b^2+2c^2-2ab-2bc-2ca=0$

$(a^2-2ab+b^2)+(b^2-2bc+c^2)+(c^2-2ca+a^2)=0$

$(a-b)^2+(b-c)^2+(c-a)^2=0$

$\therefore a=b=c$

따라서 a, b, c를 세 변의 길이로 하는 삼각형은 정삼각형이다. ……❸

답 정삼각형

쌤의 만점 특강

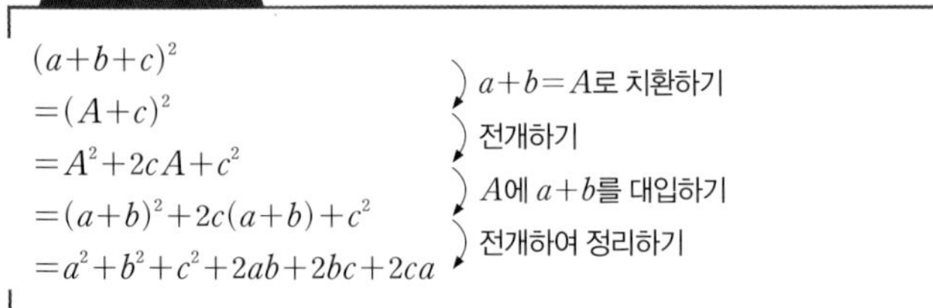

$(a+b+c)^2$

$=(A+c)^2$ — $a+b=A$로 치환하기

$=A^2+2cA+c^2$ — 전개하기

$=(a+b)^2+2c(a+b)+c^2$ — A에 $a+b$를 대입하기

$=a^2+b^2+c^2+2ab+2bc+2ca$ — 전개하여 정리하기

IV. 이차함수

07. 이차함수와 그 그래프

LEVEL 1 시험에 꼭 내는 문제

→ 84쪽~86쪽

01 ③, ⑤ **02** 11 **03** ㄷ, ㄹ **04** ④ **05** 8 **06** $\frac{19}{2}$

07 ⑤ **08** 제3사분면, 제4사분면 **09** $\left(0, -\frac{8}{3}\right)$ **10** ⑤

11 $x>-\frac{1}{2}$ **12** $(-3, 45)$ **13** 1 **14** ①

15 $a>0, p>0, q<0$ **16** ① **17** $(0, -1)$

18 꼭짓점의 좌표 : $(1, 3)$, 축의 방정식 : $x=1$ **19** 18

01

① $y=2x-3$ ➡ 일차함수

② $y=2(x+3)^2-2x^2$
$=2(x^2+6x+9)-2x^2$
$=12x+18$
➡ 일차함수

③ $y=-x(x+2)=-x^2-2x$ ➡ 이차함수

④ $y=\frac{1}{x^2}+2$ ➡ 이차항이 분모에 있으므로 이차함수가 아니다.

⑤ $y=\frac{1}{2}(x+1)(2x-1)$
$=\frac{1}{2}(2x^2+x-1)$
$=x^2+\frac{1}{2}x-\frac{1}{2}$
➡ 이차함수

따라서 이차함수인 것은 ③, ⑤이다.

답 ③, ⑤

02

$f(x)=x^2-3x+2$에 $x=-1$, $y=b$를 대입하면
$b=(-1)^2-3\times(-1)+2=6$
$f(x)=x^2-3x+2$에 $x=a$, $y=12$를 대입하면
$12=a^2-3a+2$, $a^2-3a-10=0$
$(a-5)(a+2)=0$
$\therefore a=5$ 또는 $a=-2$
이때 $a>0$이므로 $a=5$
$\therefore a+b=5+6=11$

답 11

03

ㄱ. $y=x^3$ ➡ 이차함수가 아니다.

ㄴ. $y=60x$ ➡ 일차함수

ㄷ. 직사각형의 세로의 길이는 $\frac{1}{2}(24-2x)=12-x\,(\text{cm})$이므로
$y=x(12-x)=12x-x^2$ ➡ 이차함수

ㄹ. $y=\pi x^2\times\frac{120}{360}=\frac{\pi}{3}x^2$ ➡ 이차함수

ㅁ. $y=3x+3\times2x=9x$ ➡ 일차함수

따라서 이차함수인 것은 ㄷ, ㄹ이다.

답 ㄷ, ㄹ

04

① $y=2x^2$의 그래프와 x축에 대하여 대칭이다.
② 점 $(-1, -2)$를 지나고 위로 볼록한 포물선이다.
③ $x>0$일 때, x의 값이 증가하면 y의 값은 감소한다.
⑤ 꼭짓점의 좌표는 $(0, 0)$이고, 축의 방정식은 $x=0$이다.
따라서 옳은 것은 ④이다.

답 ④

05

원점을 꼭짓점으로 하는 이차함수의 그래프의 식을 $y=ax^2$이라 하자.
$y=ax^2$에 $x=-2$, $y=2$를 대입하면
$2=a\times(-2)^2$, $4a=2$ $\quad\therefore a=\frac{1}{2}$
따라서 $y=\frac{1}{2}x^2$, 즉 $f(x)=\frac{1}{2}x^2$이므로
$f(4)=\frac{1}{2}\times4^2=8$

답 8

06

$y=-\frac{1}{2}x^2$의 그래프를 y축의 방향으로 q만큼 평행이동하면
$y=-\frac{1}{2}x^2+q$
$y=-\frac{1}{2}x^2+q$에 $x=-2$, $y=5$를 대입하면
$5=-\frac{1}{2}\times(-2)^2+q$, $q-2=5$ $\quad\therefore q=7$
따라서 $y=-\frac{1}{2}x^2+7$에 $x=3$, $y=a$를 대입하면
$a=-\frac{1}{2}\times3^2+7=\frac{5}{2}$
$\therefore a+q=\frac{5}{2}+7=\frac{19}{2}$

답 $\frac{19}{2}$

07

$y=ax^2+q$의 그래프가 모든 사분면을 지나는 경우는 다음 그림과 같으므로

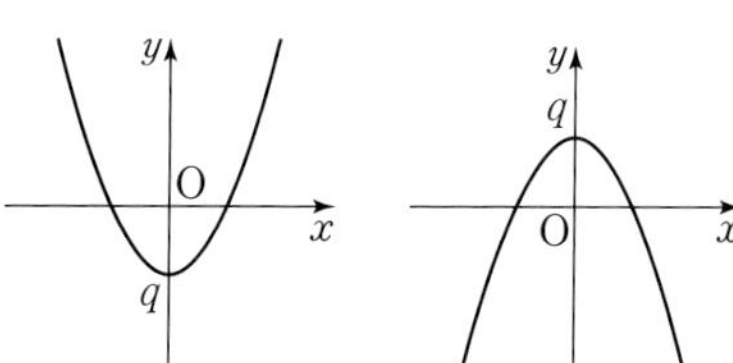

(i) $a>0$이고 $q<0$
(ii) $a<0$이고 $q>0$
(i), (ii)에서 $aq<0$

답 ⑤

쌤의 오답 피하기 특강

$a>0$인 경우와 $a<0$인 경우의 그래프를 모두 그려 보고 항상 옳은 조건을 찾아야 한다. 예를 들어 $a>0$인 경우 $q<0$이므로 $a-q>0$이지만 $a<0$인 경우에는 $q>0$이므로 $a-q<0$이 된다.

08

$y=ax+b$의 그래프가 오른쪽 아래로 향하고, y절편이 양수이므로 $a<0$, $b>0$

따라서 $y=a(x-b)^2$의 그래프는 오른쪽 그림과 같으므로 제3사분면과 제4사분면을 지난다.

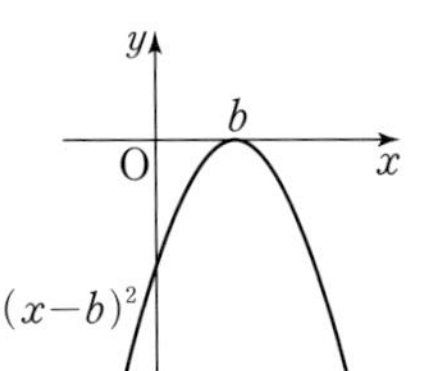

답 제3사분면, 제4사분면

09

$y=a(x-p)^2$의 그래프의 꼭짓점의 좌표가 $(2, 0)$이므로 $p=2$

$y=a(x-2)^2$의 그래프가 점 $(-1, -6)$을 지나므로

$x=-1$, $y=-6$을 대입하면

$-6=a(-1-2)^2$, $9a=-6$, $a=-\frac{2}{3}$

따라서 $y=-\frac{2}{3}(x-2)^2$에 $x=0$을 대입하면

$y=-\frac{2}{3}(0-2)^2=-\frac{8}{3}$이므로

y축과 만나는 점의 좌표는 $\left(0, -\frac{8}{3}\right)$이다. 답 $\left(0, -\frac{8}{3}\right)$

10

$y=-3x^2$의 그래프를 x축의 방향으로 2만큼 평행이동하면 $y=-3(x-2)^2$

따라서 $y=-3(x-2)^2$의 그래프는 오른쪽 그림과 같이 위로 볼록하고 축의 방정식이 $x=2$이므로 $x>2$일 때, x의 값이 증가하면 y의 값은 감소한다. 답 ⑤

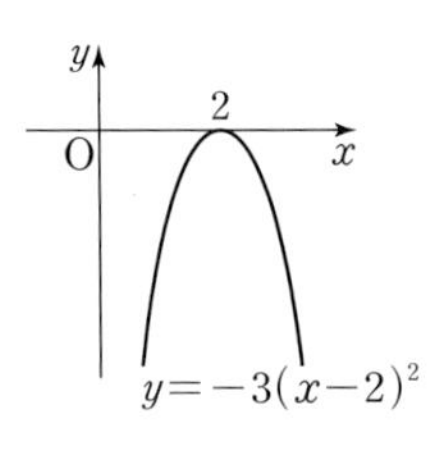

11

$y=ax+b$의 그래프가 두 점 $(0, 2)$, $(4, 0)$을 지나므로

$y=ax+b$에 $x=0$, $y=2$를 대입하면 $b=2$

$y=ax+2$에 $x=4$, $y=0$을 대입하면

$0=4a+2$ $\quad\therefore a=-\frac{1}{2}$

따라서 $y=2\left(x+\frac{1}{2}\right)^2$의 그래프는 오른쪽 그림과 같이 아래로 볼록하고 축의 방정식이 $x=-\frac{1}{2}$이므로 $x>-\frac{1}{2}$일 때, x의 값이 증가하면 y의 값도 증가한다. 답 $x>-\frac{1}{2}$

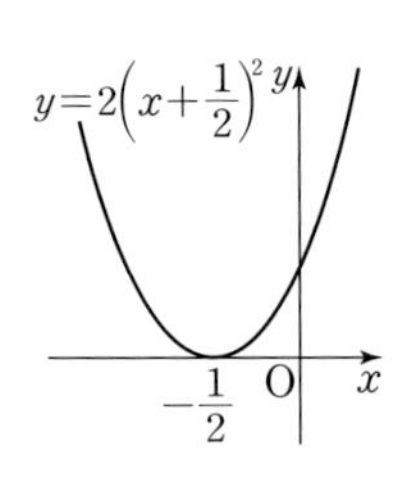

12

$y=-(x-p)^2+q$의 그래프의 축의 방정식은 $x=p$이므로

$p=-3$

$y=-(x+3)^2+q$의 그래프가 점 $(2, 20)$을 지나므로

$x=2$, $y=20$을 대입하면

$20=-(2+3)^2+q$, $q-25=20$ $\quad\therefore q=45$

따라서 그래프의 꼭짓점의 좌표는 $(-3, 45)$이다.

답 $(-3, 45)$

13

이차함수 $y=2(x-p)^2+3p^2$의 그래프의 꼭짓점의 좌표는 $(p, 3p^2)$

이 꼭짓점이 직선 $y=-x+4$ 위에 있으므로

$x=p$, $y=3p^2$을 대입하면

$3p^2=-p+4$, $3p^2+p-4=0$

$(3p+4)(p-1)=0$

$\therefore p=-\frac{4}{3}$ 또는 $p=1$

이때 $p>0$이므로 $p=1$ 답 1

14

$y=(x-1)^2+3$의 그래프를 x축의 방향으로 2만큼, y축의 방향으로 -4만큼 평행이동하면

$y=(x-2-1)^2+3-4$

$\therefore y=(x-3)^2-1$

따라서 어떤 이차함수의 식은 $y=(x-3)^2-1$이다. 답 ①

다른 풀이

어떤 이차함수의 식을 $y=(x-p)^2+q$라 하면 평행이동한 그래프의 식은

$y=(x+2-p)^2+q+4$

이 식이 $y=(x-1)^2+3$과 일치하므로

$2-p=-1$, $q+4=3$

$\therefore p=3$, $q=-1$

따라서 어떤 이차함수의 식은 $y=(x-3)^2-1$이다.

쌤의 오답 피하기 특강

이차함수 $y=a(x-p)^2+q$의 그래프를 x축의 방향으로 m만큼, y축의 방향으로 n만큼 평행이동

➡ $y=a(\underline{x-m}-p)^2+q\underline{+n}$

x 대신 $x-m$ 대입 $\quad n$만큼 더함

15

$y=a(x-p)^2+q$의 그래프가 아래로 볼록하므로 $a>0$
꼭짓점 (p, q)가 제4사분면 위에 있으므로
$p>0, q<0$ 　　　　답 $a>0, p>0, q<0$

16

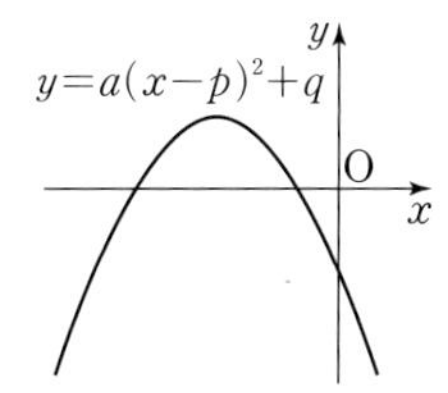

$y=a(x-p)^2+q$의 그래프가 제1사분면만 지나지 않으면 오른쪽 그림과 같으므로 위로 볼록하고 꼭짓점 (p, q)는 제2사분면 위에 있다.
$\therefore a<0, p<0, q>0$
따라서 $y=p(x-q)^2+ap$의 그래프의 꼭짓점 (q, ap)는 $q>0$, $ap>0$이므로 제1사분면 위에 있다. 　　　　답 ①

쌤의 특강

$y=a(x-p)^2+q$의 그래프에서
$a>0$이면 제1사분면과 제2사분면을 항상 지나고
$a<0$이면 제3사분면과 제4사분면을 항상 지난다.

17

$y=ax^2+q$에 $x=-1, y=2$를 대입하면
$2=a\times(-1)^2+q, a+q=2$ ……㉠
$y=ax^2+q$에 $x=2, y=11$을 대입하면
$11=a\times2^2+q, 4a+q=11$ ……㉡
㉠, ㉡을 연립하여 풀면
$a=3, q=-1$
따라서 $y=3x^2-1$의 그래프의 꼭짓점의 좌표는 $(0, -1)$이다.
답 $(0, -1)$

18

$y=-(x-p)^2+3$에 $x=3, y=-1$을 대입하면
$-1=-(3-p)^2+3, (3-p)^2=4, 3-p=\pm2$
$\therefore p=1$ 또는 $p=5$
이때 꼭짓점의 x좌표 p에 대하여 $p<3$이므로 $p=1$
따라서 $y=-(x-1)^2+3$의 그래프의 꼭짓점의 좌표는 $(1, 3)$, 축의 방정식은 $x=1$이다.
답 꼭짓점의 좌표 : $(1, 3)$, 축의 방정식 : $x=1$

19

$y=\frac{1}{3}x^2-3$의 그래프는 $y=\frac{1}{3}x^2$의 그래프를 평행이동한 것이므로 다음 그림에서 빗금친 부분의 넓이는 서로 같다.
즉, 색칠한 부분의 넓이는 직사각형 ABCD의 넓이와 같다.

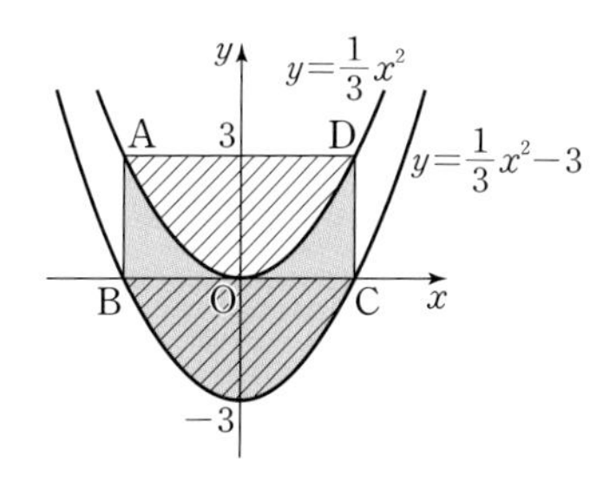

두 점 B, C는 $y=\frac{1}{3}x^2-3$의 그래프와 x축의 교점이므로
$y=\frac{1}{3}x^2-3$에 $y=0$을 대입하면
$0=\frac{1}{3}x^2-3, \frac{1}{3}x^2=3, x^2=9$에서 $x=\pm3$
$B(-3, 0), C(3, 0)$이므로 $\overline{BC}=6$
$y=\frac{1}{3}x^2$에 $x=3$을 대입하면
$y=\frac{1}{3}\times3^2=3$이므로 $\overline{CD}=3$
따라서 색칠한 부분의 넓이는
$\square ABCD=\overline{BC}\times\overline{CD}=6\times3=18$ 　　　　답 18

쌤의 특강

$y=a(x-p)^2+q$의 그래프와 x축의 교점의 x좌표는 $y=a(x-p)^2+q$에 $y=0$을 대입한 이차방정식 $0=a(x-p)^2+q$의 해와 같다.

LEVEL 2 필수 기출 문제

→87쪽~90쪽

01 -3	**02** 2	**03** $\frac{16}{9}$	**04** $\frac{3}{4}$	**05** $(6\sqrt{2}, 12+3\sqrt{2})$
06 6, 24, 54, 96		**07** 12	**08** 12	**09** $(3\sqrt{3}, 6)$
10 -2	**11** 3	**12** $(0, 2)$	**13** 20	**14** -14
15 $-3\le k\le5$	**16** $-7, -3$			

01

[전략] 먼저 평행이동한 그래프의 식을 구한 후 주어진 점의 좌표를 대입한다.

$y=-\frac{1}{4}x^2$의 그래프를 x축의 방향으로 a만큼, y축의 방향으로 2만큼 평행이동하면
$y=-\frac{1}{4}(x-a)^2+2$
$y=-\frac{1}{4}(x-a)^2+2$에 $x=1, y=-2$를 대입하면
$-2=-\frac{1}{4}(1-a)^2+2, \frac{1}{4}(1-a)^2=4$
$(1-a)^2=16, 1-a=\pm4$
$\therefore a=-3$ 또는 $a=5$
이때 $y=-\frac{1}{4}(x-a)^2+2$의 그래프의 꼭짓점이 제2사분면 위에 있으므로 $a<0$
$\therefore a=-3$ 　　　　답 -3

02

[전략] 먼저 점 Q의 좌표를 구한다.

점 Q는 $y=\frac{1}{2}x^2$의 그래프와 직선 $y=8$의 교점이므로

$y=\frac{1}{2}x^2$에 $y=8$을 대입하면

$8=\frac{1}{2}x^2$, $x^2=16$

$\therefore x=\pm4$

점 Q가 제1사분면 위의 점이므로 Q$(4, 8)$

이때 $\overline{PQ}=2$이므로 P$(2, 8)$

점 P가 $y=ax^2$의 그래프 위의 점이므로

$y=ax^2$에 $x=2$, $y=8$을 대입하면

$8=a\times2^2$, $4a=8$ $\quad\therefore a=2$

답 2

03

[전략] 점 A의 x좌표를 a라 하고, 네 점 A, B, C, D의 좌표를 각각 구한다.

점 A의 x좌표를 $a(a>0)$라 하면 A$\left(a, \frac{1}{4}a^2\right)$

$\overline{EA}=\overline{AB}$이므로 점 B의 x좌표는 $2a$이고, y좌표는 점 A의 y좌표와 같으므로 B$\left(2a, \frac{1}{4}a^2\right)$

점 C의 x좌표는 $2a$이고, y좌표는 $\frac{1}{4}\times(2a)^2=a^2$이므로

C$(2a, a^2)$

점 D의 x좌표는 점 A의 x좌표와 같고, y좌표는 점 C의 y좌표와 같으므로 D(a, a^2)

□ABCD가 정사각형이므로 $\overline{AB}=\overline{BC}$에서

$2a-a=a^2-\frac{1}{4}a^2$, $a=\frac{3}{4}a^2$

$3a^2-4a=0$, $a(3a-4)=0$

$\therefore a=0$ 또는 $a=\frac{4}{3}$

그런데 $a>0$이므로 $a=\frac{4}{3}$

$\therefore$ □ABCD$=a^2=\left(\frac{4}{3}\right)^2=\frac{16}{9}$

답 $\frac{16}{9}$

04

[전략] 먼저 점 A의 좌표를 구하고, 사다리꼴 ABCD의 넓이를 이용하여 점 C의 좌표를 구한다.

B$(1, -2)$이므로 A$(-1, -2)$이고 $\overline{AB}=2$

$\therefore \overline{CD}=2\overline{AB}=2\times2=4$

□ABCD의 높이를 h라 하면

□ABCD$=\frac{1}{2}\times(\overline{AB}+\overline{CD})\times h$

$=\frac{1}{2}\times(2+4)\times h$

$=3h=15$

$\therefore h=5$

이때 점 C의 x좌표는 점 B의 x좌표의 2배이므로 $1\times2=2$,

y좌표는 $-2+5=3$이다.

따라서 C$(2, 3)$이므로 $y=ax^2$에 $x=2$, $y=3$을 대입하면

$3=a\times2^2$, $4a=3$

$\therefore a=\frac{3}{4}$

답 $\frac{3}{4}$

05

[전략] 점 P의 x좌표를 미지수로 놓고, 주어진 조건을 이용하여 나머지 점들의 좌표를 구해 본다.

점 P의 x좌표를 $-a(a>0)$라 하면

점 P의 좌표는 $\left(-a, \frac{1}{6}a^2\right)$

$\overline{PB}:\overline{QC}=1:\sqrt{2}$이므로 점 Q의 x좌표는 $\sqrt{2}a$이고,

점 Q의 y좌표는 $\frac{1}{6}\times(\sqrt{2}a)^2=\frac{1}{3}a^2$

$\therefore$ Q$\left(\sqrt{2}a, \frac{1}{3}a^2\right)$, C$\left(0, \frac{1}{3}a^2\right)$

$\overline{BC}=\frac{1}{3}a^2-\frac{1}{6}a^2=\frac{1}{6}a^2$이고

□APBC가 정사각형이므로

$a=\frac{1}{6}a^2$, $a^2-6a=0$

$a(a-6)=0$

$\therefore a=0$ 또는 $a=6$

이때 $a>0$이므로 $a=6$이고,

점 Q의 좌표는 $(6\sqrt{2}, 12)$

$\overline{QE}=b$라 하면

□APBC와 □DCQE의 넓이가 서로 같으므로

$6\sqrt{2}\times b=36$

$\therefore b=\frac{36}{6\sqrt{2}}=3\sqrt{2}$

따라서 점 E의 좌표는 $(6\sqrt{2}, 12+3\sqrt{2})$이다.

답 $(6\sqrt{2}, 12+3\sqrt{2})$

06

[전략] 주어진 식에 $y=0$을 대입하여 x에 대한 식을 세운다.

$y=-\frac{1}{6}x^2+q$에 $y=0$을 대입하면

$0=-\frac{1}{6}x^2+q$

$\frac{1}{6}x^2=q$, $x^2=6q$

$y=-\frac{1}{6}x^2+q$의 그래프가 x축과 만나는 점의 x좌표가 모두 정수이므로 $6q$는 0 또는 제곱수이고,

$q=6k^2$(k는 음이 아닌 정수)의 꼴로 나타낼 수 있다.

따라서 100 이하의 자연수 q의 값은 $k=1, 2, 3, 4$일 때 6, 24, 54, 96이다.

답 6, 24, 54, 96

07

[전략] 색칠한 부분과 넓이가 같은 평행사변형을 그려 본다.

다음 그림과 같이 두 이차함수 $y=\frac{1}{2}x^2-1$, $y=\frac{1}{2}x^2+2$의 그래프와 두 직선 $x=-1$, $x=3$의 교점을 각각 A, B, C, D라 하자.

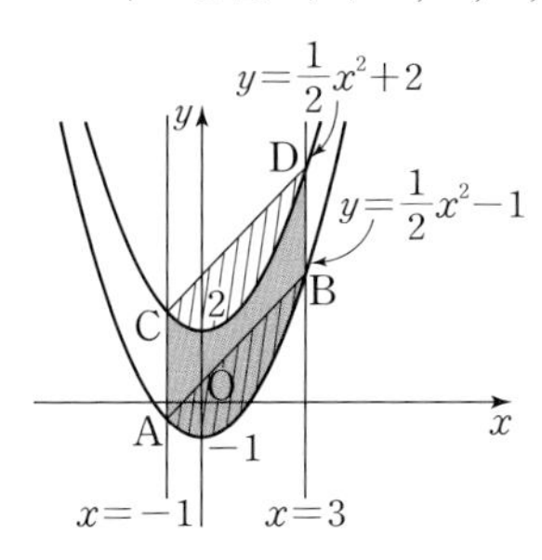

$y=\frac{1}{2}x^2+2$의 그래프는 $y=\frac{1}{2}x^2-1$의 그래프를 y축의 방향으로 3만큼 평행이동한 것이므로 빗금친 부분의 넓이는 서로 같다.

즉, 색칠한 부분의 넓이는 □ABDC의 넓이와 같다.

$\overline{AC}/\!/\overline{BD}$이고, $\overline{AC}=\overline{BD}$이므로 □ABDC는 평행사변형이고,

$\overline{AC}=\overline{BD}=2-(-1)=3$

두 직선 $x=-1$, $x=3$ 사이의 거리는 $3-(-1)=4$

따라서 구하는 넓이는

□ABDC$=3\times4=12$ 답 12

쌤의 복합 개념 특강

평행사변형이 되는 조건

다음 조건 중에서 어느 하나를 만족시키는 사각형은 평행사변형이다.

❶ 두 쌍의 대변이 각각 평행하다.
❷ 두 쌍의 대변의 길이가 각각 같다.
❸ 두 쌍의 대각의 크기가 각각 같다.
❹ 한 쌍의 대변이 평행하고, 그 길이가 같다.
❺ 두 대각선이 서로를 이등분한다.

08

[전략] 네 점 A, B, C, D의 좌표를 구한다.

$y=x^2-4$의 그래프의 꼭짓점의 좌표는 A$(0, -4)$이고

$y=x^2-4$에 $y=0$을 대입하면

$0=x^2-4$, $x^2=4$, $x=\pm2$

$\therefore$ B$(2, 0)$, D$(-2, 0)$

$y=-\frac{1}{2}x^2+a$의 그래프가 점 $(2, 0)$을 지나므로

$x=2$, $y=0$을 대입하면

$0=-\frac{1}{2}\times2^2+a \qquad \therefore a=2$

따라서 $y=-\frac{1}{2}x^2+2$의 그래프의 꼭짓점의 좌표는 C$(0, 2)$

$\therefore$ □ABCD$=\triangle$ABD$+\triangle$CDB

$=\frac{1}{2}\times4\times4+\frac{1}{2}\times4\times2$

$=12$ 답 12

09

[전략] 먼저 그래프가 x축과 만나는 두 점 A, B의 좌표를 구한다.

$y=\frac{1}{3}x^2-3$에 $y=0$을 대입하면

$0=\frac{1}{3}x^2-3$, $x^2=9$, $x=\pm3$

$\therefore$ A$(-3, 0)$, B$(3, 0)$

P(a, b)라 하면

$\triangle ABP=\frac{1}{2}\times\overline{AB}\times b=\frac{1}{2}\times6\times b=18$

$\therefore b=6$

$y=\frac{1}{3}x^2-3$에 $x=a$, $y=6$을 대입하면

$6=\frac{1}{3}a^2-3$, $a^2=27$

$\therefore a=\pm3\sqrt{3}$

이때 $a>0$이므로 $a=3\sqrt{3}$

따라서 점 P의 좌표는 $(3\sqrt{3}, 6)$이다. 답 $(3\sqrt{3}, 6)$

10

[전략] 두 이차함수의 그래프의 꼭짓점의 좌표를 구하고, 각각의 꼭짓점을 지나는 다른 이차함수의 식에 꼭짓점의 좌표를 대입한다.

$y=-x^2+4$의 그래프의 꼭짓점의 좌표는 $(0, 4)$이고,

$y=a(x-b)^2$의 그래프의 꼭짓점의 좌표는 $(b, 0)$이므로

$y=-x^2+4$에 $x=b$, $y=0$을 대입하면

$0=-b^2+4$, $b^2=4$

$\therefore b=\pm2$

이때 $y=a(x-b)^2$의 그래프의 꼭짓점의 x좌표는 음수이므로

$b=-2$

따라서 $y=a(x+2)^2$에 $x=0$, $y=4$를 대입하면

$4=a(0+2)^2$, $4a=4$

$\therefore a=1$

$\therefore ab=1\times(-2)=-2$ 답 -2

11

[전략] 이차함수의 식에 점 P의 좌표를 대입한다.

$y=-\frac{1}{3}(x+2)^2+6$의 그래프의 축의 방정식은 $x=-2$이므로

점 P(a, b)에서 그래프의 축까지의 거리는 $a-(-2)=a+2$

점 P에서 x축까지의 거리는 $b=-\frac{1}{3}(a+2)^2+6$

즉, $a+2=-\frac{1}{3}(a+2)^2+6$에서

$\frac{1}{3}(a+2)^2+a-4=0$

$(a+2)^2+3(a-4)=0$

$a^2+4a+4+3a-12=0$
$a^2+7a-8=0$
$(a-1)(a+8)=0$
$\therefore a=1$ 또는 $a=-8$
이때 $a>0$이므로 $a=1$
$\therefore b=-\frac{1}{3}(1+2)^2+6=3$ 답 3

12

[전략] a, b의 값부터 구한다.

$y=-(x-1)^2+4$에 $y=0$을 대입하면
$0=-(x-1)^2+4$
$(x-1)^2=4$, $x-1=\pm 2$
$\therefore x=-1$ 또는 $x=3$
이때 $a<b$이므로 $a=-1$, $b=3$
$y=3(x-1)^2-1$에 $x=0$을 대입하면
$y=3(0-1)^2-1=2$
따라서 y축과 만나는 점의 좌표는 $(0, 2)$이다. 답 $(0, 2)$

13

[전략] 평행이동한 그래프의 식을 구한다.

$y=(x+a)^2+a^2-3a$의 그래프를 x축의 방향으로 3만큼, y축의 방향으로 -4만큼 평행이동하면
$y=(x-3+a)^2+a^2-3a-4$
$\quad=\{x-(3-a)\}^2+a^2-3a-4$
그래프의 꼭짓점의 좌표는 $(3-a, a^2-3a-4)$, 즉 $(7, b)$이므로
$3-a=7$, $a=-4$
$b=a^2-3a-4=(-4)^2-3\times(-4)-4=24$
$\therefore a+b=-4+24=20$ 답 20

14

[전략] 먼저 평행이동한 그래프의 식을 구한다.

$y=2(x-1)^2-7$의 그래프를 x축의 방향으로 p만큼, y축의 방향으로 $-p+1$만큼 평행이동하면
$y=2(x-p-1)^2-7-p+1$
$\quad=2\{x-(p+1)\}^2-p-6$
즉, 그래프의 꼭짓점의 좌표는 $(p+1, -p-6)$
꼭짓점이 제3사분면 위에 있기 위해서는
$p+1<0$, $-p-6<0$
따라서 $p<-1$이고 $p>-6$을 만족시키는 정수 p의 값은
$-5, -4, -3, -2$이므로 구하는 합은
$-5+(-4)+(-3)+(-2)=-14$ 답 -14

15

[전략] 두 점 P, Q의 좌표를 각각 구한다.

$y=\frac{1}{2}(x-2)^2+3$에 $x=0$을 대입하면
$y=\frac{1}{2}(0-2)^2+3=5$ $\quad\therefore \mathrm{P}(0, 5)$
점 $\mathrm{P}(0, 5)$를 지나고 x축에 평행한 직선의 방정식은 $y=5$
$y=\frac{1}{2}(x-2)^2+3$의 그래프와 직선 $y=5$의 교점의 좌표는
$5=\frac{1}{2}(x-2)^2+3$, $(x-2)^2=4$, $x-2=\pm 2$
$\therefore x=0$ 또는 $x=4$
$\therefore \mathrm{Q}(4, 5)$
$y=2x+k$의 그래프의 y절편이 k이므로 다음 그림에서 k의 값은 $y=2x+k$의 그래프가 점 $\mathrm{P}(0, 5)$를 지날 때 최대가 되고 점 $\mathrm{Q}(4, 5)$를 지날 때 최소가 된다.

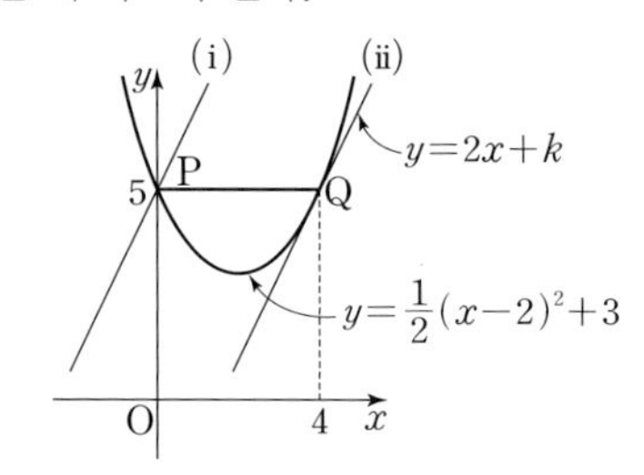

(i) 직선 $y=2x+k$가 점 $\mathrm{P}(0, 5)$를 지나면
$\quad k=5$
(ii) 직선 $y=2x+k$가 점 $\mathrm{Q}(4, 5)$를 지나면
$\quad 5=2\times 4+k$, $k=-3$
(i), (ii)에서 k의 값의 범위는 $-3\le k\le 5$ 답 $-3\le k\le 5$

16

[전략] 먼저 평행이동한 그래프의 식을 구한다.

$y=-(x+2)^2-3$의 그래프를 x축의 방향으로 -3만큼, y축의 방향으로 2만큼 평행이동하면
$y=-(x+3+2)^2-3+2$
$\quad=-(x+5)^2-1$
이 그래프와 x축에 대하여 대칭인 그래프의 식은
$-y=-(x+5)^2-1$이므로 $y=(x+5)^2+1$
$y=(x+5)^2+1$의 그래프가 점 $(k, 5)$를 지나므로
$x=k$, $y=5$를 대입하면
$5=(k+5)^2+1$, $(k+5)^2=4$, $k+5=\pm 2$
$\therefore k=-7$ 또는 $k=-3$ 답 $-7, -3$

쌤의 만점 특강

함수 $y=f(x)$의 그래프의 대칭

① $y=f(x)$의 그래프와 x축에 대하여 대칭인 그래프의 식은 $-y=f(x)$
　즉, $y=-f(x)$
② $y=f(x)$의 그래프와 y축에 대하여 대칭인 그래프의 식은 $y=f(-x)$

LEVEL 3 최고난도 문제

→91쪽

01 6	02 35	03 6	04 100

01 solution 미리 보기

step	
step ❶	점 A의 x좌표를 a라 하고 네 점 A, B, C, D의 좌표 구하기
step ❷	점 D가 $y=\frac{1}{3}x^2$의 그래프 위에 있음을 이용하여 점 D의 좌표 구하기
step ❸	a의 값 구하기
step ❹	□ABCD의 둘레의 길이 구하기

점 A의 x좌표를 a $(a>0)$라 하면

$\mathrm{A}(a, 3a^2)$, $\mathrm{B}\left(a, \frac{1}{3}a^2\right)$

$\therefore \overline{\mathrm{AB}}=3a^2-\frac{1}{3}a^2=\frac{8}{3}a^2$

$\overline{\mathrm{BC}}=\overline{\mathrm{AB}}=\frac{8}{3}a^2$이므로

$\mathrm{C}\left(a+\frac{8}{3}a^2, \frac{1}{3}a^2\right)$, $\mathrm{D}\left(a+\frac{8}{3}a^2, 3a^2\right)$ ······ ❶

또, 점 D는 $y=\frac{1}{3}x^2$의 그래프 위의 점이므로 $y=3a^2$을 대입하면

$3a^2=\frac{1}{3}x^2$, $x^2=9a^2$

$\therefore x=\pm 3a$

이때 $x>0$이므로 $x=3a$

$\therefore \mathrm{D}(3a, 3a^2)$ ······ ❷

즉, $a+\frac{8}{3}a^2=3a$이므로

$8a^2-6a=0$, $a(4a-3)=0$

$\therefore a=0$ 또는 $a=\frac{3}{4}$

이때 $a>0$이므로 $a=\frac{3}{4}$ ······ ❸

따라서 □ABCD의 둘레의 길이는

$4\overline{\mathrm{AD}}=4\times 2a=8a=8\times\frac{3}{4}=6$ ······ ❹

답 6

02 solution 미리 보기

step	
step ❶	점 A의 좌표 구하기
step ❷	두 점 B, C의 좌표 각각 구하기
step ❸	점 D의 좌표 구하기
step ❹	□ABCD의 넓이 구하기

$y=-\frac{1}{2}(x+1)^2+3$의 그래프를 y축의 방향으로 5만큼 평행이동하면

$y=-\frac{1}{2}(x+1)^2+3+5=-\frac{1}{2}(x+1)^2+8$

이 그래프의 꼭짓점의 좌표는 $\mathrm{A}(-1, 8)$ ······ ❶

$y=-\frac{1}{2}(x+1)^2+8$에 $y=0$을 대입하면

$0=-\frac{1}{2}(x+1)^2+8$, $(x+1)^2=16$, $x+1=\pm 4$

$\therefore x=-5$ 또는 $x=3$

따라서 그래프가 x축과 만나는 두 점의 좌표는

$\mathrm{B}(-5, 0)$, $\mathrm{C}(3, 0)$ ······ ❷

또, $y=-\frac{1}{2}(x+1)^2+8$에 $x=0$을 대입하면

$y=-\frac{1}{2}+8=\frac{15}{2}$이므로 그래프가 y축과 만나는 점의 좌표는

$\mathrm{D}\left(0, \frac{15}{2}\right)$ ······ ❸

다음 그림과 같이 점 A에서 x축에 내린 수선의 발을 E라 하자.

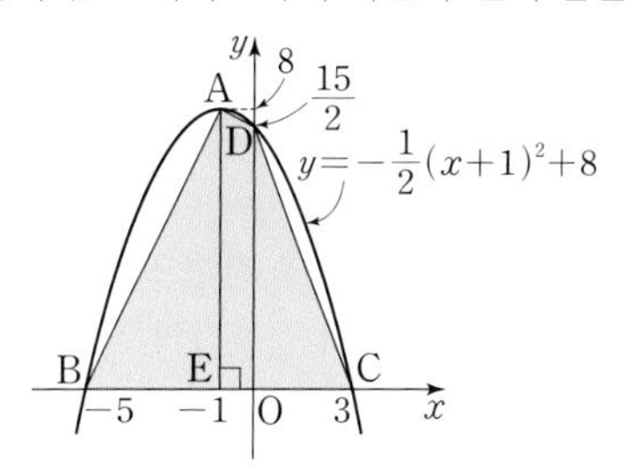

$\square\mathrm{ABCD}=\triangle\mathrm{ABE}+\square\mathrm{AEOD}+\triangle\mathrm{DOC}$

$=\frac{1}{2}\times 4\times 8+\frac{1}{2}\times\left(8+\frac{15}{2}\right)\times 1+\frac{1}{2}\times 3\times\frac{15}{2}$

$=16+\frac{31}{4}+\frac{45}{4}$

$=35$ ······ ❹

답 35

03 solution 미리 보기

step	
step ❶	점 P에서 x축에 내린 수선의 발을 H라 할 때, $\overline{\mathrm{OH}}$와 $\overline{\mathrm{HB}}$의 길이의 비 구하기
step ❷	점 P의 좌표를 k로 나타내기
step ❸	k의 값 구하기

오른쪽 그림과 같이 점 P에서 x축에 내린 수선의 발을 H라 하자.

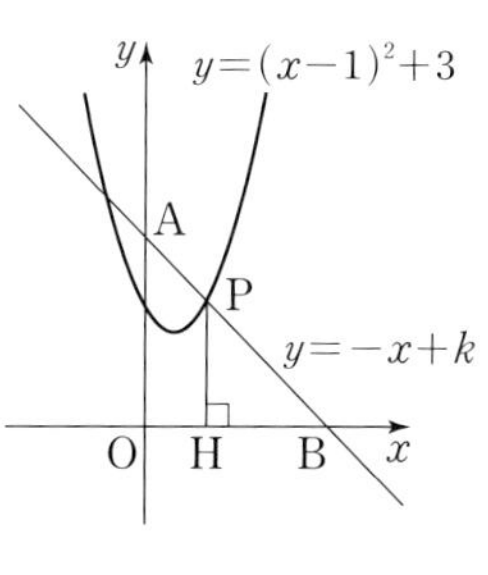

△AOB에서

$\overline{\mathrm{AO}}\,/\!/\,\overline{\mathrm{PH}}$이므로

$\overline{\mathrm{AP}}:\overline{\mathrm{PB}}=\overline{\mathrm{OH}}:\overline{\mathrm{HB}}=1:2$ ······ ❶

일차함수 $y=-x+k$의 그래프의 x절편과 y절편은 모두 k이므로

$\overline{\mathrm{OA}}=\overline{\mathrm{OB}}=k$

$\overline{\mathrm{OH}}:\overline{\mathrm{HB}}=1:2$이므로

$\overline{\mathrm{OH}}=\frac{1}{3}\overline{\mathrm{OB}}=\frac{1}{3}k$

점 P의 x좌표가 $\frac{1}{3}k$이므로 $y=-x+k$에 $x=\frac{1}{3}k$를 대입하면

$y=-\frac{1}{3}k+k=\frac{2}{3}k$

따라서 점 P의 좌표는 $\mathrm{P}\left(\frac{1}{3}k, \frac{2}{3}k\right)$ ······ ❷

점 P는 $y=(x-1)^2+3$의 그래프 위의 점이므로

$x=\frac{1}{3}k$, $y=\frac{2}{3}k$를 대입하면

$\frac{2}{3}k=\left(\frac{1}{3}k-1\right)^2+3$, $\frac{2}{3}k=\frac{(k-3)^2}{9}+3$

$6k=(k-3)^2+27$, $6k=k^2-6k+9+27$

$k^2-12k+36=0$, $(k-6)^2=0$ $\quad\therefore k=6$ ······ ❸

답 6

04 solution 미리 보기

step ❶	각 점의 좌표 구하기
step ❷	색칠한 다각형을 직사각형으로 나누어 각각의 직사각형의 넓이 구하기
step ❸	색칠한 다각형의 넓이 구하기

다각형은 이차함수의 그래프의 축을 기준으로 선대칭도형이고, $y=-(x-5)^2+16$의 그래프의 꼭짓점의 좌표가 (5, 16)이므로 각 점의 좌표를 구하면 다음과 같다.

$y=-(x-5)^2+16$ ······㉠

㉠에 $y=0$을 대입하면

$0=-(x-5)^2+16$

$(x-5)^2=16$, $x-5=\pm4$

$\therefore x=1$ 또는 $x=9$

$\therefore$ H(1, 0), I(9, 0)

점 G의 x좌표는 1이고 $\overline{FG}=1$이므로 점 F의 x좌표는 2이다.

㉠에 $x=2$를 대입하면

$y=-(2-5)^2+16=7$

$\therefore$ G(1, 7), F(2, 7)

점 E의 x좌표는 2이고 $\overline{DE}=1$이므로 점 D의 x좌표는 3이다.

㉠에 $x=3$을 대입하면

$y=-(3-5)^2+16=12$

$\therefore$ E(2, 12), D(3, 12)

점 C의 x좌표는 3이고 $\overline{BC}=1$이므로 점 B의 x좌표는 4이다.

㉠에 $x=4$를 대입하면

$y=-(4-5)^2+16=15$

$\therefore$ C(3, 15), B(4, 15)

점 A의 x좌표는 4이고 $\overline{AQ}$가 그래프의 꼭짓점을 지나므로 A(4, 16)

마찬가지 방법으로 나머지 점들의 좌표를 구하면

Q(6, 16), P(6, 15), N(7, 15), M(7, 12), L(8, 12), K(8, 7), J(9, 7) ······ ❶

□GHIJ$=(9-1)\times7=56$

□EFKL$=(8-2)\times(12-7)=30$

□CDMN$=(7-3)\times(15-12)=12$

□ABPQ$=(6-4)\times(16-15)=2$ ······ ❷

따라서 구하는 다각형의 넓이는

$56+30+12+2=100$ ······ ❸

답 100

08. 이차함수 $y=ax^2+bx+c$의 그래프

LEVEL 1 시험에 꼭 내는 문제

→ 94쪽~96쪽

01 ⑤	02 4	03 $k>-12$	04 ①	05 ③, ⑤	06 6
07 10	08 −12	09 0	10 (0, 3)	11 ③	12 8
13 −3	14 −4	15 6	16 2	17 4 : 3	18 (3, 4)

01

$y=-2x^2+4x+1$

$=-2(x^2-2x+1-1)+1$

$=-2(x-1)^2+3$

① 축의 방정식은 $x=1$이다.

② 꼭짓점의 좌표는 (1, 3)이다.

③ y의 값의 범위는 $y\le3$이다.

④ $x>1$일 때, x의 값이 증가하면 y의 값은 감소한다.

따라서 옳은 것은 ⑤이다.

답 ⑤

02

$y=\frac{1}{3}x^2-2x+1$

$=\frac{1}{3}(x^2-6x+9-9)+1$

$=\frac{1}{3}(x-3)^2-2$

이므로 꼭짓점의 좌표는 (3, −2)

$y=2x^2+ax+b$

$=2\left(x^2+\frac{a}{2}x+\frac{a^2}{16}-\frac{a^2}{16}\right)+b$

$=2\left(x+\frac{a}{4}\right)^2-\frac{a^2}{8}+b$

이므로 꼭짓점의 좌표는 $\left(-\frac{a}{4}, -\frac{a^2}{8}+b\right)$

두 그래프의 꼭짓점이 일치하므로

$-\frac{a}{4}=3$에서 $a=-12$

$-\frac{a^2}{8}+b=-2$에서

$-\frac{(-12)^2}{8}+b=-2$

$b=-2+18=16$

$\therefore a+b=-12+16=4$

답 4

다른 풀이

$y=\frac{1}{3}x^2-2x+1$

$=\frac{1}{3}(x^2-6x+9-9)+1$

$=\frac{1}{3}(x-3)^2-2$

이므로 꼭짓점의 좌표는 (3, −2)

이때 두 그래프의 꼭짓점이 일치하므로 $y=2x^2+ax+b$의 그래프의 꼭짓점의 좌표도 $(3, -2)$이다. 즉,

$$y=2x^2+ax+b=2(x-3)^2-2$$
$$=2(x^2-6x+9)-2$$
$$=2x^2-12x+16$$

이므로 $a=-12$, $b=16$

$\therefore a+b=-12+16=4$

03

$$y=-\frac{1}{3}x^2+4x+k$$
$$=-\frac{1}{3}(x^2-12x+36-36)+k$$
$$=-\frac{1}{3}(x-6)^2+k+12$$

이 이차함수의 그래프는 위로 볼록하므로 x축과 서로 다른 두 점에서 만나려면 꼭짓점의 y좌표가 0보다 커야 한다.

따라서 $k+12>0$이므로 $k>-12$ 답 $k>-12$

다른 풀이

$-\frac{1}{3}x^2+4x+k=0$에서 $x^2-12x-3k=0$

이 이차방정식이 서로 다른 두 근을 가지려면

$(-12)^2-4\times1\times(-3k)>0$, $144+12k>0$

$12k>-144$ $\therefore k>-12$

쌤의 만점 특강

이차함수 $y=ax^2+bx+c$의 그래프와 x축과의 교점의 개수는 이차방정식 $ax^2+bx+c=0$의 근의 개수와 같다.

	$ax^2+bx+c=0$의 근의 개수	$y=ax^2+bx+c$의 그래프와 x축과의 교점의 개수
①	서로 다른 두 근을 가진다. ➡ $b^2-4ac>0$	서로 다른 두 점에서 만난다.
②	중근을 가진다. ➡ $b^2-4ac=0$	한 점에서 만난다.
③	해가 없다. ➡ $b^2-4ac<0$	만나지 않는다.

04

그래프가 아래로 볼록하므로 $a>0$

축이 y축의 오른쪽에 있으므로 $ab<0$ $\therefore b<0$

y축과의 교점이 x축의 아래쪽에 있으므로 $c<0$

$y=cx^2+ax-b$의 그래프는

$c<0$이므로 위로 볼록하고 c와 a의 부호가 다르므로 축이 y축의 오른쪽에 있으며 $-b>0$이므로 y축과의 교점이 x축의 위쪽에 있다.

따라서 $y=cx^2+ax-b$의 그래프는 오른쪽 그림과 같고, 꼭짓점의 위치는 제1사분면이다.

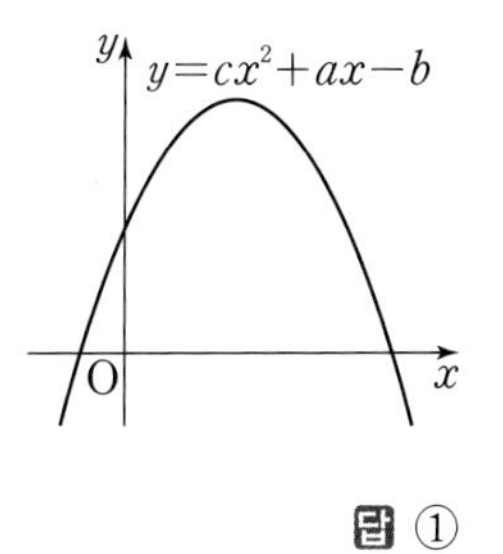

답 ①

쌤의 특강

이차함수 $y=ax^2+bx+c$의 그래프에서

$ab>0$이면 축이 y축의 왼쪽에 있다는 것만 알 수 있고,

$ab<0$이면 축이 y축의 오른쪽에 있다는 것만 알 수 있다.

a의 부호로 그래프의 모양을, c의 부호로 y축과의 교점의 위치를 알면 이차함수의 그래프가 어느 사분면을 지나는지 알 수 있다.

05

① 그래프가 위로 볼록하므로 $a<0$

축이 y축의 오른쪽에 있으므로 $ab<0$ $\therefore b>0$

y축과의 교점이 x축의 위쪽에 있으므로 $c>0$ $\therefore abc<0$

② $x=-1$일 때, $y<0$이므로 $a-b+c<0$

③ $x=1$일 때, $y>0$이므로 $a+b+c>0$

④ $x=2$일 때, $y<0$이므로 $4a+2b+c<0$

⑤ 축의 방정식은 $x=-\frac{b}{2a}$이고, $0<-\frac{b}{2a}<1$

이때 $-2a>0$이므로 $0<b<-2a$

$\therefore 2a+b<0$

따라서 옳은 것은 ③, ⑤이다. 답 ③, ⑤

쌤의 오답 피하기 특강

$y=ax^2+bx+c$에서 그래프의 모양과 축의 위치로 a, b, c의 부호를 확인할 수 있지만 $a+b+c$, $a-b+c$, $4a+2a+c$ 등의 부호는 바로 확인하기 어렵다.

이런 경우에는 x의 값에 따른 y의 값의 부호를 확인하면 된다.

예를 들어 $x=\frac{1}{2}$일 때 $y>0$이므로 $\frac{1}{4}a+\frac{1}{2}b+c>0$임을 알 수 있다.

06

$y=x^2-2x-5$의 그래프가 직선 $y=3$과 만나는 점의 x좌표는 이차방정식 $x^2-2x-5=3$의 해와 같다.

$x^2-2x-5=3$에서 $x^2-2x-8=0$

$(x+2)(x-4)=0$ $\therefore x=-2$ 또는 $x=4$

따라서 $A(-2, 3)$, $B(4, 3)$이라 하면

$\overline{AB}=4-(-2)=6$ 답 6

07

$y=x^2+3x-4$에 $y=0$을 대입하면

$x^2+3x-4=0$

$(x+4)(x-1)=0$

$\therefore x=-4$ 또는 $x=1$

즉, $y=x^2+3x-4$의 그래프가 x축과 만나는 점의 좌표는

$A(1, 0)$, $B(-4, 0)$

$y=x^2+3x-4$에 $x=0$을 대입하면 $y=-4$

즉, 그래프가 y축과 만나는 점의 좌표는 $C(0, -4)$

$$\therefore \triangle ABC=\frac{1}{2}\times\overline{AB}\times\overline{CO}$$
$$=\frac{1}{2}\times5\times4=10$$

답 10

08

$y=2x^2+ax+b$의 그래프는 축 $x=-1$에 대하여 대칭이고, $\overline{AB}=6$이므로 x축과 만나는 두 점의 x좌표는

$-1-\frac{6}{2}=-4$, $-1+\frac{6}{2}=2$

따라서 $y=2x^2+ax+b$의 그래프와 x축과의 교점의 좌표는 $(-4, 0)$, $(2, 0)$

$y=2x^2+ax+b$에

$x=-4$, $y=0$을 대입하면 $0=32-4a+b$ ······ ㉠

$x=2$, $y=0$을 대입하면 $0=8+2a+b$ ······ ㉡

㉠, ㉡을 연립하여 풀면

$a=4$, $b=-16$ $\quad\therefore a+b=-12$

답 -12

쌤의 특강

$y=2x^2+ax+b$의 그래프와 x축과의 교점의 좌표가 $(-4, 0)$, $(2, 0)$이므로 $y=2(x+4)(x-2)$로 이차함수의 식을 세워 a, b의 값을 구할 수도 있다.

09

그래프의 꼭짓점의 좌표가 $(1, 3)$이므로 구하는 이차함수의 식을 $y=a(x-1)^2+3$으로 놓고 $x=3$, $y=-3$을 대입하면

$-3=a(3-1)^2+3$, $4a=-6$ $\quad\therefore a=-\frac{3}{2}$

$\therefore y=-\frac{3}{2}(x-1)^2+3=-\frac{3}{2}x^2+3x+\frac{3}{2}$

따라서 $a=-\frac{3}{2}$, $b=3$, $c=\frac{3}{2}$이므로

$a+b-c=-\frac{3}{2}+3-\frac{3}{2}=0$

답 0

10

축의 방정식이 $x=-2$이므로 구하는 이차함수의 식을 $y=a(x+2)^2+q$로 놓고

$x=-4$, $y=3$을 대입하면 $3=4a+q$ ······ ㉠

$x=1$, $y=8$을 대입하면 $8=9a+q$ ······ ㉡

㉠, ㉡을 연립하여 풀면

$a=1$, $q=-1$

$\therefore y=(x+2)^2-1=x^2+4x+3$

$y=x^2+4x+3$에 $x=0$을 대입하면 $y=3$

따라서 y축과 만나는 점의 좌표는 $(0, 3)$이다.

답 $(0, 3)$

11

구하는 이차함수의 식을 $y=ax^2+bx+c$로 놓고

$x=0$, $y=3$을 대입하면 $3=c$ ······ ㉠

$x=-4$, $y=-1$을 대입하면 $-1=16a-4b+c$ ······ ㉡

$x=2$, $y=8$을 대입하면 $8=4a+2b+c$ ······ ㉢

㉠을 ㉡, ㉢에 대입한 후 연립하여 풀면 $a=\frac{1}{4}$, $b=2$

$\therefore y=\frac{1}{4}x^2+2x+3$

$y=\frac{1}{4}x^2+2x+3$에 $x=-8$, $y=k$를 대입하면

$k=\frac{1}{4}\times(-8)^2+2\times(-8)+3=3$

답 ③

12

x축과 두 점 $(-3, 0)$, $(2, 0)$에서 만나므로 구하는 이차함수의 식을 $y=a(x+3)(x-2)$로 놓고 $x=0$, $y=12$를 대입하면

$12=-6a$, $a=-2$

$\therefore y=-2(x+3)(x-2)=-2x^2-2x+12$

따라서 $a=-2$, $b=-2$, $c=12$이므로

$a+b+c=-2+(-2)+12=8$

답 8

13

$y=-3x^2+6x-2$

$=-3(x^2-2x+1-1)-2$

$=-3(x-1)^2+1$

즉, 꼭짓점의 좌표가 $(1, 1)$이고 그래프가 위로 볼록하므로 $x=1$일 때, 최댓값은 1이다.

$y=\frac{1}{3}x^2+2x-1$

$=\frac{1}{3}(x^2+6x+9-9)-1$

$=\frac{1}{3}(x+3)^2-4$

즉, 꼭짓점의 좌표가 $(-3, -4)$이고 그래프가 아래로 볼록하므로 $x=-3$일 때, 최솟값은 -4이다.

따라서 $M=1$, $m=-4$이므로

$M+m=1+(-4)=-3$

답 -3

14

$y=-\frac{1}{2}x^2+6x-5+k$

$=-\frac{1}{2}(x^2-12x+36-36)-5+k$

$=-\frac{1}{2}(x-6)^2+13+k$

즉, 꼭짓점의 좌표가 $(6, 13+k)$이고 그래프가 위로 볼록하므로 $x=6$일 때, 최댓값은 $13+k$

$y=4x^2-8x+5-2k$

$=4(x^2-2x+1-1)+5-2k$

$=4(x-1)^2+1-2k$

즉, 꼭짓점의 좌표가 $(1, 1-2k)$이고 그래프가 아래로 볼록하므로 $x=1$일 때, 최솟값은 $1-2k$

따라서 $13+k=1-2k$이므로 $3k=-12$

$\therefore k=-4$

답 -4

15

$y=x^2-4x-3$
$=(x^2-4x+4-4)-3$
$=(x-2)^2-7$

이 그래프를 x축의 방향으로 m만큼, y축의 방향으로 n만큼 평행이동하면

$y=(x-m-2)^2-7+n$

한편,

$y=x^2+2x+3$
$=(x^2+2x+1-1)+3$
$=(x+1)^2+2$

이므로 $-m-2=1$, $-7+n=2$

따라서 $m=-3$, $n=9$이므로

$m+n=-3+9=6$ 답 6

다른 풀이

$y=x^2-4x-3$
$=(x^2-4x+4-4)-3$
$=(x-2)^2-7$

이 그래프의 꼭짓점의 좌표는 $(2, -7)$

$y=x^2+2x+3$
$=(x^2+2x+1-1)+3$
$=(x+1)^2+2$

이 그래프의 꼭짓점의 좌표는 $(-1, 2)$

이때 점 $(2, -7)$을 x축의 방향으로 m만큼, y축의 방향으로 n만큼 평행이동하면 점 $(-1, 2)$와 일치하므로

$2+m=-1$, $-7+n=2$

따라서 $m=-3$, $n=9$이므로

$m+n=-3+9=6$

쌤의 만점 특강

이차함수의 그래프의 평행이동은 꼭짓점의 이동으로 알 수 있다.
즉, 꼭짓점이 점 (a, b)에서 점 (p, q)로 이동하면 x축의 방향으로 $p-a$만큼, y축의 방향으로 $q-b$만큼 평행이동한 것이다.

16

$y=-x^2+2ax-3a+1$
$=-(x^2-2ax+a^2-a^2)-3a+1$
$=-(x-a)^2+a^2-3a+1$

이 그래프의 꼭짓점의 좌표는 (a, a^2-3a+1)이므로

$y=-2x+3$에 $x=a$, $y=a^2-3a+1$을 대입하면

$a^2-3a+1=-2a+3$, $a^2-a-2=0$

$(a+1)(a-2)=0$

$\therefore a=-1$ 또는 $a=2$

이때 $a>0$이므로 $a=2$ 답 2

17

$y=2x^2+4x-6$에 $y=0$을 대입하면

$0=2x^2+4x-6$, $x^2+2x-3=0$, $(x+3)(x-1)=0$

$\therefore x=-3$ 또는 $x=1$

즉, 그래프가 x축과 만나는 점의 좌표는 A$(1, 0)$, B$(-3, 0)$

$y=2x^2+4x-6$에 $x=0$을 대입하면 $y=-6$

즉, 그래프가 y축과 만나는 점의 좌표는 D$(0, -6)$

$y=2x^2+4x-6$
$=2(x^2+2x+1-1)-6$
$=2(x+1)^2-8$

이 그래프의 꼭짓점의 좌표는 C$(-1, -8)$

$\therefore \triangle ABC=\frac{1}{2}\times4\times8=16$, $\triangle ABD=\frac{1}{2}\times4\times6=12$

$\therefore \triangle ABC:\triangle ABD=16:12=4:3$ 답 $4:3$

다른 풀이

$y=2x^2+4x-6$에 $x=0$을 대입하면 $y=-6$

즉, 그래프가 y축과 만나는 점의 좌표는 D$(0, -6)$

$y=2x^2+4x-6=2(x+1)^2-8$

이므로 이 그래프의 꼭짓점의 좌표는 C$(-1, -8)$

$\triangle$ABC와 $\triangle$ABD는 밑변인 $\overline{AB}$의 길이가 서로 같으므로 넓이의 비는 높이의 비, 즉 점 C와 점 D의 y좌표의 절댓값의 비와 같다.

$\therefore \triangle ABC:\triangle ABD=8:6=4:3$

18

x축과 두 점 $(1, 0)$, $(5, 0)$에서 만나므로 구하는 이차함수의 식을 $y=a(x-1)(x-5)$로 놓고 $x=0$, $y=-5$를 대입하면

$-5=5a$, $a=-1$

$\therefore y=-(x-1)(x-5)$
$=-x^2+6x-5$
$=-(x^2-6x+9-9)-5$
$=-(x-3)^2+4$

따라서 그래프의 꼭짓점의 좌표는 $(3, 4)$이다. 답 $(3, 4)$

LEVEL 2 필수 기출 문제

→ 97쪽~102쪽

01 $-4, -10$ **02** 2 **03** 4 **04** $\frac{1}{9}\le a\le4$ **05** 12 **06** ⑤
07 3개 **08** 12 **09** 8 **10** 15 **11** $\frac{5}{6}$ **12** $\frac{27}{2}$ **13** $4\sqrt{5}$
14 15 **15** $y=\frac{1}{2}x^2+3x+\frac{11}{2}$ **16** 1 **17** $(-9, 0)$, $(3, 0)$
18 $(3, 0)$, $(4, 0)$ **19** $y=\frac{1}{2}x^2-3x+\frac{1}{2}$ **20** $(-1, 9)$
21 $(2, -3)$ **22** 2451 **23** -6 **24** 5초 후

01

[전략] 주어진 그래프를 y축에 대하여 대칭이동한 후 평행이동한 식을 구한다.

$y=-x^2+6x+3$의 그래프를 y축에 대하여 대칭이동하면

$y=-x^2-6x+3$
$=-(x^2+6x+9-9)+3$
$=-(x+3)^2+12$

이 그래프를 x축의 방향으로 -4만큼, y축의 방향으로 3만큼 평행이동하면

$y=-(x+4+3)^2+12+3$
$=-(x+7)^2+15$
$=-x^2-14x-34$

$y=-x^2-14x-34$에 $x=a$, $y=6$을 대입하면

$6=-a^2-14a-34$, $a^2+14a+40=0$, $(a+4)(a+10)=0$

$\therefore a=-4$ 또는 $a=-10$ 　　　　답 -4, -10

02

[전략] 서로 평행한 두 직선의 기울기 사이의 관계를 생각한다.

$y=-x^2+2x+2$
$=-(x^2-2x+1-1)+2$
$=-(x-1)^2+3$

이 그래프의 꼭짓점의 좌표는 A(1, 3)

이 그래프를 x축의 방향으로 m만큼, y축의 방향으로 -4만큼 평행이동하면

$y=-(x-m-1)^2+3-4$
$=-(x-m-1)^2-1$

이 그래프의 꼭짓점의 좌표는 B$(m+1, -1)$

두 점 A, B를 지나는 직선의 기울기가 -2이므로

$\dfrac{-1-3}{(m+1)-1}=-2$

$\therefore m=2$ 　　　　답 2

쌤의 복합 개념 특강

① 두 점 (x_1, y_1), (x_2, y_2)를 지나는 직선의 기울기는 $\dfrac{y_2-y_1}{x_2-x_1}$

② 두 직선 $y=ax+b$, $y=cx+d$가 평행하면 $a=c$, $b\neq d$

03

[전략] 먼저 주어진 점의 좌표를 이차함수의 식에 대입한다.

$y=x^2+4x+a+2$에 $x=a$, $y=2a^2+6$을 대입하면

$2a^2+6=a^2+4a+a+2$, $a^2-5a+4=0$

$(a-1)(a-4)=0$ 　　$\therefore a=1$ 또는 $a=4$

$y=x^2+4x+a+2$
$=(x^2+4x+4-4)+a+2$
$=(x+2)^2+a-2$

이 그래프의 꼭짓점의 좌표는 $(-2, a-2)$

꼭짓점의 y좌표가 양수이므로

$a-2>0$ 　　$\therefore a>2$

따라서 a의 값은 4이다. 　　　　답 4

04

[전략] $y=ax^2-2ax+a$의 그래프의 꼭짓점의 좌표를 구한다.

$y=ax^2-2ax+a$
$=a(x^2-2x+1)$
$=a(x-1)^2$

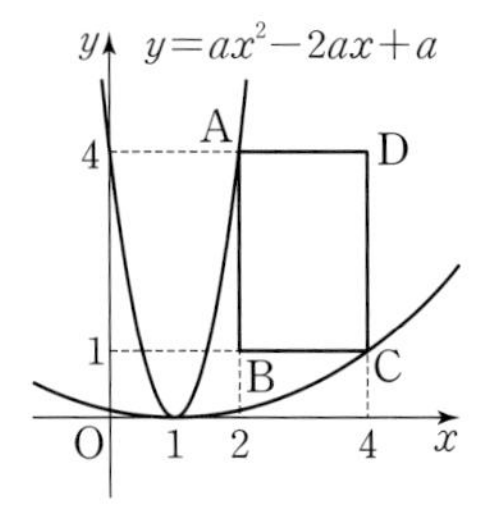

이 그래프의 꼭짓점의 좌표는 (1, 0)이므로 $y=ax^2-2ax+a$의 그래프가 □ABCD와 만나려면 오른쪽 그림과 같이 점 A 또는 점 C를 지나거나 그 사이를 지나야 한다.

(i) $y=ax^2-2ax+a$의 그래프가 점 A(2, 4)를 지날 때

$y=ax^2-2ax+a$에 $x=2$, $y=4$를 대입하면

$4=4a-4a+a$ 　　$\therefore a=4$

(ii) $y=ax^2-2ax+a$의 그래프가 점 C(4, 1)을 지날 때

$y=ax^2-2ax+a$에 $x=4$, $y=1$을 대입하면

$1=16a-8a+a$, $9a=1$ 　　$\therefore a=\dfrac{1}{9}$

(i), (ii)에서 $\dfrac{1}{9}\le a\le 4$ 　　　　답 $\dfrac{1}{9}\le a\le 4$

05

[전략] 두 이차함수의 그래프의 꼭짓점의 좌표를 구한다.

$y=x^2-2x-2$
$=(x^2-2x+1-1)-2$
$=(x-1)^2-3$

이 그래프의 꼭짓점의 좌표는 A$(1, -3)$

$y=x^2-10x+22$
$=(x^2-10x+25-25)+22$
$=(x-5)^2-3$

이 그래프의 꼭짓점의 좌표는 B$(5, -3)$

$y=x^2-10x+22$의 그래프는 $y=x^2-2x-2$의 그래프를 x축의 방향으로 4만큼 평행이동한 것이므로 다음 그림에서 빗금친 부분의 넓이는 서로 같다.

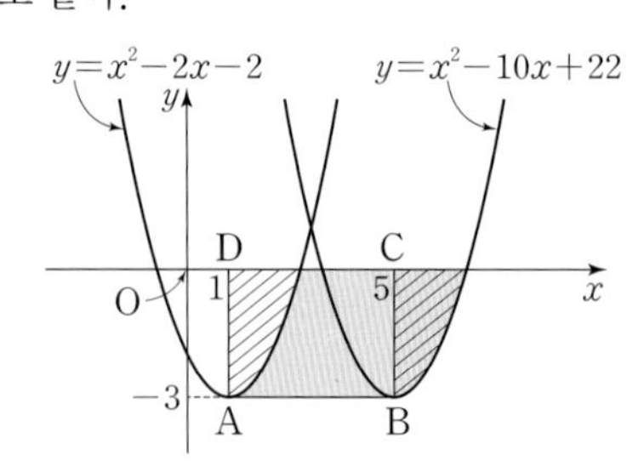

따라서 색칠한 부분의 넓이는 □ABCD의 넓이와 같으므로

$4\times3=12$ 　　　　답 12

06

[전략] $y=ax^2+bx+c$의 그래프가 제2, 3, 4사분면을 지나도록 그래프를 그린다.

$y=ax^2+bx+c$의 그래프가 제2, 3, 4사분면을 지나는 경우는 다음 그림과 같다.

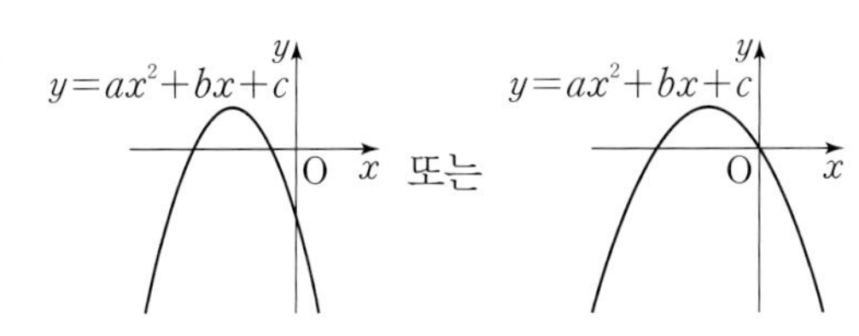

$y=ax^2+bx+c$의 그래프는 위로 볼록하므로 $a<0$
축이 y축의 왼쪽에 있으므로 $ab>0$
$\therefore b<0$
y축과의 교점이 x축의 아래쪽에 있거나 원점을 지나므로 $c\le 0$
이때 $y=acx^2+bx+bc$가 이차함수이므로
$ac\neq 0$, 즉 $c\neq 0$
$\therefore a<0, b<0, c<0$
따라서 $y=acx^2+bx+bc$의 그래프는
$ac>0$이므로 아래로 볼록하고
$ac\times b<0$이므로 축이 y축의 오른쪽에 있으며
$bc>0$이므로 y축과의 교점이 x축의 위쪽에 있다.
따라서 $y=acx^2+bx+bc$의 그래프가 될 수 있는 것은 ⑤이다.

답 ⑤

07

[전략] 꼭짓점의 좌표가 $(1, -4)$인 포물선이 모든 사분면을 지나려면 어떤 조건을 만족시켜야 하는지 생각한다.

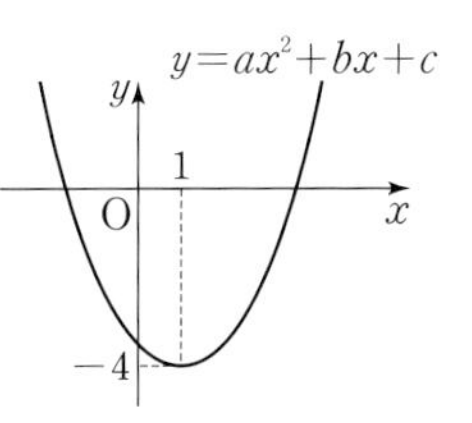

$y=ax^2+bx+c$의 그래프가 모든 사분면을 지나려면 오른쪽 그림과 같이 $a>0$이고, y축과 만나는 점의 y좌표가 0보다 작아야 한다.
$y=ax^2+bx+c$의 그래프의 꼭짓점의 좌표가 $(1, -4)$이므로 이차함수의 식을 $y=a(x-1)^2-4$로 놓고
$x=0$을 대입하면 $y=a-4$
이때 $a-4<0$이므로 $a<4$
따라서 $a>0$이고 $a<4$를 동시에 만족시키는 정수 a는 1, 2, 3의 3개이다.

답 3개

08

[전략] 이차함수의 그래프의 축에서 x축과 만나는 두 점 사이의 거리는 같다.

$y=x^2+2x-15$에 $y=0$을 대입하면
$0=x^2+2x-15$, $(x-3)(x+5)=0$
$\therefore x=3$ 또는 $x=-5$
따라서 그래프가 x축과 만나는 두 점의 좌표는 $(-5, 0)$, $(3, 0)$이므로 두 점 사이의 거리는 $3-(-5)=8$이다.
$y=x^2+2x-15$
$=(x^2+2x+1-1)-15$
$=(x+1)^2-16$
이 그래프를 y축의 방향으로 q만큼 평행이동하면
$y=(x+1)^2-16+q$
이 그래프의 축의 방정식은 $x=-1$이고, x축과 만나는 두 점 사이의 거리는 4이므로 두 점의 좌표는 $(-3, 0)$, $(1, 0)$이다.
$y=(x+1)^2-16+q$에 $x=1$, $y=0$을 대입하면
$0=4-16+q$　　$\therefore q=12$

답 12

09

[전략] 먼저 두 이차함수의 그래프의 꼭짓점의 좌표를 구한다.

$y=x^2+2x+3$
$=(x^2+2x+1-1)+3$
$=(x+1)^2+2$
이 그래프의 꼭짓점의 좌표는 $(-1, 2)$
$y=x^2-6x+11$
$=(x^2-6x+9-9)+11$
$=(x-3)^2+2$
이 그래프의 꼭짓점의 좌표는 $(3, 2)$
이때 두 이차함수는 x^2의 계수가 같고, 그래프의 꼭짓점의 y좌표가 같다.
따라서 $y=x^2-6x+11$의 그래프는 $y=x^2+2x+3$의 그래프를 x축의 방향으로 $3-(-1)=4$만큼 평행이동한 것이다.
$\therefore \overline{AC}=\overline{BD}=4$
$\therefore \overline{AC}+\overline{BD}=4+4=8$

답 8

쌤의 특강

이차함수의 그래프의 평행이동은 꼭짓점의 이동으로 알 수 있다. 이때 그래프 위의 모든 점은 꼭짓점이 이동한 만큼 움직인다.

10

[전략] □ABOC의 넓이에서 △CBO의 넓이를 빼면 △ABC의 넓이를 구할 수 있다.

$y=x^2-4x-5$
$=(x^2-4x+4-4)-5$
$=(x-2)^2-9$
이 그래프의 꼭짓점의 좌표는 $A(2, -9)$
$y=x^2-4x-5$에 $y=0$을 대입하면
$0=x^2-4x-5$, $(x+1)(x-5)=0$
$\therefore x=-1$ 또는 $x=5$
그래프와 x축의 양의 부분과의 교점의 좌표는 $B(5, 0)$
$y=x^2-4x-5$에 $x=0$을 대입하면 $y=-5$이므로 그래프와 y축과의 교점의 좌표는 $C(0, -5)$
$\therefore \triangle ABC=\square ABOC-\triangle CBO$
$=(\triangle OAB+\triangle OCA)-\triangle CBO$
$=\left(\frac{1}{2}\times 5\times 9+\frac{1}{2}\times 5\times 2\right)-\frac{1}{2}\times 5\times 5$
$=15$

답 15

11

[전략] 직선 $y=-x+m$이 선분 AB와 만나는 m의 값의 범위를 구한다.

$y=x^2+4x+5$에 $x=0$을 대입하면 $y=5$

$\therefore$ A$(0, 5)$

$y=x^2+4x+5$에 $y=5$를 대입하면

$5=x^2+4x+5$, $x^2+4x=0$, $x(x+4)=0$

$x=0$ 또는 $x=-4$

$\therefore$ B$(-4, 5)$

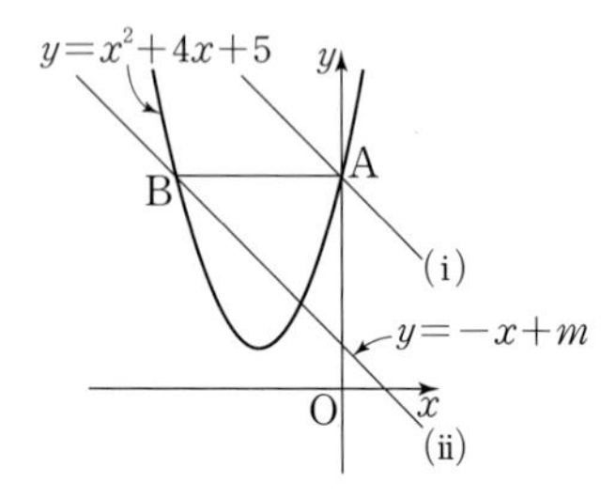

(i) 직선 $y=-x+m$이 점 A$(0, 5)$를 지날 때,
$y=-x+m$에 $x=0$, $y=5$를 대입하면 $m=5$

(ii) 직선 $y=-x+m$이 점 B$(-4, 5)$를 지날 때,
$y=-x+m$에 $x=-4$, $y=5$를 대입하면
$5=4+m$ $\quad\therefore m=1$

(i), (ii)에서 직선 $y=-x+m$이 선분 AB와 만나려면 $1\leq m\leq 5$

한편, 주사위를 한 번 던져 나오는 모든 경우의 수는 6

$1\leq m\leq 5$인 경우의 수는 5

따라서 구하는 확률은 $\frac{5}{6}$ 답 $\frac{5}{6}$

12

[전략] 두 교점 A, B의 좌표를 각각 구한다.

$y=x^2+2x+3$의 그래프와 직선 $y=x+5$가 만나는 점의 x좌표는 이차방정식 $x^2+2x+3=x+5$의 해와 같다.

$x^2+x-2=0$에서 $(x+2)(x-1)=0$

$\therefore x=-2$ 또는 $x=1$

$y=x+5$에 $x=-2$를 대입하면

$y=-2+5=3$ $\quad\therefore$ A$(-2, 3)$

$y=x+5$에 $x=1$을 대입하면

$y=1+5=6$ $\quad\therefore$ B$(1, 6)$

이때 C$(-2, 0)$, D$(1, 0)$이므로

$\square\text{ACDB}=\frac{1}{2}\times(3+6)\times 3=\frac{27}{2}$ 답 $\frac{27}{2}$

쌤의 만점 특강

이차함수 $y=ax^2+bx+c$의 그래프와 직선 $y=mx+n$의 교점의 x좌표, y좌표는 다음과 같이 구한다.

① 교점의 x좌표
➡ 이차방정식 $ax^2+bx+c=mx+n$의 해 $x=\alpha$, $x=\beta$를 구한다.

② 교점의 y좌표
➡ $x=\alpha$, $x=\beta$를 $y=ax^2+bx+c$ 또는 $y=mx+n$에 대입하여 y의 값을 각각 구한다.

13

[전략] 좌표평면 위에서 두 점 사이의 거리는 피타고라스 정리를 이용하여 구할 수 있다.

두 점 $(2, 0)$, $(0, 4)$를 지나는 직선의 기울기는 $\frac{4-0}{0-2}=-2$이고,

y절편은 4이므로 직선의 방정식은

$y=-2x+4$

$y=x^2-4x+1$과 $y=-2x+4$에서

$x^2-4x+1=-2x+4$, $x^2-2x-3=0$

$(x+1)(x-3)=0$

$\therefore x=-1$ 또는 $x=3$

$y=-2x+4$에 $x=-1$을 대입하면

$y=-2\times(-1)+4=6$

$y=-2x+4$에 $x=3$을 대입하면

$y=-2\times 3+4=-2$

따라서 이차함수의 그래프와 직선의 교점의 좌표는

$(-1, 6)$, $(3, -2)$

오른쪽 그림과 같이 A$(-1, 6)$, B$(3, -2)$라 할 때, 직각삼각형 ABC에서

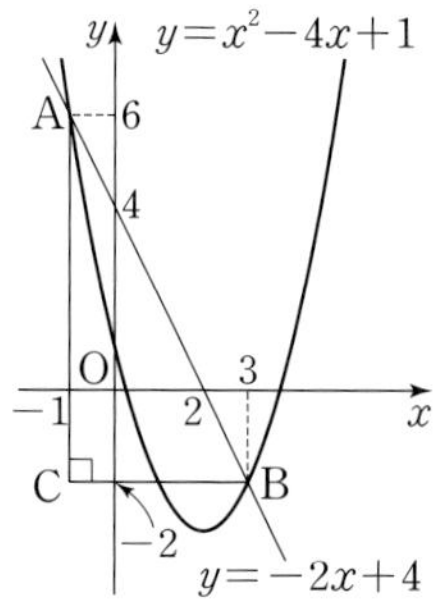

$\overline{AB}^2=\overline{AC}^2+\overline{BC}^2$

$=\{6-(-2)\}^2+\{3-(-1)\}^2$

$=64+16=80$

이때 $\overline{AB}>0$이므로

$\overline{AB}=\sqrt{80}=4\sqrt{5}$ 답 $4\sqrt{5}$

쌤의 만점 특강

좌표평면 위의 두 점 사이의 거리

두 점 $P(x_1, y_1)$, $Q(x_2, y_2)$ 사이의 거리는

$\overline{PQ}=\sqrt{(x_2-x_1)^2+(y_2-y_1)^2}$

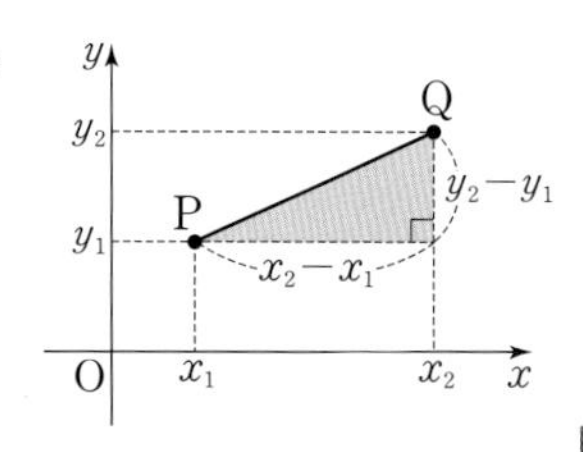

14

[전략] x축에 대하여 대칭이므로 이차함수의 식에 y 대신 $-y$를 대입한다.

그래프의 꼭짓점의 좌표가 $(3, 5)$이므로 구하는 이차함수의 식을

$y=k(x-3)^2+5$로 놓고 $x=5$, $y=1$을 대입하면

$1=4k+5$, $k=-1$

$\therefore y=-(x-3)^2+5$

이 그래프와 x축에 대하여 대칭인 그래프의 식은

$-y=-(x-3)^2+5$, $y=(x-3)^2-5=x^2-6x+4$

따라서 $a=1$, $b=-6$, $c=4$이므로

$a-b+2c=1-(-6)+2\times 4=15$ 답 15

15

[전략] 조건 (다)에 의해 그래프의 축의 방정식을 알 수 있다.

조건 (나)에서 이차함수의 식의 x^2의 계수는 $\frac{1}{2}$이다.

조건 (다)에서 이차함수의 그래프의 축의 방정식이 $x=-3$이므로

구하는 이차함수의 식을 $y=\frac{1}{2}(x+3)^2+q$로 놓을 수 있다.

조건 (가)에서 $x=-1$, $y=3$을 위의 식에 대입하면

$3=\frac{1}{2}(-1+3)^2+q$, $q+2=3$ $\quad\therefore q=1$

$\therefore y=\frac{1}{2}(x+3)^2+1$

$=\frac{1}{2}x^2+3x+\frac{11}{2}$

답 $y=\frac{1}{2}x^2+3x+\frac{11}{2}$

16

[전략] $y=f(x)$의 그래프가 지나는 세 점의 좌표를 구한다.

$f(x)=ax^2+bx+c(a\neq0)$라 하자.

$y=f(x)$의 그래프가 직선 $y=7$과 만나는 두 점의 x좌표가 -2, 6이므로

두 점 $(-2, 7)$, $(6, 7)$을 지난다.

또, $y=f(x)$의 그래프가 y축과 만나는 점의 y좌표가 15이므로 점 $(0, 15)$를 지난다.

$y=f(x)$에 $x=0$, $y=15$를 대입하면

$c=15$ ……㉠

$x=-2$, $y=7$을 대입하면 $7=4a-2b+c$ ……㉡

$x=6$, $y=7$을 대입하면 $7=36a+6b+c$ ……㉢

㉠을 ㉡, ㉢에 대입한 후 연립하여 풀면 $a=-\frac{2}{3}$, $b=\frac{8}{3}$

$\therefore f(x)=-\frac{2}{3}x^2+\frac{8}{3}x+15$

$\therefore f(-3)=-\frac{2}{3}\times(-3)^2+\frac{8}{3}\times(-3)+15=1$

답 1

다른 풀이

그래프가 x축과 만나는 두 점의 x좌표가 -2, 6인 이차함수의 식은 $y=a(x+2)(x-6)$으로 놓을 수 있다.

이 그래프를 y축의 방향으로 7만큼 평행이동하면

$y=a(x+2)(x-6)+7$

이 그래프가 $y=f(x)$의 그래프이고

점 $(0, 15)$를 지나므로 $x=0$, $y=15$를 대입하면

$15=-12a+7$, $a=-\frac{2}{3}$

$\therefore y=-\frac{2}{3}(x+2)(x-6)+7$

$=-\frac{2}{3}x^2+\frac{8}{3}x+15$

$\therefore f(-3)=-\frac{2}{3}\times(-3)^2+\frac{8}{3}\times(-3)+15=1$

17

[전략] x축과의 두 교점의 좌표와 그래프 위의 한 점을 이용하여 $y=f(x)$의 식을 구한다.

x축과 두 점 $(-4, 0)$, $(2, 0)$에서 만나므로 $y=f(x)$의 식을

$y=a(x+4)(x-2)$로 놓고 $x=1$, $y=5$를 대입하면

$5=-5a$, $a=-1$

$\therefore f(x)=-(x+4)(x-2)$

$f\left(\frac{x+1}{2}\right)=-\left(\frac{x+1}{2}+4\right)\left(\frac{x+1}{2}-2\right)$

$=-\left(\frac{x+9}{2}\right)\left(\frac{x-3}{2}\right)$

$=-\frac{1}{4}(x+9)(x-3)$

$-\frac{1}{4}(x+9)(x-3)=0$에서

$x=-9$ 또는 $x=3$

따라서 $y=f\left(\frac{x+1}{2}\right)$의 그래프가 x축과 만나는 두 점의 좌표는

$(-9, 0)$, $(3, 0)$

답 $(-9, 0)$, $(3, 0)$

18

[전략] $f(x)$, $f(x)+g(x)$, $g(x)$의 순으로 이차함수의 식을 구한다.

$y=f(x)$의 그래프가 x축과 만나는 점의 좌표는 $(3, 0)$, $(8, 0)$이고, $y=f(x)$의 이차항의 계수는 1이므로

$f(x)=(x-3)(x-8)=x^2-11x+24$

$y=f(x)+g(x)$의 그래프가 x축과 만나는 점의 좌표는 $(3, 0)$, $(6, 0)$이고, $y=f(x)+g(x)$의 이차항의 계수는 2이므로

$f(x)+g(x)=2(x-3)(x-6)=2x^2-18x+36$

$\therefore g(x)=2x^2-18x+36-(x^2-11x+24)$

$=x^2-7x+12$

$=(x-3)(x-4)$

$(x-3)(x-4)=0$에서 $x=3$ 또는 $x=4$

따라서 $y=g(x)$의 그래프가 x축과 만나는 두 점의 좌표는

$(3, 0)$, $(4, 0)$

답 $(3, 0)$, $(4, 0)$

19

[전략] 먼저 조건 (가)를 이용하여 이차함수의 식을 세운다.

조건 (가)에서 꼭짓점의 좌표가 $(3, -4)$이므로 구하는 이차함수의 식을 $y=a(x-3)^2-4$로 놓을 수 있다.

조건 (나)에서 그래프가 x축과 만나는 두 점의 x좌표를 각각 α, β라 하면 $|\alpha-\beta|=4\sqrt{2}$

이때 $a(x-3)^2-4=0$, 즉 $ax^2-6ax+9a-4=0$의 두 근이 α, β이므로

$\alpha+\beta=\frac{6a}{a}=6$, $\alpha\beta=\frac{9a-4}{a}$

$(\alpha-\beta)^2=(\alpha+\beta)^2-4\alpha\beta$이므로

$(4\sqrt{2})^2=6^2-4\times\frac{9a-4}{a}$, $\frac{9a-4}{a}=1$

$9a-4=a$, $8a=4$ $\quad\therefore a=\frac{1}{2}$

$\therefore y=\frac{1}{2}(x-3)^2-4$

$=\frac{1}{2}x^2-3x+\frac{1}{2}$ 답 $y=\frac{1}{2}x^2-3x+\frac{1}{2}$

다른 풀이

조건 (가)에서 꼭짓점의 좌표가 $(3,\ -4)$이므로 구하는 이차함수의 식을 $y=a(x-3)^2-4$로 놓을 수 있다.

조건 (나)에서 그래프가 x축과 두 점에서 만나므로 $a>0$이고

$a(x-3)^2-4=0$에서

$a(x-3)^2=4$, $(x-3)^2=\frac{4}{a}$

$x-3=\pm\sqrt{\frac{4}{a}}$ $\quad\therefore x=3\pm\sqrt{\frac{4}{a}}$

따라서 그래프가 x축과 만나는 두 점의 좌표는

$\left(3+\sqrt{\frac{4}{a}},\ 0\right)$, $\left(3-\sqrt{\frac{4}{a}},\ 0\right)$

$\left(3+\sqrt{\frac{4}{a}}\right)-\left(3-\sqrt{\frac{4}{a}}\right)=4\sqrt{2}$에서

$\frac{4}{\sqrt{a}}=4\sqrt{2}$, $\frac{1}{\sqrt{a}}=\sqrt{2}$, $\sqrt{a}=\frac{1}{\sqrt{2}}$ $\quad\therefore a=\frac{1}{2}$

$\therefore y=\frac{1}{2}(x-3)^2-4=\frac{1}{2}x^2-3x+\frac{1}{2}$

20

[전략] 두 점 A, C의 좌표를 이차함수의 식에 대입한다.

$y=2x+8$에 $y=0$을 대입하면 $0=2x+8$, $x=-4$

$y=2x+8$에 $x=0$을 대입하면 $y=8$

$\therefore$ A$(-4,\ 0)$, C$(0,\ 8)$

$y=-x^2+ax+b$의 그래프가 두 점 A, C를 지나므로

$y=-x^2+ax+b$에 $x=-4$, $y=0$을 대입하면

$0=-16-4a+b$ $\quad\cdots\cdots$ ㉠

$y=-x^2+ax+b$에 $x=0$, $y=8$을 대입하면

$8=b$ $\quad\cdots\cdots$ ㉡

㉡을 ㉠에 대입하면 $0=-16-4a+8$, $4a=-8$

$\therefore a=-2$

$\therefore y=-x^2-2x+8$

$=-(x^2+2x+1-1)+8$

$=-(x+1)^2+9$

따라서 구하는 꼭짓점의 좌표는 $(-1,\ 9)$이다. 답 $(-1,\ 9)$

21

[전략] 네 점 A, B, C, D의 좌표를 각각 구한다.

$y=ax^2-8ax$에 $x=-2$, $y=5$를 대입하면

$5=4a+16a$, $20a=5$ $\quad\therefore a=\frac{1}{4}$

$y=\frac{1}{4}x^2-2x$에 $y=5$를 대입하면

$5=\frac{1}{4}x^2-2x$, $x^2-8x-20=0$

$(x-10)(x+2)=0$

$\therefore x=10$ 또는 $x=-2$

따라서 점 D의 좌표는 $(10,\ 5)$이다.

$y=\frac{1}{4}x^2-2x$

$=\frac{1}{4}(x^2-8x+16-16)$

$=\frac{1}{4}(x-4)^2-4$

이 그래프의 꼭짓점의 좌표는 $(4,\ -4)$

$\overline{\text{BC}}$는 x축에 평행하고 꼭짓점 $(4,\ -4)$를 지나므로

B$(-2,\ -4)$, C$(10,\ -4)$

$\square\text{ABCD}=\overline{\text{AB}}\times\overline{\text{BC}}=9\times12=108$

$\triangle\text{DPC}=\frac{1}{3}\square\text{ABCD}=\frac{1}{3}\times108=36$

이때 점 P의 x좌표를 k라 하면

$\triangle\text{DPC}=\frac{1}{2}\times9\times(10-k)=36$

$10-k=8$ $\quad\therefore k=2$

$y=\frac{1}{4}x^2-2x$에 $x=2$를 대입하면

$y=\frac{1}{4}\times4-2\times2=-3$

$\therefore$ P$(2,\ -3)$ 답 $(2,\ -3)$

22

[전략] $f(x)$와 $g(x)$를 $y=a(x-p)^2+q$의 꼴로 바꾸어 두 이차함수 사이의 관계를 파악한다.

$f(x)=x^2+x+1$

$=\left(x+\frac{1}{2}\right)^2+\frac{3}{4}$

$g(x)=x^2-x+1$

$=\left(x-\frac{1}{2}\right)^2+\frac{3}{4}$

$y=g(x)$의 그래프를 x축의 방향으로 -1만큼 평행이동하면

$y=f(x)$의 그래프가 되므로

$f(x)=g(x+1)$

$\therefore \frac{f(1)f(2)f(3)\cdots f(49)}{g(1)g(2)g(3)\cdots g(49)}$

$=\frac{g(2)g(3)g(4)\cdots g(50)}{g(1)g(2)g(3)\cdots g(49)}$

$=\frac{g(50)}{g(1)}=\frac{50^2-50+1}{1}$

$=2451$ 답 2451

23

[전략] 주어진 이차함수의 최솟값 m을 k에 대한 이차식으로 나타낸다.

$y=\frac{1}{2}x^2-kx-6k+1$

$=\frac{1}{2}(x^2-2kx+k^2-k^2)-6k+1$

$=\frac{1}{2}(x-k)^2-\frac{1}{2}k^2-6k+1$

즉, $x=k$일 때, 최솟값은 $-\frac{1}{2}k^2-6k+1$이므로

$m=-\frac{1}{2}k^2-6k+1$

$=-\frac{1}{2}(k^2+12k+36-36)+1$

$=-\frac{1}{2}(k+6)^2+19$

따라서 $k=-6$일 때, m의 값은 최대가 된다. 답 -6

24

[전략] x초 후의 $\triangle PBQ$의 넓이를 x에 대한 이차식으로 나타낸다.

두 점 P, Q가 동시에 출발한 지 x초 후의 $\overline{BP}$, $\overline{BQ}$의 길이는 각각

$\overline{BP}=(20-2x)$ cm, $\overline{BQ}=3x$ cm

$\triangle PBQ$의 넓이를 y cm²라 하면

$y=\frac{1}{2}\times 3x\times(20-2x)$

$=-3x^2+30x$

$=-3(x^2-10x+25-25)$

$=-3(x-5)^2+75$

따라서 두 점이 출발한 지 5초 후에 $\triangle PBQ$의 넓이는 75 cm²로 최대가 된다. 답 5초 후

LEVEL 3 최고난도 문제

→ 103쪽

01 $24-8\sqrt{5}$	02 $y=\frac{2}{3}x+\frac{2}{3}$	03 $-\frac{9}{8}$	04 3

01 solution 미리 보기

step ❶	C$(a, 0)$으로 놓고, $\overline{AC}$, $\overline{CD}$의 길이 구하기
step ❷	□ACDB가 정사각형임을 이용하여 a의 값 구하기
step ❸	□ACDB의 넓이 구하기

$y=-x^2+4x$

$=-(x^2-4x+4-4)$

$=-(x-2)^2+4$

이 그래프의 꼭짓점의 좌표는 $(2, 4)$

점 C의 좌표를 $(a, 0)$이라 하면 $0<a<2$이고

두 점 C, D는 직선 $x=2$에 대하여 대칭이므로

$\overline{CD}=2(2-a)$

$A(a, -a^2+4a)$이므로 $\overline{AC}=-a^2+4a$ ❶

이때 □ACDB가 정사각형이므로

$-a^2+4a=4-2a$, $a^2-6a+4=0$

$\therefore a=3\pm\sqrt{5}$

$0<a<2$이므로 $a=3-\sqrt{5}$ ❷

$\overline{CD}=4-2a=4-2(3-\sqrt{5})=2\sqrt{5}-2$

$\therefore$ □ACDB$=\overline{CD}^2=(2\sqrt{5}-2)^2=24-8\sqrt{5}$ ❸

답 $24-8\sqrt{5}$

02 solution 미리 보기

step ❶	$\triangle ABC$의 넓이 구하기
step ❷	$\overline{AC}$와 직선 l의 교점의 y좌표 구하기
step ❸	두 점 A, C를 지나는 직선의 방정식 구하기
step ❹	$\overline{AC}$와 직선 l의 교점의 x좌표 구하기
step ❺	직선 l의 방정식 구하기

$y=-x^2+2x+3$

$=-(x^2-2x+1-1)+3$

$=-(x-1)^2+4$

이 그래프의 꼭짓점의 좌표는 $A(1, 4)$

$y=-x^2+2x+3$에 $y=0$을 대입하면

$0=-x^2+2x+3$, $x^2-2x-3=0$

$(x+1)(x-3)=0$

$\therefore x=-1$ 또는 $x=3$

따라서 그래프가 x축과 만나는 두 점의 좌표는 각각

$B(-1, 0)$, $C(3, 0)$이므로

$\triangle ABC=\frac{1}{2}\times 4\times 4=8$ ❶

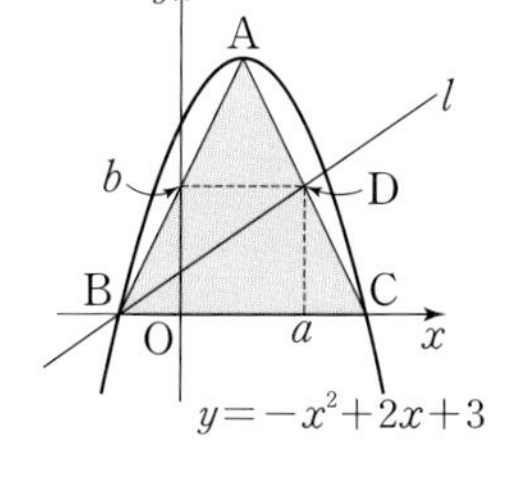

$\overline{AC}$와 직선 l의 교점의 좌표를 $D(a, b)$라 하면 직선 l은 $\triangle ABC$의 넓이를 이등분하므로

$\triangle DBC=\frac{1}{2}\times 4\times b=4$

$\therefore b=2$ ❷

두 점 $A(1, 4)$, $C(3, 0)$을 지나는 직선은

$(기울기)=\frac{0-4}{3-1}=-2$이므로 $y=-2x+p$로 놓고

$x=3$, $y=0$을 대입하면 $0=-6+p$, $p=6$

$\therefore y=-2x+6$ ❸

$y=-2x+6$에 $x=a$, $y=2$를 대입하면

$2=-2a+6$, $a=2$ ❹

$\therefore D(2, 2)$

이때 직선 l은 두 점 $B(-1, 0)$, $D(2, 2)$를 지나므로

$(기울기)=\frac{2-0}{2-(-1)}=\frac{2}{3}$

즉, $y=\frac{2}{3}x+q$로 놓고 $x=-1$, $y=0$을 대입하면

$0=-\frac{2}{3}+q$, $q=\frac{2}{3}$

따라서 구하는 직선 l의 방정식은 $y=\frac{2}{3}x+\frac{2}{3}$이다. ❺

답 $y=\frac{2}{3}x+\frac{2}{3}$

03 solution 미리 보기

step ❶	이차함수의 그래프가 직선 $y=4$와 만나는 점의 x좌표 구하기
step ❷	$f(k)$ 구하기
step ❸	$f(k)$의 최솟값 구하기

$y=-2x^2+(k^2-3k)x+4$의 그래프가 직선 $y=4$와 만나는 점의 x좌표는 이차방정식 $4=-2x^2+(k^2-3k)x+4$의 해와 같다.

$2x^2-(k^2-3k)x=0$에서

$x(2x-k^2+3k)=0$

$\therefore x=0$ 또는 $x=\frac{1}{2}k^2-\frac{3}{2}k$ ❶

이때 $f(k)\neq0$이므로 $f(k)=\frac{1}{2}k^2-\frac{3}{2}k$ ❷

$f(k)=\frac{1}{2}k^2-\frac{3}{2}k=\frac{1}{2}\left(k^2-3k+\frac{9}{4}-\frac{9}{4}\right)=\frac{1}{2}\left(k-\frac{3}{2}\right)^2-\frac{9}{8}$

따라서 $k=\frac{3}{2}$일 때, $f(k)$의 최솟값은 $-\frac{9}{8}$이다. ❸

답 $-\frac{9}{8}$

04 solution 미리 보기

step ❶	$y=x^2-2(m-2)x+m$의 그래프의 꼭짓점의 좌표 구하기
step ❷	m에 대한 항등식을 이용하여 a, b, c의 값 구하기
step ❸	$2a+3b+c$의 값 구하기

$y=x^2-2(m-2)x+m$

$=\{x^2-2(m-2)x+(m-2)^2-(m-2)^2\}+m$

$=\{x-(m-2)\}^2-m^2+5m-4$

이 그래프의 꼭짓점의 좌표는

$(m-2, -m^2+5m-4)$ ❶

$y=ax^2+bx+c$에 $x=m-2$, $y=-m^2+5m-4$를 대입하면

$-m^2+5m-4=a(m-2)^2+b(m-2)+c$

$-m^2+5m-4=am^2-4am+4a+bm-2b+c$

$-m^2+5m-4=am^2+(-4a+b)m+4a-2b+c$

이 식은 m에 대한 항등식이므로

$a=-1$, $-4a+b=5$, $4a-2b+c=-4$

$\therefore a=-1$, $b=1$, $c=2$ ❷

$\therefore 2a+3b+c=2\times(-1)+3\times1+2=3$ ❸

답 3

쌤의 만점 특강

항등식

① (x에 대한 항등식) ⟺ (모든 x에 대하여 성립)

⟺ (x의 값에 관계없이 성립)

② $ax^2+bx+c=0$이 x에 대한 항등식

➡ $a=0$, $b=0$, $c=0$

$ax^2+bx+c=a'x^2+b'x+c'$이 x에 대한 항등식

➡ $a=a'$, $b=b'$, $c=c'$

최상위의 절대 기준

절대등급

정답과 풀이

중학 수학 3-1

절대등급

최상위의 절대 기준